미래의 글로벌 리더들이 꼭 읽어야 할 인문고전을 만화로 만나다

서울 인문고전 60선

33

일연 삼국유사

한지영 글 · 이진영 그림

주니어김영사

| 기획에 부쳐 |

〈NEW 서울대 선정 인문고전60〉이 국민 만화책이 되기를 바라며

제가 대여섯 살 때 동네 골목 어귀에 어린이들에게 만화책을 빌려주는 좌판 만화 대여소가 있었습니다. 땅바닥에 두터운 검정 비닐을 깔고 그 위에 아이들이 좋아하는 만화책을 늘어놓았는데, 1원을 내면 낡은 만화책 한 권을 빌릴 수 있었지요. 저는 그곳에서 만화책을 보면서 한글을 깨쳤고 책과의 인연을 맺었습니다.

초등학교 때는 용돈을 아껴서 책을 사서 읽었고, 중학교 때는 학교 도서 반장을 맡아 도서관에서 매일 밤 10시까지 있으면서 참 많은 책을 읽었습니다. 그 무렵 헤밍웨이의 《노인과 바다》를 손에 땀을 쥐며 읽으면서 인생에 대해 고민했고, 헤르만 헤세의 《수레바퀴 아래서》를 읽으며 사춘기의 심란한 마음을 달랬습니다. 김래성의 《청춘 극장》을 밤새워 읽는 바람에 다음 날 치르는 중간고사를 망치기도 했습니다.

당시 저의 꿈은 아주 큰 도서관을 운영하는 사람이 되어 온종일 책을 보면서 책을 쓰는 작가가 되는 것이었습니다. 나이가 들고 어느 정도 바라는 꿈을 이루었습니다. 큰 도서관은 아니지만 적당한 크기의 서점을 운영하고, 글을 쓰는 작가가 되었거든요. 저는 여기에 새로운 꿈을 하나 더 보탰습니다. 그것은 즐거운 마음과 힘찬 꿈을 가지게 해 주고, 나아가 자기 성찰을 도와주는 좋은 만화책을 만드는 일이었습니다. 이렇게 해서 만든 책이 바로 〈서울대 선정 인문고전〉입니다. 서울대학교 교수님들이 신입생과 청소년들이 꼭 읽어야 할 책으로 추천한 도서들 중에서 따로 60권을 골라 만화로 만든 것입니다. 인류 지성사의 금자탑이라고 할 수 있는 고전을 보기 편하고 이해하기 쉽도록 만화책으로 만드는 일은 쉬운 일은 아니었습니다. 약 4년 동안에 수십 명의 학교 선생님들과 전공 학자들이 원서의 내용을 정확하게 전달할 수 있도록 밑글을 쓰고, 수십 명의 만화가들이 고민에

NEW
서울대 선정
인문고전
60선

33
일연 **삼국유사**

NEW 서울대 선정 인문 고전㉝
만화 일연 삼국유사

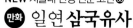

개정 1판 1쇄 발행 | 2019. 8. 21
개정 1판 3쇄 발행 | 2025. 1. 11

한지영 글 | 이진영 그림 | 손영운 기획

발행처 김영사 | 발행인 박강휘
등록번호 제 406-2003-036호 | 등록일자 1979. 5. 17.
주소 경기도 파주시 문발로 197 (우10881)
전화 마케팅부 031-955-3100 | 편집부 031-955-3113~20 | 팩스 031-955-3111

값은 표지에 있습니다.
ISBN 978-89-349-9458-9
ISBN 978-89-349-9425-1 (세트)

좋은 독자가 좋은 책을 만듭니다. 김영사는 독자 여러분의 의견에 항상 귀 기울이고 있습니다.
전자우편 book@gimmyoung.com | 홈페이지 www.gimmyoung.com

이 도서의 국립중앙도서관 출판예정도서목록(CIP)은 서지정보유통지원시스템 홈페이지(http://seoji.nl.go.kr)와 국가자료종합목록시스템(http://www.nl.go.kr/kolisnet)에서 이용하실 수 있습니다. (CIP제어번호 : CIP2018042954)

| 어린이제품 안전특별법에 의한 표시사항 | **제품명** 도서 **제조년월일** 2025년 1월 11일
제조사명 김영사 **주소** 10881 경기도 파주시 문발로 197 **전화번호** 031-955-3100 **제조국명** 대한민국
사용 연령 10세 이상 ⚠**주의** 책 모서리에 찍히거나 책장에 베이지 않게 조심하세요.

고민을 거듭하면서 만화를 그려 60권의 책을 만들었습니다.

〈서울대 선정 인문고전〉이 완간되었을 무렵에 우리나라에 인문학 읽기 열풍이 불기 시작했습니다. 〈서울대 선정 인문고전〉은 인문학 열풍을 널리 퍼뜨리는 데 한몫을 하면서 독자들의 뜨거운 사랑과 관심을 받았습니다. 덕분에 지금까지 수백만 권이 팔리는 베스트셀러가 되었습니다. 그 사랑에 조금이나마 보답을 하기 위해 《칸트의 실천이성 비판》, 《미셸 푸코의 지식의 고고학》, 《이이의 성학집요》 등 우리가 꼭 읽어야 할 동서양의 고전 10권을 추가하여 만화로 만들었습니다.

〈서울대 선정 인문고전〉은 어린이와 청소년이 부모님과 함께 봐도 좋을 만화책입니다. 국민 배우, 국민 가수가 있듯이 〈서울대 선정 인문고전〉이 '국민 만화책'이 되길 큰마음으로 바랍니다.

손영운

| 글작가 머리말 |

우리 고대사를 찾아가는 첫걸음 《삼국유사》

《삼국유사》는 단순히 삼국의 역사를 기록한 책이라거나, 백성들 사이에 전해지는 이야기를 모아놓은 책이란 말로는 부족한, 그 이상의 특별한 가치를 지닌 책입니다. 무엇보다 한민족韓民族의 시작인 단군과 고조선을 역사로서 당당하게 다루었고, 삼국 이외에 부여, 가야, 삼한, 발해 등 우리 고대사를 이루는 다양한 부분들을 놓치지 않았습니다. 게다가 10세기까지 천 년을 이어온 신라의 노래, 향가가 실려 있는 귀중한 자료이니, 이 책이 없었다면 우리 민족의 옛 역사는 너무도 빈약했을 것입니다.

《삼국유사》가 고전으로서의 가치를 널리 인정받아 온 만큼, 지금까지 이와 관련된 책들도 수십 종이 넘게 나왔습니다. 한문으로 된 원문을 충실히 해독하거나, 여기에 의견과 해석을 덧붙이기도 하고, 아예 쉬운 옛날이야기처럼 만든 책도 있습니다. 하지만 《삼국유사》에 수록된 수많은 이야기들이 품고 있는 비밀스런 의미와 그 시대를 살았던 사람들의 생각, 바탕이 되는 역사적 사실까지 끌어내 도움을 얻을 수 있도록 한 책은 드물어 보입니다.

꼭 읽어보아야 할 좋은 책을 쉽고 재미있게 풀어보자는 게 이 책을 쓰게 된 처음 생각이었습니다. 제가 어릴 적부터 귀를 쫑긋 세우고 들어왔던 이야기들과 국어 시간,

국사 시간에 흥미롭게 배웠던 많은 사실들이 《삼국유사》 속에 실려 있습니다. 우리 역사를 깊이 있게 알지도 못하고 원전에 대한 이해도 부족한 제가 애초의 취지를 얼마나 살렸는지 두려움이 앞서지만, 이 책 한 구절에서 삶에 대한 깨달음을 얻고, 우리 고전의 맛과 향기를 느끼게 된다면 더 바랄 것이 없겠습니다.

이 책을 쓰면서 머릿속에 생각한 바를 몇 가지 말해보겠습니다.

첫째, 일연 스님이 《삼국유사》를 편찬할 때 쓰신 체제를 그대로 살리고자 했습니다. 지면 사정으로 원본의 일부밖에 싣지 못해 안타깝지만, '기이' 편부터 '효선' 편까지 대표적인 이야기들을 순서대로 구성했습니다. 둘째, 한자어나 오래된 말은 현재에 쓰이는 쉬운 말로 바꾸어 이해를 도우려고 했습니다. 셋째, 각각의 이야기와 관련하여 생각해 볼 만한 의미 있는 사실, 감추어진 상징이나 비유, 교훈 등을 덧붙여 함께 생각해 볼 기회를 갖고자 합니다.

이 책을 읽을 때는 사실이냐, 아니냐에 너무 집착하지 말고, 이야기 자체의 재미를 맛보면서 동시에 풍부한 역사적 상식을 얻고 우리 고유의 심성을 발견했으면 좋겠습니다. 아득한 옛날, 바로 이 땅에서 살아갔던 수많은 사람들의 삶에 다가가 그들의 숨결을 느끼고, 우리들이 살아야 할 더 가치 있는 삶의 모습을 생각해 보았으면 합니다. 책을 읽은 여러분이 우리 역사에 대해 더 큰 관심과 자긍심을 가지고, 이 책이 《삼국유사》 원본을 찾아가는 친절한 징검다리가 되기를 바랍니다.

한지영

| 그림작가 머리말 |

조상들의 슬기와 지혜가 가득한 보물창고

학생 때 국사 시간에만 들었던 《삼국유사》란 역사서를 만화로 옮겨가면서 《삼국유사》가 어떤 과정을 거쳐, 어떤 배경을 가지고 태어났는지 알게 되었습니다. 그리고 일연 스님께서 우리 후손들에게 전하려 한 뜻을 새삼 깨닫게 되었을 때의 그 무게감이란….

딱딱한 글들을 만화적 재미로 풀어야 함에 있어서 며칠씩 원고와 씨름을 해야 하는 고통도 있었지만, 예전엔 스쳐가듯 관심 없이 흘려보낸 많은 것들을, 자료를 찾아가면서 보다보니 독자보다 오히려 나 자신에게 많은 공부가 되었습니다.

《삼국유사》 안에는 위대한 우리 선조들의, 특히 고대의 영웅과 지상으로 강림한 영웅들의 모습- 널리 인간세상을 이롭게 할 목적(홍익인간)으로 지상에 내려온 환웅, 천제의 아들로 알에서 태어나 강대한 나라 고구려를 세운 주몽, 천상의 성인으로 신라의 삼국통일을 이룬 김유신, 여자의 몸으로 뛰어난 지혜와 선견지명으로 신라 최고의 번성기를 일궈낸 선덕여왕-은 물론 사람들 사이에서 전해 내려오는 전설의 인물-혼령의 아들로 귀신을 자유자재로 부리는 비형랑, 용왕의 아들로 역신을 물리친 처용-과 갖가지 민담이 실려 있어 우리 고대사 연구의 귀하디 귀한 자료입니다. 게다가 《삼국유사》에는 이제는 거의 사라져버린 신라 시대 향가가 남아 있어 당시의 시문학과 언어 체계를 엿볼 수 있는 귀중한 학문적 사료이기도 합니다.

막상 다른 나라의 역사나 신화, 전설 등은 흥미로워 하고 별다른 생각 없이 쉽게 받아들이면서도 정작 우리의 신화나 전설 등은 의심 가득한 눈빛으로 바라보고, 또 왠지 유치해 하면서 한쪽 귀퉁이에 던져버리다시피 하는 우리의 모습은 어찌 생각하면 우리 스스로를 그렇게 구석에 방치하는 것과 별반 다르지 않다는 생각이 드는 건 왜일까요?

부족하지만 만화로 재탄생한 《삼국유사》를 통해 여러분들이 조금이나마 조상들의 슬기와 지혜, 용기, 해학 등을 가늠해볼 수 있는 계기가 되었으면 하는 작은 바람을 가져봅니다.

이진영

| 차 례 |

1

제1장 《삼국유사》는 어떤 책인가?

三國遺事
一然

우리 민족이 세운 고대 국가 고구려, 백제, 신라.
고구려
신라
백제
가야

이 세 나라에 대한 이야기를 가장 생생하게 전해주는 책은 무엇일까?

'삼국시대의 역사' 라고 하면 대부분의 사람들이 《삼국유사》와 《삼국사기》를 제일 먼저 떠올릴 거야.
삼국유사
삼국사기

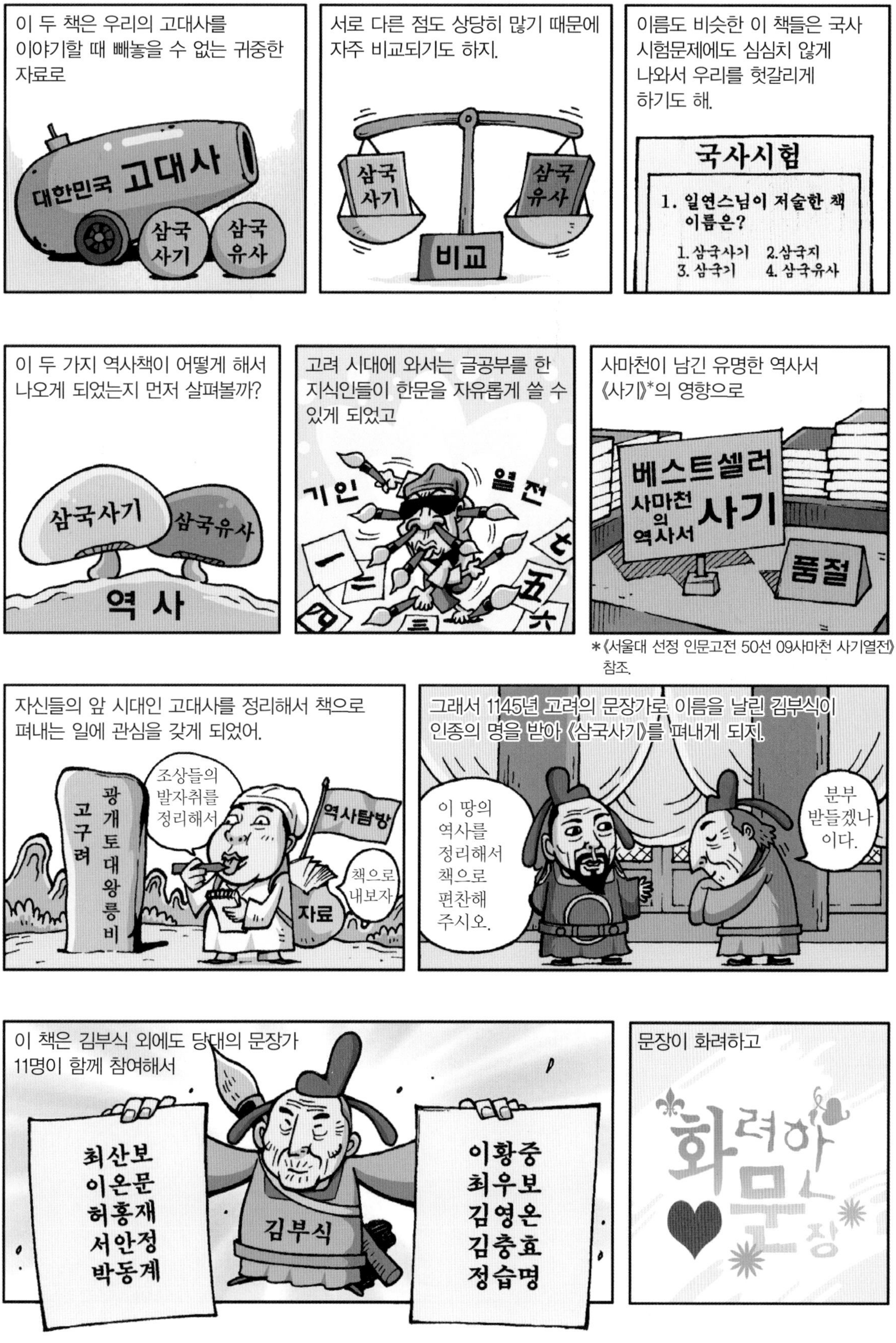
이 두 책은 우리의 고대사를 이야기할 때 빼놓을 수 없는 귀중한 자료로
대한민국 고대사
삼국사기
삼국유사
서로 다른 점도 상당히 많기 때문에 자주 비교되기도 하지.
삼국사기
삼국유사
비교
이름도 비슷한 이 책들은 국사 시험문제에도 심심치 않게 나와서 우리를 헛갈리게 하기도 해.
국사시험
1. 일연스님이 저술한 책 이름은?
1. 삼국사기 2. 삼국지 3. 삼국기 4. 삼국유사
이 두 가지 역사책이 어떻게 해서 나오게 되었는지 먼저 살펴볼까?
삼국사기
삼국유사
역사
고려 시대에 와서는 글공부를 한 지식인들이 한문을 자유롭게 쓸 수 있게 되었고
기인
열전
사마천이 남긴 유명한 역사서 《사기》*의 영향으로
베스트셀러
사마천의 역사서 사기
품절
자신들의 앞 시대인 고대사를 정리해서 책으로 펴내는 일에 관심을 갖게 되었어.
고구려 광개토대왕릉비
조상들의 발자취를 정리해서
책으로 내보자.
역사탐방
자료
그래서 1145년 고려의 문장가로 이름을 날린 김부식이 인종의 명을 받아 《삼국사기》를 펴내게 되지.
이 땅의 역사를 정리해서 책으로 편찬해 주시오.
분부 받들겠나이다.
이 책은 김부식 외에도 당대의 문장가 11명이 함께 참여해서
최산보
이온문
허홍재
서안정
박동계
김부식
이황중
최우보
김영온
김충효
정습명
문장이 화려하고
화려한 문장

*《서울대 선정 인문고전 50선 09사마천 사기열전》 참조.

형식의 틀이 잘 짜인 반면
삼국사기
중국 역사서
중국을 세계의 중심에 놓고 생각하는 사대주의에서 벗어나지 못하고 있어.
탁!
중국
세계의 중심
《삼국유사》는 《삼국사기》가 나온 지 100여 년 후에 세상에 나왔어.
백 살 후에야 손주를 보다니!
까꿍!
삼국사기
삼국유사
그 100년의 세월이 흐르는 동안 고려 사회에는 정말로 커다란 변화가 있었단다.
엄마 나야, 나.
누구세요?
내 딸은 요렇게 생겼는데….
성형
수술
문신들에 비해 상대적으로 차별을 받아왔다고 느낀 무신들이
차
별
뻥
문신
무신
정변을 일으켜서
열 받았다 이거야!
쿠데타
권력을 휘두르게 되지.
권력
이전에는 과거제도를 통해 등용된 문관들이 정치를 주도해 왔지만
문관
정치
이제는 칼을 쥔 무신들이 왕까지 마음대로 주무르는 시대가 된 거야.
왕
무신 집권기 고려에서는 평민들의 지위가 상승하기도 했지만
지위상승
무신들은 자신들의 권력을 지키는 데 급급해서 부패가 더 심해지고
앵
앵
권력
부패
사회 전체가 혼란스럽게 되었지.
혼란
고려사회

또 하나 큰 변화는 몽골의 침입으로 전쟁을 겪은 일이야.
몽골
고려
고려의 지식인들은 중국이 세상에서 가장 크고 강한 나라라고
와~ 크고
강한 걸~!
강 국
중 국
고려
고려
중국 본토에 나라를 세워온 한족이 문화적으로도 제일 앞서 있다고 여겨 왔어.
언제 쫓아가나.
헥! 헥!
한족
고려
문화
그런데 미개한 오랑캐라고 무시했던 몽골이
자~꾸 무시해!
흥!
고려
몽골
중국 영토를 지배하던 송나라를 멸망시키고
오늘의 요리 송어
몽골
송! 송! 송!
원(元) 제국을 세웠으니 엄청난 충격을 받았겠지?
나 칭기스칸
元
충격
이거야 원….
그러다보니 중국이 세상의 중심이며,
세상의 중심
퉁
우리나라는 중국의 변두리에 불과하고
부럽다.
중국
고려
변두리
그들의 문화를 배우며 살아야 한다는 생각이 잘못되었다고 생각하는
열심히 베끼자.
중국 문화
고려 문화
분위기가 생기게 돼.
분위기

우리 민족에게도 고유한 역사와
전통이 있는데
고려
역사
전통
언젠가 세계의 중심에 우뚝 서지
말란 법이 어디 있어?
고려
세계의 중심
우리는 중국과 다르지만,
그들보다 못하지 않다는 깨달음을
얻게 된 거지.
난 너보다
못하지 않아!
누가
뭐래?
이렇듯 여러 모로 변화가 심했던
시대에 태어나 혼란스러운 일들을
두루 겪으며 살았던 일연은
뒤
죽
박
죽
우리가 바로 이 땅의 역사를 만들어가는
주인공이라는 생각을 갖게 되었을 거야.
역사
주인공
이런 주인 의식, 주체적인
시각이 《삼국유사》를 쓴
계기가 되었단다.
주체적인 시각
주인
의식
그래서 중국 역사서의 틀을 그대로
따른 《삼국사기》와 비교해 볼 때
삼국사기
중국역사서
《삼국유사》는 좀 더 자유로운
방식으로 지은이의 개성을 살려
쓴 책이라고 말할 수 있지.
개성
또 《삼국사기》가 정확한 사실이라고
판단되는 내용만 가려 뽑아 기록에
남기려 한 책이라면
정확한 사실
삼국사기
《삼국유사》에는 근거가 없다고 해서
《삼국사기》에 실리지 못한 이야기들까지
놓치지 않고 실어 놓았단다.
탁
근거 없는 내용
삼국유사
일연 스님은 오랜 세월 동안 백성들 사이에 전해지던
옛 이야기들이 허황되다는 이유로 사라지는 게 더없이
안타까웠겠지.
에이~
안타까
워라.
나이가
들어서
그런지
기억이
가물가물
하네.
우리의 것을
찾아서

평생 동안 자신의 발길이 닿은 우리 땅
으아아악!
똥 밟았다!
그 곳곳에 서려 있는 우리 조상들의 따스한 숨결을 되살리고 싶은 간절한 마음이 이 책을 쓰게 했을 거야.
조상들의 따스한 숨결
삼국유사
그렇다면 너희들, 《삼국사기》와 《삼국유사》란 책 제목이 정확히 어떤 뜻인지 아니?
三國史記
가르쳐 줘봐.
三國遺事
《삼국사기》는 역사 사(史), 기록 기(記) 자가 쓰였으니, 삼국의 역사를 적은 책이란 걸 쉽게 알 수 있지.
三國史記
삼국 역사 기록
그런데 《삼국유사》는 뭐지? 유사… 비슷하단 말인가?
쌍둥이
그럼 《삼국유사》는 《삼국사기》 비슷한 책이란 뜻이라고?
어? 나랑 닮았는데?
짝퉁 아냐?
삼국유사
삼국사기
절대 아니지~!
아님 말고
삼국유사
삼국사기
《삼국유사》 책 이름에 쓰인 '유(遺)'는 '후세에 전하다, 잃어버리다, 남기다'의 뜻이고
문물600점을 캡슐에 담아 1000년 후손에게 문화 유산으로 전합.
타임캡슐
'사(事)'는 '사실이나 사건, 그 일의 흔적'을 의미하는 글자란다.
흔적이다!
흔히 생각하듯이 역사(歷史) 할 때의 '사(史)' 자가 아니라는 거!
史
역사 사
事
일 사
그러니까 《삼국유사》란 제목은, 이미 지어진 역사책에서 빠졌거나
속이 왠지 허전해….
역사

고려조에 와서 잃어버린 일들에 관한 기록이란 걸 의미하지.
찾았다!
《삼국유사》'기이(紀異)' 편 첫머리에 이런 말이 나와.
어느 말?
너야?
절레 절레
"대체로 옛 성인들이 예악(禮樂)을 가지고 나라를 일으키거나
♪삐리리♪
예악
나라
인의(仁義)를 가지고 가르침을 베풀고자 할 때면
한 푼 줍쇼, 네~
인의
용기를 잃지 말고 사시오.
괴이한 힘이나
괴이한 힘
꾹
귀신 이야기는 하지 않았다.
어우~
네 얘기는 하지 않았대, 들어가.
응.
그러나 제왕이 일어나려 할 때에 하늘의 명을 받는다든지
춥다. 일어나야 겠는걸.
휘이잉
명(命)
앞일을 예언하는 책을 받는다든지
컴퓨터 조금만 하고 책 좀 읽어.
예언서
넵!
반드시 남과는 다른 것이 나타난 다음
큰일을 이룰 수 있었다."
금연수료증
성명: 제왕
귀하는 금연실천에 큰일을 이루었기에 금연수료증을 수여함.
보건복지부
이 대목에서도 일연은 기존의 역사서와는 다른 태도를 보이지.
헛!둘! 헛!둘!
왜 틀려?
개성이셔.
역사서
삼국유사

《삼국사기》에서는 신비하고 괴이한 이야기를 사실이 아니라고 무시해 버렸거든.
난 사실만 취급해!
삼국사기
잡귀야 물러 가라~!
뻥
그런데 일연 스님의 생각은 달랐어.
보통 사람들과 뇌구조가 다르군요.
중국의 역대 제왕들은 예사롭지 않게 탄생했다고 하면서
중국 탄생 설화
우리의 시조가 보통 사람과 달리 비범한 모습으로 태어나고
19
신이한 능력을 보였다고 해서
신이한 능력
뽁 뽁 뽁
이상할 게 뭐란 말이야?
그러게.
오히려 새로운 나라가 세워질 때는 큰 변화를 알려주는 신비한 현상이 생기는 게 당연하다고 하면서 이를 역사로 기록하겠다고 당당하게 말하고 있어.
흰개구리
잘 좀 찍어 주쇼.
신비한 현상
기록
이전에 나온 역사책에서 놓쳐버린 소중한 이야기들을 기록으로 남기겠다는 뜻에서
버스 스톱~!
삼국사기
소중한 이야기
BUS
일연은 자신이 쓴 책에 '삼국유사'라는 제목을 붙인 거야.
풀
삼국유사
《삼국유사》가 언제 처음 간행되었는지는 확실하지 않지만, 고려 충렬왕이 즉위한 지 8년 되던 해, 즉 1282년 전후로 보는 의견이 많단다.
이쪽으로 갈까요~
이쪽으로 갈까요~
전
1282
후

보통은 일연 스님이 살아 있을 당시에 처음 책으로 나왔을 거라고 말하는데
난 일연 건전지
아직 멀쩡하다고
폐건전지
폐건전지
그가 세상을 떠난 후에
일연
무극이라는 제자에 의해서 쓰여졌다는 주장도 있단다.
저요?
그럼 《삼국유사》는 어떤 내용으로 되어 있는지 한번 살펴볼까?
내 용
지금 전해지는 《삼국유사》는 모두 다섯 권의 책으로 이루어져 있어.
三國遺事
1
2
3
4
5
제1권에는 왕력(王曆)과 기이(紀異) 제1편이 실려 있단다. 왕력은 다섯 칸으로 나누어진 연표인데, 중국, 신라, 고구려(후고구려), 백제(후백제)와 가락국을 다스렸던 왕들이 언제 태어나고 왕이 됐는지, 어떤 일을 했는지를 기록해 놓았단다.
삼국유사 왕력&기이 건설
백제 &후백제
신라
고구려&후고구려
가락국
중국
王
일
기 록

그리고 '기이'는 이 책에서 가장 많은 비중을 차지하는 부분인데
기이
내가 덩치가 커서~
1권에는 단군의 고조선 시대부터 삼한, 부여, 고구려와 삼국 통일 이전의 신라가
백제
삼한
신라
고조선
부여
고구려
삼국유사 제1권
어떻게 발전해가고
발전
멸망했는지를 왕을 중심으로 이야기하고 있어.
멸망
부여
삼한
고조선
신라
고구려
王
백제
제2권에는 '기이' 제2편으로 신라 문무왕부터 경순왕까지 신라에서 일어난 일과
쾅!
문무왕 → 경순왕
신라고속
백제, 후백제에 관해 전해오는 이야기를 실어 놓았지.
마트
백제
후백제
삼국유사

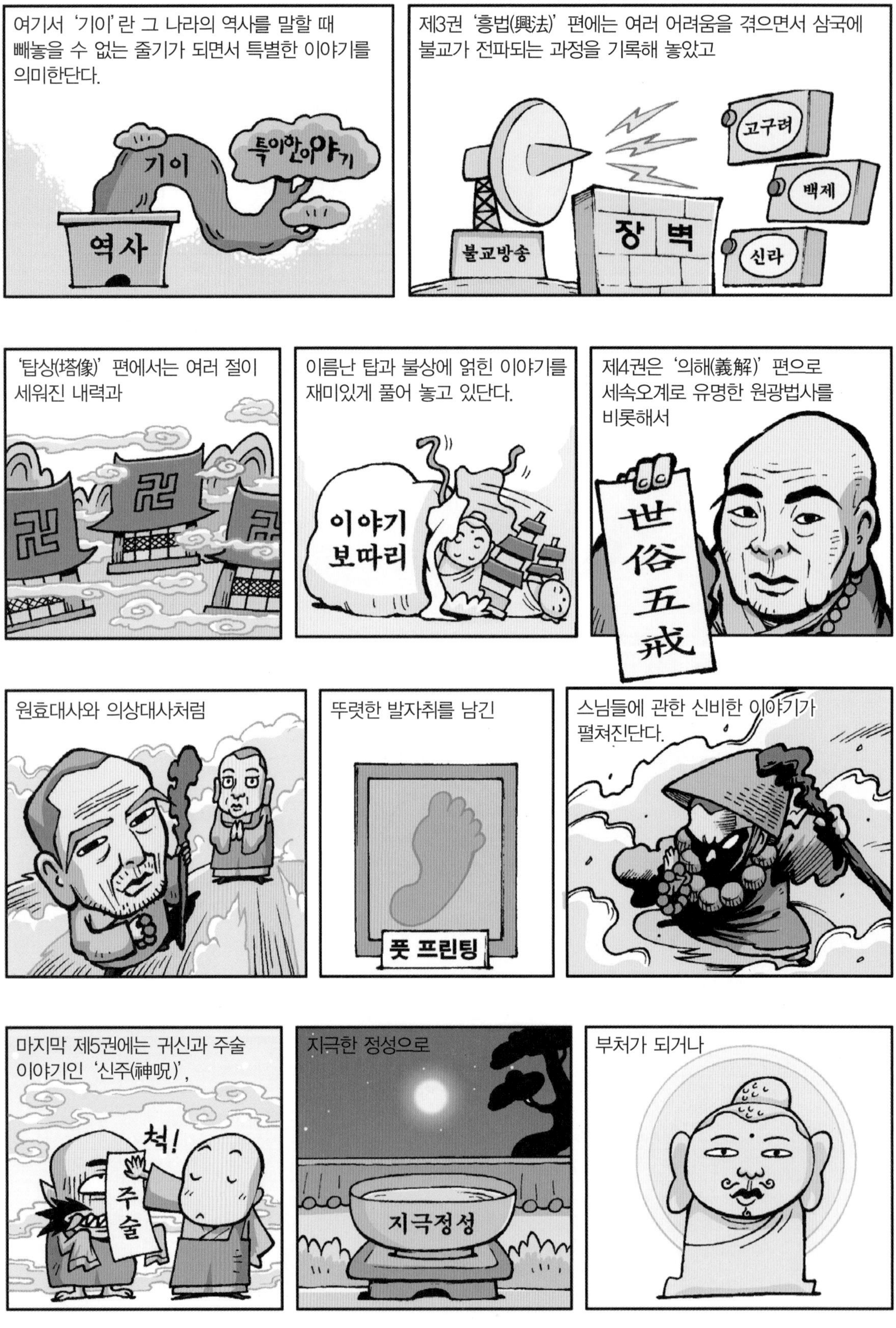
여기서 '기이'란 그 나라의 역사를 말할 때 빼놓을 수 없는 줄기가 되면서 특별한 이야기를 의미한단다.
기이
특이한 이야기
역사
제3권 '흥법(興法)' 편에는 여러 어려움을 겪으면서 삼국에 불교가 전파되는 과정을 기록해 놓았고
고구려
백제
신라
장벽
불교방송
'탑상(塔像)' 편에서는 여러 절이 세워진 내력과
이름난 탑과 불상에 얽힌 이야기를 재미있게 풀어 놓고 있단다.
이야기 보따리
제4권은 '의해(義解)' 편으로 세속오계로 유명한 원광법사를 비롯해서
世俗五戒
원효대사와 의상대사처럼
뚜렷한 발자취를 남긴
풋 프린팅
스님들에 관한 신비한 이야기가 펼쳐진단다.
마지막 제5권에는 귀신과 주술 이야기인 '신주(神呪)',
척!
주술
지극한 정성으로
지극정성
부처가 되거나

신비한 일을 겪는 사람들의 이야기인 '감통(感通)',
분위기 이상하지?
우리 아닌가봐….
감
통
감통이란 느낌이나 생각이 통한다는 뜻이야!
번잡한 세상을 피해 무엇에도 얽매이지 않는 자유로운 삶을 누린 사람들 이야기인 '피은(避隱)',
번잡한 세상
자유
부모님을 온 마음을 다해 섬긴 착한 사람들의 이야기 '효선(孝善)' 편이
효도
차례로 나오면서 다섯 권의 책이 모두 마무리되고 있지.
삼국유사 파이팅
마무리
삼국유사
왕력
기이
흥법
탑상
의해
신주
감통
피은
효선
《삼국유사》를 써내려간 방식 중에 특이한 점을 두어 가지 말해볼게.
특이한 점이 두 개네?
자꾸 내 몸을… 변태?
특이한 점 두 개
먼저 '기이' 편의 구성을 보면, 역사적으로 기록할 만한 왕들을 차례대로 이야기하면서, 그 시대를 대표할 만한 사건 한 가지씩을 묶어서 각 항목의 내용으로 잡아 썼지.
파이팅!
파이팅!
왕(王)
준비~
사 건
또 책의 후반부에서는 어떤 이야기를 마칠 때마다 글쓴이의 개인적인 느낌이나 생각을 시(詩)로 마무리하고 있단다. 이것을 '찬(讚)'이라고 하는데
세월아~ 네월아~
일연의 뛰어난 문학성을 엿볼 수 있게 하지.
문학성
이 부분을 읽을 때 우리는 더욱 더 이야기 속으로 빨려 들어가는 기분을 느끼게 된단다.
이야기

하지만 무엇이든 완벽하기는 어려운 법!
빈틈
주르륵
《삼국유사》에도 아쉬운 면이 몇 가지 있단다. 첫째는 삼국의 역사라고는 하지만, 실제로는 지나치게 신라 쪽에 치우쳐 있다는 거야.
고구려
백제
신
라
신라가 삼국을 통일했기 때문에
고구려
백제
신라
삼국통일
모든 문화가 신라를 중심으로 이어지고 고구려나 백제의 이야기는 전해지는 게 드물었을 거야.
신라문화
고구려
백제
또 일연 스님의 고향이 경상도였고 이 지역에서 오래 살았던 영향도 있었겠지.
경상북도
하여튼 신라에 비해 북쪽 지역에 관한 내용이 너무 소홀하게 다루어졌다고 할 수 있어.
고구려
백제
신
라
그리고 이 책에서 근거로 삼고 있는 여러 책들이 지금은 확인되지 않고 있다든지
냠냠
근거
또 끌어다 쓴 책의 기록과 맞지 않는 내용이 간혹 발견되기도 한단다.
내용
그럼에도 불구하고 《삼국유사》는 값으로 따지기 어려울 만큼 소중한 책이란다.
삼국유사
어째서 《삼국유사》가 그렇게 대단하냐고?
응.
지금부터 《삼국유사》가 왜 그토록 중요한 가치를 갖고 있는지 말해 줄게.
중요한 가치

무엇보다도 '단군신화'를 가장 먼저 기록한 책이기 때문에 귀한 거란다.

삼국유사
단군 신화
기록 제1호

《삼국유사》 기이 편 첫 장을 장식하는 이야기가 뭔지 아니? 바로 우리 민족의 맨 처음 할아버지가 단군왕검이고, 단군이 세운 옛 조선이 나라의 시작이라는 사실이야.

신라 백제 고구려
부여
예~
고조선
가야
고려
조선
대한 민국

우리 민족이라면 누구나 '단군의 자손'이라는 생각이 깊숙이 박혀 있잖아? 우리 모두가 같은 뿌리에서 퍼져 나온 한겨레라는 믿음이 없었다면, 과연 무수히 닥친 숱한 고비를 굳세게 이겨낼 수 있었을까?

한겨레
고난
휘이잉
역경
자손
고통
단군

둘째, 《삼국유사》에는 우리 고유의 시 중에 가장 오래된 형식인 향가(鄕歌)가 14수 실려 있단다.

1.서동요
2.풍요
3.헌화가
4.도솔가
5.모죽지랑가
6.처용가
7.혜성가
8.도천수대비가
9.찬기파랑가
10.원가
11.원왕생가
12.제망매가
13.안민가
14.우적가

향가는 신라 사람들이 즐겨 불렀다고 하는 노래인데, 지금 전해지고 있는 작품은 통틀어서 25수밖에 안 되거든.

균여전
저자 혁련정

15.예경제불가
16.칭찬여래가
17.광수공양가
18.참회업장가
19.수희공덕가
20.청전법륜가
21.청불주세가
22.상수불학가
23.항순중생가
24.보현회향가
25.총결무진가

그런데 지어진 시기도 다양하고, 지은이도 다른 14수의 향가를 《삼국유사》를 통해서 모두 만날 수 있단다.

작품명	작가	연대	작품명	작가	연대
서동요	백제무왕	진평왕	도솔가	월명사	경덕왕
혜성가	융천사	진평왕	제망매가	월명사	경덕왕
풍 요	작자미상	선덕여왕	안민가	충담사	경덕왕
원왕생가	광 덕	문무왕	찬기파랑가	충담사	경덕왕
모죽지랑가	득 오	효소왕	도천수대비가	희 명	경덕왕
헌화가	무명의노인	성덕왕	우적가	영 재	원성왕
원 가	신 충	효성왕	처용가	처 용	헌강왕

三國遺事

그 옛날 신라 시대 사람들은 어떤 노래를 불렀을지 참 궁금하지?

신 라
최신 유행곡

《삼국유사》에 실려 있는 향가는 '향찰(鄕札)'이라고 해서, 한자를 이용하면서도 우리말의 순서와 소리의 느낌을 살려 쓰는 방식으로 적혀 있단다.

善化公主主隱
선화 공주니믄(선화공주님은)
他密只嫁良置古
남 그즈지 얼어 두고(남 몰래 시집가 두고)
薯童房乙
맛둥방을(맛둥 서방을)
夜矣卯乙抱遣去如
바매 몰 안고 가다.(밤에 몰래 안고 간다.)

이 노래들을 자세히 살펴보면 당시에 쓰이던 말의 모습을 짐작할 수 있기 때문에 우리의 고대 언어 연구에도 더없이 귀중한 자료가 되는 거란다.
고대 언어
연구
귀중한 자료

게다가 《삼국유사》에는 《삼국사기》에서는 찾아볼 수 없는 불교와 관련한 기록들,
부러운 걸.
《삼국사기》님은 이런 거 없죠잉~
삼국유사
삼국사기

우리 조상들이 신성하게 여겨온 신앙,
민속신앙

무수히 많은 옛 이야기
이야기보따리

그리고 곳곳의 땅 이름과 성씨(姓氏) 등 다방면에 걸친 자료들이 일일이 헤아리기 어려울 정도로 풍부하게 실려 있지.
땅이름
성씨
종교
미술

그래서 《삼국유사》는 역사학뿐만 아니라 국문학과 민속학, 종교, 미술, 지리 등 많은 분야 연구에 없어서는 안 될 귀중한 원천이 되고 있단다.
국문학
민속학
미술
종교
삼국유사
역사학
지리

일연 스님이 단군조선에서부터 후삼국에 이르는 이 땅의 역사를 기록한 것은
단군조선
부 여
고구려
삼 한
신 라
백 제
후 삼 국
우리 민족이 중국 못지않게 오랜 역사를 가진 자랑스러운 민족임을 드러내고
자랑스런 대한민국
중국역사
오랜 역사
나라 안팎이 혼란스럽기 그지없었던 수난기에 강한 민족혼을 일깨우려는 데 있다고 말했지?
7전 8기
수난기
고려
난 쓰러지지 않아…!
바로 여기에 《삼국유사》가 가지는 최고의 가치가 있어.
최고의 가치
오늘날 우리는 나날이 복잡해져가는 세상 속에서
빵-
빠앙-
빵빵-
빵빵
나라와 민족이라는 커다란 공동체에 대한 책임감도, 긍지도 점점 희미해지고 있잖니?
나라와 민족
책임감
긍지
지금 이 오래된 책 속에서 진정한 우리의 모습을 읽어내고
삼국유사
내가 누구인지를 제대로 알게 된다면
나는 누구일까?
나를 찾고 싶어.
그게 바로 《삼국유사》가 주는 가장 큰 선물이 아닐까?
자, 선물.

제2장
일연은 누구인가?
얘들아, 너희들 '반만 년 우리 역사' 란 말, 들어봤니?
아니.
우리 한민족이 역사의 무대에 등장한 게 5000년 전의 일이란 말인데….
한민족
5000년의 역사
그렇게 말할 수 있는 근거는 과연 무엇일까?
나야 모르지.
흠! 흠!
우리 모두의 머릿속에 맨 처음 할아버지로 기억되는 분, 누군지 알겠니?
바로 단군 할아버지란다.

그 단군 할아버지가 옛 '조선'이란 나라를 세운 때가 기원전 2333년이니까
조선
BC 2333
우리 한국은 세계 어느 나라에 견주어도 뒤지지 않는 오랜 역사와 전통을 가진 나라라고 할 수 있겠지?
불국사
그럼, 우리 모두가 단군의 후예이며, 수많은 어려움을 함께 이겨낸 한겨레라는 사실을 어떤 책에서 알려주고 있을까?
뭐야, 너무 쉬운 문제라고? 딩동댕~~ 정답!
《삼국유사》!
三國遺事
자, 그렇다면 《삼국유사》라는 귀하디 귀한 책을 이 세상에 남겨 주신 일연 스님은 과연 어떤 분인지 한 번 알아볼까?
일연 프로필
일연 스님은 1206년에 태어나서 1289년까지 살았던 분이야.
1289
1206
이때가 어느 시대인지 맞혀 볼래?
《삼국유사》를 썼으니 당연히 삼국시대 사람 아냐?
백제
고구려
신라
라고 생각하는 사람이 있다면, 자기가 너무 단순한 사고의 소유자라는 거~ 알고 있지?
왜 날 봐?
그럼 언제냐고?
응!

맞아, 바로 우리의 자랑스러운 이름 KOREA를 세계에 빛낸 고려 시대!
고려
KOREA
일연 스님이 태어난 곳은 지금의 경상북도 경산군 압량면이야.
경상북도
포항
대구
경상군 압량면
경주
경상남도
이곳은 유명한 원효 스님이 태어난 곳이기도 해서
두 분은 한 고향 사람이 되는 거지.
선배님~
한고향
어이구 후배님~
이 두 분 스님의 인연은 다음에 다시 말할게.
나중에 뵙겠습니다.
한 고향~
그러세.
일연의 아버지는 김언필, 어머니는 이씨(李氏)라고 전해져.
이 씨, 밥 빨리 안 줘?
꼬르륵
김 씨, 지금 차리고 있거든.
어느 날 어머니 이 씨가 꿈을 꾸었어.
아기를 낳기 전에 꾸는 특별한 꿈 있잖아. 바로 태몽(胎夢)!
아주 밝은 햇빛이 집안으로 들어와서 어머니 배를 비추더래. 3일 동안이나 말이야.
그런 다음에 생긴 아이가 바로 일연이란다.
그래서 '빛을 보아 태어난 아이'란 뜻으로 이름을 견명(見明)이라고 했지. 성이 김씨니까 '김견명'
見 볼 견
明 밝을 명

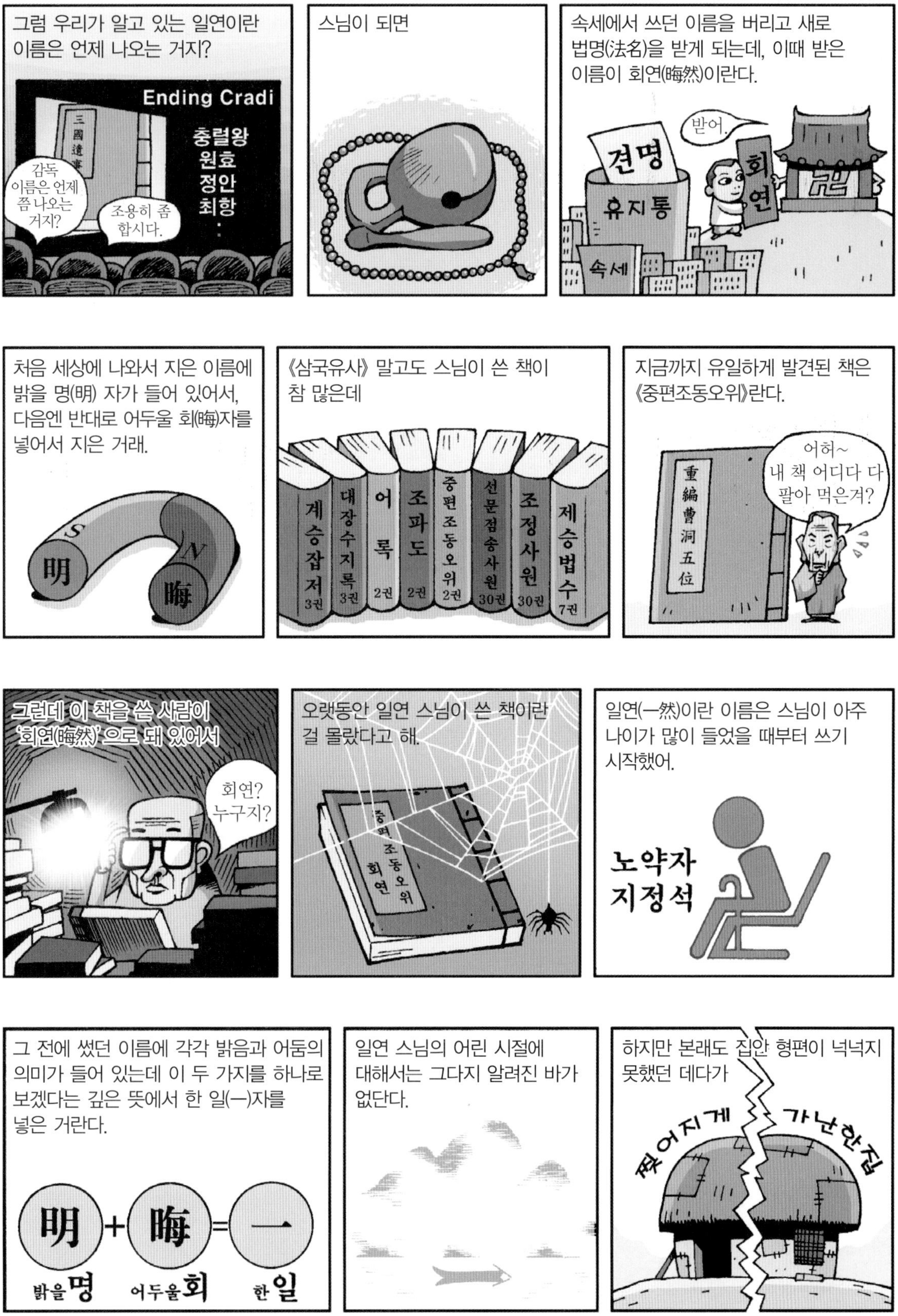
그럼 우리가 알고 있는 일연이란 이름은 언제 나오는 거지?
Ending Cradi
충렬왕
원효
정안
최항
三國遺事
감독 이름은 언제 쯤 나오는 거지?
조용히 좀 합시다.
스님이 되면
속세에서 쓰던 이름을 버리고 새로 법명(法名)을 받게 되는데, 이때 받은 이름이 회연(晦然)이란다.
견명
유지통
속세
받어.
회연
처음 세상에 나와서 지은 이름에 밝을 명(明) 자가 들어 있어서, 다음엔 반대로 어두울 회(晦)자를 넣어서 지은 거래.
S
N
明
晦
《삼국유사》 말고도 스님이 쓴 책이 참 많은데
계승잡저 3권
대장수지록 3권
어록 2권
조파도 2권
중편조동오위 2권
선문점송사원 30권
조정사원 30권
제승법수 7권
지금까지 유일하게 발견된 책은 《중편조동오위》란다.
重編曹洞五位
어허~ 내 책 어디다 다 팔아 먹은겨?
그런데 이 책을 쓴 사람이 '회연(晦然)'으로 돼 있어서
회연? 누구지?
오랫동안 일연 스님이 쓴 책이란 걸 몰랐다고 해.
중편조동오위
회연
일연(一然)이란 이름은 스님이 아주 나이가 많이 들었을 때부터 쓰기 시작했어.
노약자 지정석
그 전에 썼던 이름에 각각 밝음과 어둠의 의미가 들어 있는데 이 두 가지를 하나로 보겠다는 깊은 뜻에서 한 일(一)자를 넣은 거란다.
明 + 晦 = 一
밝을 명
어두울 회
한 일
일연 스님의 어린 시절에 대해서는 그다지 알려진 바가 없단다.
하지만 본래도 집안 형편이 넉넉지 못했던 데다가
찢어지게
가난한 집

아버지마저 일찍 세상을 떠나셨다니
홀로 남겨진 어머니와 함께 고생을 많이 했으리란 짐작이 되지?
고생 보따리
하지만 '젊어서 고생은 사서도 한다'는 속담이 있잖니?
고생 주세요.
안 팔아~
고생
고생
고생
큰 인물이 된 사람들치고 좋은 집안에서 태어나 부족함 없이 자란 사람들이 별로 없단다.
나폴레옹
이순신
에디슨
링컨
베토벤
어쨌든 소년 일연은 어머니와 단 두 식구뿐인 외로운 처지로 자랐지만
아주 잘 생긴 모습에 걸음걸이가 듬직하고, 눈에선 씩씩한 기운이 넘쳐 났다고 해.
헛!
둘!
셋!
넷!
척
척
일연은 아홉 살이 되었을 때 공부를 하기 위해 먼 길을 걸어
운동엔 걷기가 최고지.
전라도 광주에 있는 무량사라는 절로 갔단다.
무량사
당시엔 아이들을 교육시키기 위해 절로 보내는 일이 많았다고 해.
방해 말고 절로 가!
절로 가요?
겨우 열아홉에 남편을 잃은 어머니로서는 일연이 하나밖에 없는 아들인데, 처음부터 승려가 되라고 절로 보낸 건 아닐 거야.
너도 절로 가서 공부나 하거라.
네~
그런데 일연이 어린애 같지 않게 하도 똑똑하고 수련을 잘 하니까
인격
학문
기술
수련

더 큰 절이었던 강원도 양양의 진전사로 추천을 해준 모양이야.
진전사
무량사
추천서
강원도 양양
전라도 광주
일연은 그래서 14살 되던 해에 진전사에 가서 머리를 깎고
이쁘게 깎아 주세요.
어차피 빡빡일세.
정식 스님이 되었단다.
똑!
똑!
똑!
유명한 절을 돌아다니며 공부를 열심히 했던 일연은 스님이 된 지 8년 만에
무량사
진전사
승려들의 과거시험인 선불장(選佛場)에 도전장을 내는데
도전장
여기서 당당히 수석으로 합격하게 돼.
그런 수석이 아냐!
수석
이때 나이 스물두 살! 명예로운 이름을 드날리게 되었지.
회연
그는 고향 근처 비슬산(당시 포산)에 거처하면서
22년에 걸친 긴 수행을 하게 된단다.
스님이 서른 살 되던 해(1235년) 몽골군이 세 번째로 쳐들어 와서 온 나라를 쑥대밭으로 만들어 놓았어.
살리타의 원수를 갚으러 왔다!

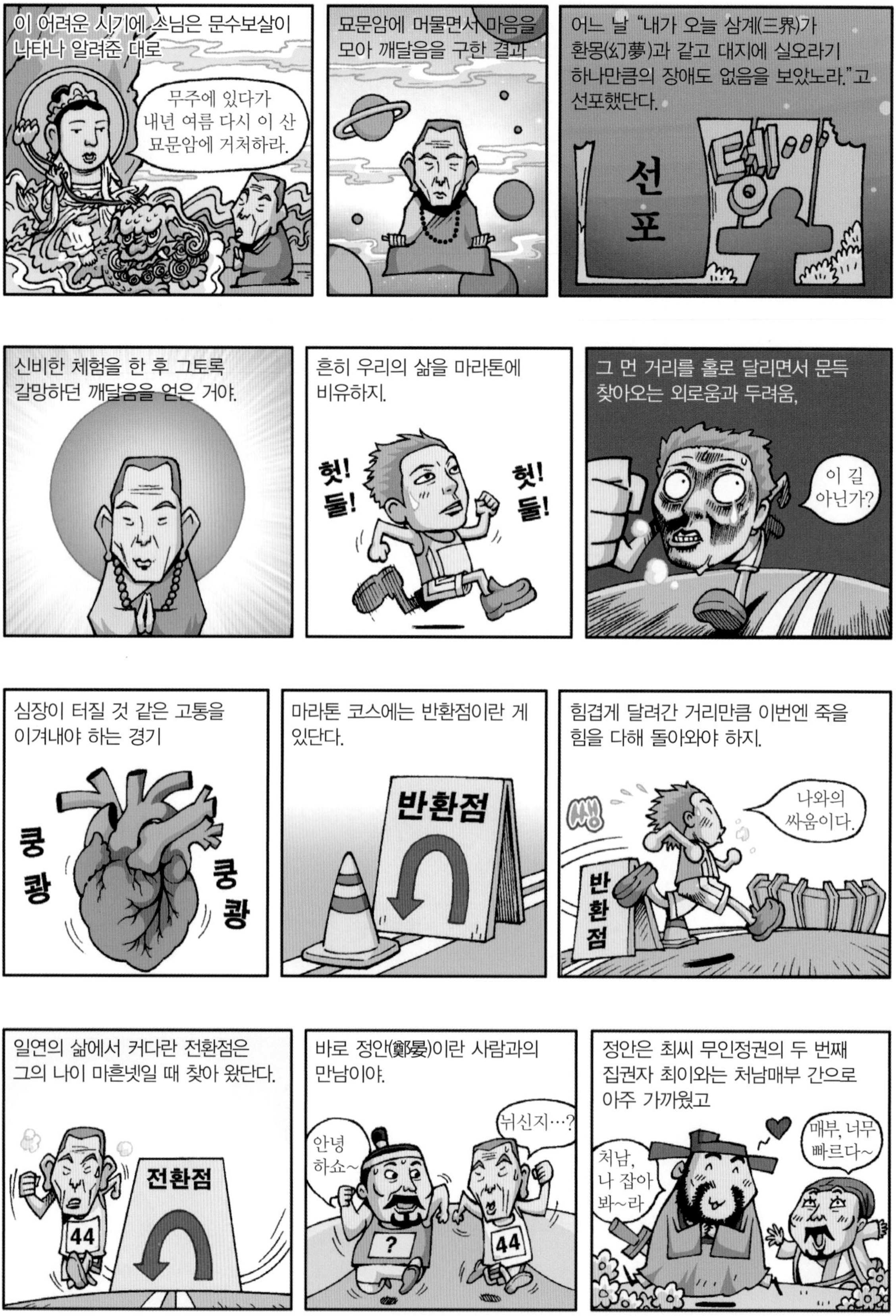
이 어려운 시기에 스님은 문수보살이 나타나 알려준 대로
무주에 있다가 내년 여름 다시 이 산 묘문암에 거처하라.
묘문암에 머물면서 마음을 모아 깨달음을 구한 결과
어느 날 "내가 오늘 삼계(三界)가 환몽(幻夢)과 같고 대지에 실오라기 하나만큼의 장애도 없음을 보았노라."고 선포했단다.
선포
신비한 체험을 한 후 그토록 갈망하던 깨달음을 얻은 거야.
흔히 우리의 삶을 마라톤에 비유하지.
헛! 둘!
헛! 둘!
그 먼 거리를 홀로 달리면서 문득 찾아오는 외로움과 두려움,
이 길 아닌가?
심장이 터질 것 같은 고통을 이겨내야 하는 경기
쿵 쾅
쿵 쾅
마라톤 코스에는 반환점이란 게 있단다.
반환점
힘겹게 달려간 거리만큼 이번엔 죽을 힘을 다해 돌아와야 하지.
쌩
반환점
나와의 싸움이다.
일연의 삶에서 커다란 전환점은 그의 나이 마흔넷일 때 찾아 왔단다.
44
전환점
바로 정안(鄭晏)이란 사람과의 만남이야.
안녕 하쇼~
뉘신지…?
?
44
정안은 최씨 무인정권의 두 번째 집권자 최이와는 처남매부 간으로 아주 가까웠고
처남, 나 잡아 봐~라
매부, 너무 빠르다~

최이의 신임을 받아 중요한 직책을 맡기도 했지만
중요직책 정안
이땐 은퇴해서 남해로 내려왔지.
매부의 횡포가 날로 심해져 화가 미칠지 모르니 은퇴하자.
자신의 집터에 정림사라는 절을 짓고, 일연 스님을 모셔 와서 주석(주지스님)으로 있게 해.
정림사
이 절을 맡아 주시오.
정안은 일연의 능력과 자질을 알아봐주고 길을 열어준 사람이라 할 수 있지.
통과
감사
남해 정림사 주지로 있으면서 대장경을 만드는 일에 참여했을 거라고 짐작돼.
팔만대장경
하지만 정안이 죽자
최항 장군을 비방한 죄값이다!
백령도
길상암으로 옮겨가
길상암
이삿짐
앞서 말했던 《중편조동오위》란 책을 펴내지.
신간
중편조동오위
1261년 몽골과 강화가 성립되고
사이좋게 지내자.
그러지 뭐.
원종이 즉위하던 해에, 쉰여섯의 나이로 왕의 부름을 받아
이리 오시오! 냉큼 오시오!
강화도
임시 수도인 강화도로 가게 된단다.
강화도
김포
번잡함을 싫어했던 그는 고향으로 돌아가고 싶단 말을 여러 번 했다고 해.
반복
MP3
고향으로 돌아가고 파~아~! (여러번)

결국 3년 후에 포항 근처
오어사로 내려갔단다.
오어사
이곳에 있는 동안 동해안을 중심으로 전해오던 신라의 옛이야기들에 관심을
갖게 되지 않았을까?
미추왕
선덕여왕
문무왕
김유신
비형랑

환갑의 나이를 맞은 일연은
61
HAPPY
BIRTHDAY
어린 시절을 보낸 비슬산 아래
인홍사*로 옮겨갔어.
포장
이사
인홍사
13년 동안 이 절의 주석으로
있으면서 《삼국유사》의 첫걸음이
되는
왼발
오른발
삼국유사

*인홍사 – 나중에 인흥사로 고침

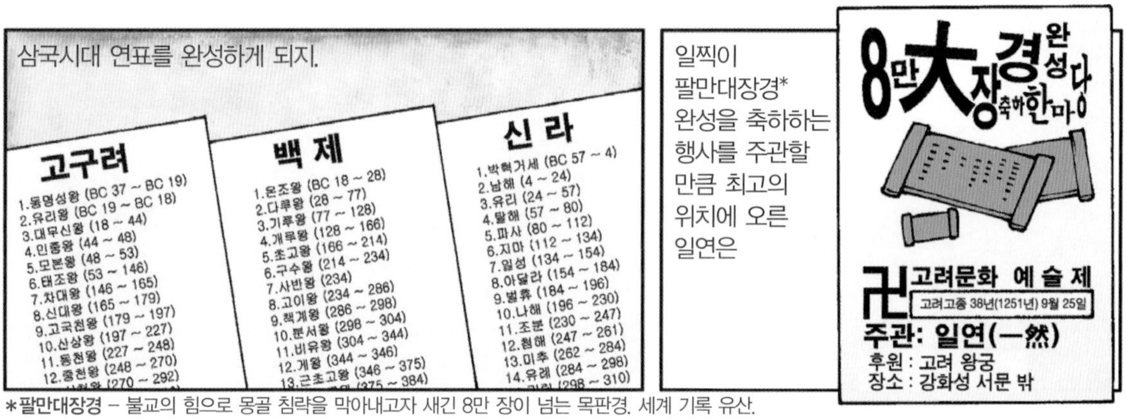
삼국시대 연표를 완성하게 되지.
고구려
1.동명성왕 (BC 37 ~ BC 19)
2.유리왕 (BC 19 ~ BC 18)
3.대무신왕 (18 ~ 44)
4.민중왕 (44 ~ 48)
5.모본왕 (48 ~ 53)
6.태조왕 (53 ~ 146)
7.차대왕 (146 ~ 165)
8.신대왕 (165 ~ 179)
9.고국천왕 (179 ~ 197)
10.산상왕 (197 ~ 227)
11.동천왕 (227 ~ 248)
12.중천왕 (248 ~ 270)
백 제
1.온조왕 (BC 18 ~ 28)
2.다루왕 (28 ~ 77)
3.기루왕 (77 ~ 128)
4.개루왕 (128 ~ 166)
5.초고왕 (166 ~ 214)
6.구수왕 (214 ~ 234)
7.사반왕 (234)
8.고이왕 (234 ~ 286)
9.책계왕 (286 ~ 298)
10.분서왕 (298 ~ 304)
11.비유왕 (304 ~ 344)
12.계왕 (344 ~ 346)
13.근초고왕 (346 ~ 375)
신 라
1.박혁거세 (BC 57 ~ 4)
2.남해 (4 ~ 24)
3.유리 (24 ~ 57)
4.탈해 (57 ~ 80)
5.파사 (80 ~ 112)
6.지마 (112 ~ 134)
7.일성 (134 ~ 154)
8.아달라 (154 ~ 184)
9.벌휴 (184 ~ 196)
10.나해 (196 ~ 230)
11.조분 (230 ~ 247)
12.첨해 (247 ~ 261)
13.미추 (262 ~ 284)
14.유례 (284 ~ 298)
일찍이
팔만대장경*
완성을 축하하는
행사를 주관할
만큼 최고의
위치에 오른
일연은
8만大장경 완성다 축하한마당
卍 고려문화 예술제
고려고종 38년(1251년) 9월 25일
주관: 일연(一然)
후원 : 고려 왕궁
장소 : 강화성 서문 밖

*팔만대장경 – 불교의 힘으로 몽골 침략을 막아내고자 새긴 8만 장이 넘는 목판경. 세계 기록 유산.

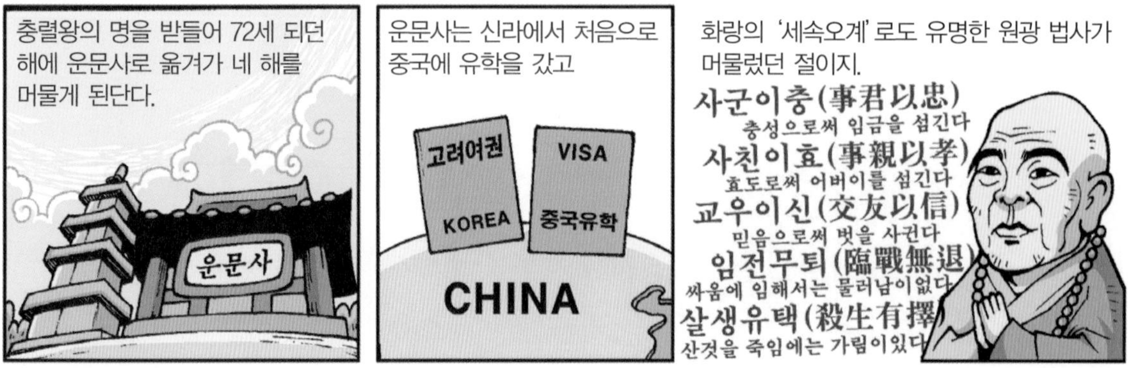
충렬왕의 명을 받들어 72세 되던
해에 운문사로 옮겨가 네 해를
머물게 된단다.
운문사
운문사는 신라에서 처음으로
중국에 유학을 갔고
고려여권
KOREA
VISA
중국유학
CHINA
화랑의 '세속오계'로도 유명한 원광 법사가
머물렀던 절이지.
사군이충(事君以忠)
충성으로써 임금을 섬긴다
사친이효(事親以孝)
효도로써 어버이를 섬긴다
교우이신(交友以信)
믿음으로써 벗을 사귄다
임전무퇴(臨戰無退)
싸움에 임해서는 물러남이 없다
살생유택(殺生有擇)
산것을 죽임에는 가림이 있다

이 운문사에서 일연은 《삼국유사》를 본격적으로 쓰기 시작해.
삼
오늘은 여기까지!
그 후 일연은 원나라의 일본 정벌을 도울 수밖에 없었던 충렬왕을 모시기 위해
원세조(쿠빌라이칸)
일본을 치려 하니 군사 좀 빌려도!
네~
우리 백성을 남의 나라 싸움터에 보내야 하다니…
원나라
고려
일본
경주 행재소*로 와서 1년 남짓 지내게 돼.
1년 남짓

*행재소(行在所) – 임금이 궁을 떠나 멀리 나들이 할 때 머무르던 곳.

이즈음의 경주는 더 이상 신라 천 년의 영광을 간직한 황성이 아니었단다.
천년의 영광
신라

서라벌 한가운데 20층 아파트 높이로 화려하게 솟아 있던 황룡사 9층탑마저도
APT
20층
몽골의 침략으로 잿더미가 되고 말았지.
몽골
이런 슬픈 현실 속에서 일연은 무슨 생각을 했을까?
그래도 지구는 돈다.
그건 지동설을 주장한 갈릴레이의 대사셔.

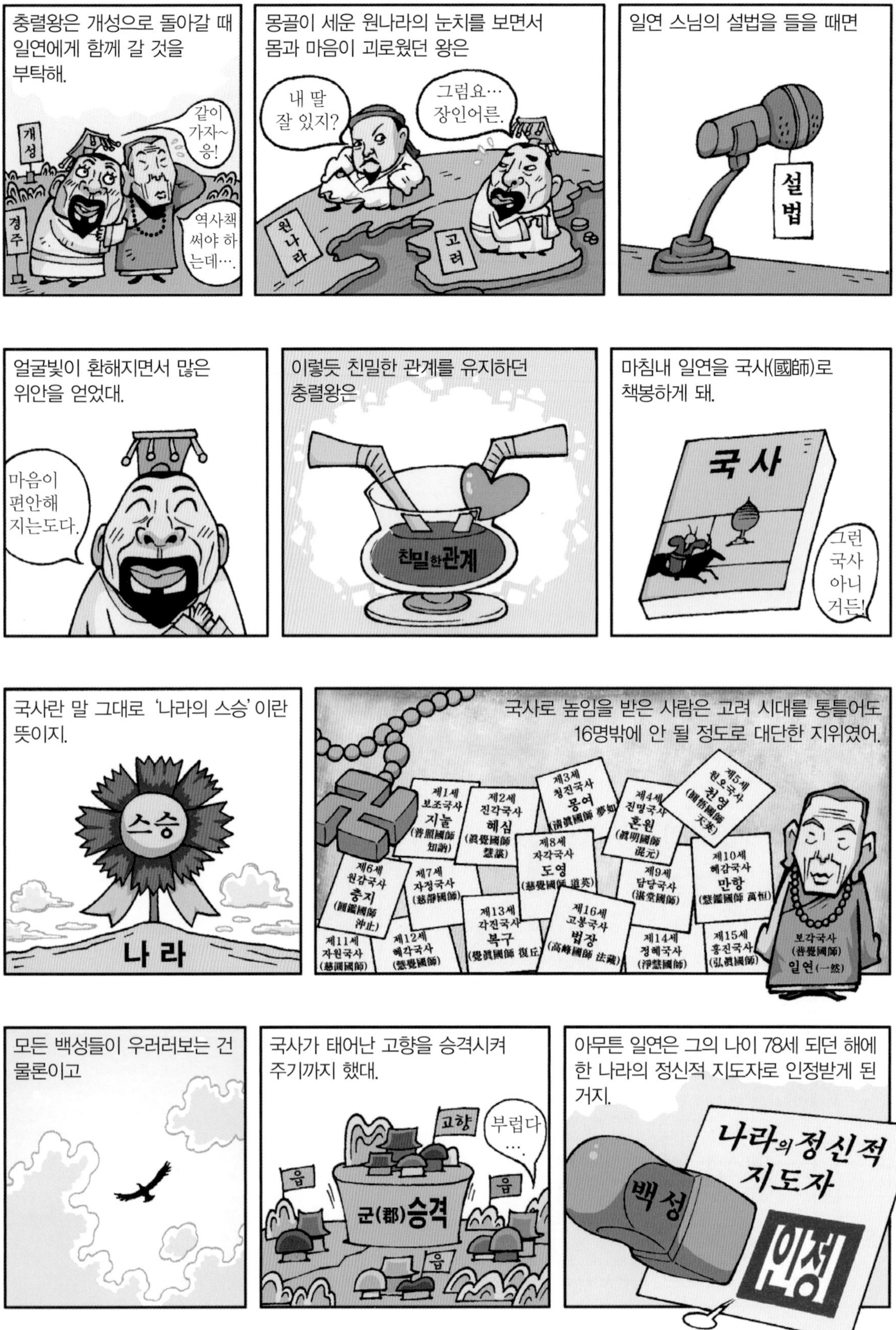
충렬왕은 개성으로 돌아갈 때
일연에게 함께 갈 것을
부탁해.
개성
경주
같이 가자~ 응!
역사책 써야 하는데….
몽골이 세운 원나라의 눈치를 보면서
몸과 마음이 괴로웠던 왕은
내 딸 잘 있지?
그럼요… 장인어른.
원나라
고려
일연 스님의 설법을 들을 때면
설법
얼굴빛이 환해지면서 많은
위안을 얻었대.
마음이 편안해 지는도다.
이렇듯 친밀한 관계를 유지하던
충렬왕은
친밀한 관계
마침내 일연을 국사(國師)로
책봉하게 돼.
국사
그런 국사 아니거든!
국사란 말 그대로 '나라의 스승'이란
뜻이지.
스승
나라
국사로 높임을 받은 사람은 고려 시대를 통틀어도
16명밖에 안 될 정도로 대단한 지위였어.
제1세 보조국사 지눌 (普照國師 知訥)
제2세 진각국사 혜심 (眞覺國師 慧諶)
제3세 청진국사 몽여 (淸眞國師 夢如)
제4세 진명국사 혼원 (眞明國師 混元)
제5세 원오국사 천영 (圓悟國師 天英)
제6세 원감국사 충지 (圓鑑國師 沖止)
제7세 자정국사 (慈靜國師)
제8세 자각국사 도영 (慈覺國師 道英)
제9세 담당국사 (湛堂國師)
제10세 혜감국사 만항 (慧鑑國師 萬恒)
제11세 자원국사 (慈圓國師)
제12세 혜각국사 (慧覺國師)
제13세 각진국사 복구 (覺眞國師 復丘)
제14세 정혜국사 (淨慧國師)
제15세 홍진국사 (弘眞國師)
제16세 고봉국사 법장 (高峰國師 法藏)
보각국사 (普覺國師) 일연(一然)
모든 백성들이 우러러보는 건
물론이고
국사가 태어난 고향을 승격시켜
주기까지 했대.
고향
부럽다….
읍
읍
읍
군(郡)승격
아무튼 일연은 그의 나이 78세 되던 해에
한 나라의 정신적 지도자로 인정받게 된
거지.
나라의 정신적 지도자
백성
인정

더 이상의 영예가 없는 국사의 자리에까지 올랐지만, 일연에게는 결코 저버릴 수 없는 인연이 있었어.
인연의 끈
바로 어머니!
나 불렀니?
열아홉 살 어린 나이에 일연을 낳고
나이도 어린 것이!
뽁
엄마!
그가 승려로서의 삶을 살아온 오랜 세월 동안 혼자서 외로이 살아오신 가엾은 어머니.
아야!
아홉 살에 어머니 슬하를 떠났으니
경찰 아저씨, 무량사가 어느 쪽이에요?
넌 가출소년?
무려 70년을 혼자 사시게 한 어머니였지.
나~안 밤이 무서울 뿐이고
외로움에 지쳐갈 뿐이고!
그래서 일연은 고향 근처에서 어머니를 모시고 마지막 효도를 하고 싶었던 거야.
효도관광
고향으로 돌아온 지 얼마 안 되어 어머니가 돌아가시자, 장례를 치르고 나서
인각사라는 절을 마지막 거처로 정하게 돼.
절을 지었으니 학승들을 모아야겠도다.
인각사
여기서 일연은 자신의 일생을 마무리하며 《삼국유사》를 완성하게 되지.
이 책이 오랑캐의 침략으로 짓밟힌 우리 민족의 영광을 다시 되찾아 줄 것을 믿어 의심치 않노라….
삼국유사
대개 승려로서 삶을 마치는 시점에서 책을 쓴다면 불교적인 깨우침을 전하거나 교리, 경전에 대한 해석을 생각하기 쉬울 텐데
불교의 깨우침
교리, 경전에 대한 해석

일연 스님은 이런 통념을 뒤집고
으샤!
쿵
《삼국유사》 같은 특별한 책을 썼어.
삼국유사
그가 살았던 시대는
高麗
몽골과 끔찍한 전쟁에 휘말려 목숨을 지키기도 힘든 위태로운 때였잖아. 그러한 소용돌이 속에서
몽골
고려 살려!
전쟁의 소용돌이
우리 민족의 자존심이 처참하게 짓밟히던 시기에
몽골
구겨진 민족의 자존심
구깃
구깃
일연은 왜 오래된 우리의 역사를 말하고 싶었을까?
역사
그 옛날 우리 조상들이 얼마나 당당하게 이 땅의 주인으로 살아왔는지
누가 뭐라 해도 이 땅 주인은 우리야!
땅 문서
얼마나 착한 마음으로 삶을 이어 왔는지를 전하려고 했던 걸까?
고조선
부여
고구려
백제
신라
고려
발해
착한 마음길
삶
일연은 《삼국유사》를 통해서 잊혀져 가는 영광스러운 우리 역사를 되살리고
역사
불이다!
삼국유사
민족의 자존심을 다시 일으켜 세우고 싶었을 거야.
민족의 자존심
1289년 84세 되던 해, 7월 7일 죽음을 예감한 일연은
이제 부처님 곁으로 돌아갈 때가 되었군.

주변에 먼 길을 떠난다는 편지를 보냈지.
POST
이날 밤 그가 잠든 집 뒤로 큰 별이 떨어졌다고 해.
쿵!
다음날 새벽에 일어나 세수를 하고
주위에 모여든 제자들과 마지막 대화를 나누었지.
여러 가지 알 듯 말 듯한 이야기 중에 “뒷날 돌아오면 다시 여러분과 더불어 한바탕 흥겹게 놀겠소.”라는 말도 남겼어.
무슨 말씀 이신지 알아?
나 머리 나빠….
그가 살아온 삶이 결코 흥겨운 것이라 말할 수는 없지만
그것마저도 기쁘게 받아들인다는 뜻으로 하신 말씀이 아닐까?
모두 내가 살아온 소중한 삶의 일부분 임을….
시련
고통
고난
스님은 문답을 마치고 조용히 방으로 들어가
스님은 태몽에도 빛으로 나타났잖아? 일연 스님은 한 줄기 빛처럼 어두운 시대를 환히 비추어 준 분이라고 할 수 있지.
세상을 뜨셨단다.
열반에 드셨습니다.
나무아비타불 관세음보살…
그때 방 뒤로 오색 빛이 찬란하게 비쳤다는데

1부

새 나라를 세운 사람들

제3장
하늘과 땅이 닿은 곳으로
말을 달려라
馬

아침빛이 고운 나라,
조선을 세운 단군

옛날 환인*의 아들 중에 환웅이란 분이 있었단다.

*환인 – 하느님.

그는 하늘나라에 살면서도 늘 인간 세상을
다스리고 싶어했지.
아들의 속마음을 짐작한 아버지가
떠나 보낼 때가
된 것인가?
커어~
어어~

아래를 굽어보니 삼위태백산이 사람들 살기에 좋아 보였어.
음… 어디가 좋을꼬?
그래. 저기가 좋겠군.

그래서 환웅에게 천부인(天符印) 세 개를 주면서
자, 받어.
아욱

널리 인간을 이롭게 하라!

내 말 음… 뭔 말인지 알지. 응?

환웅은 3,000명의 무리를 거느리고
3000

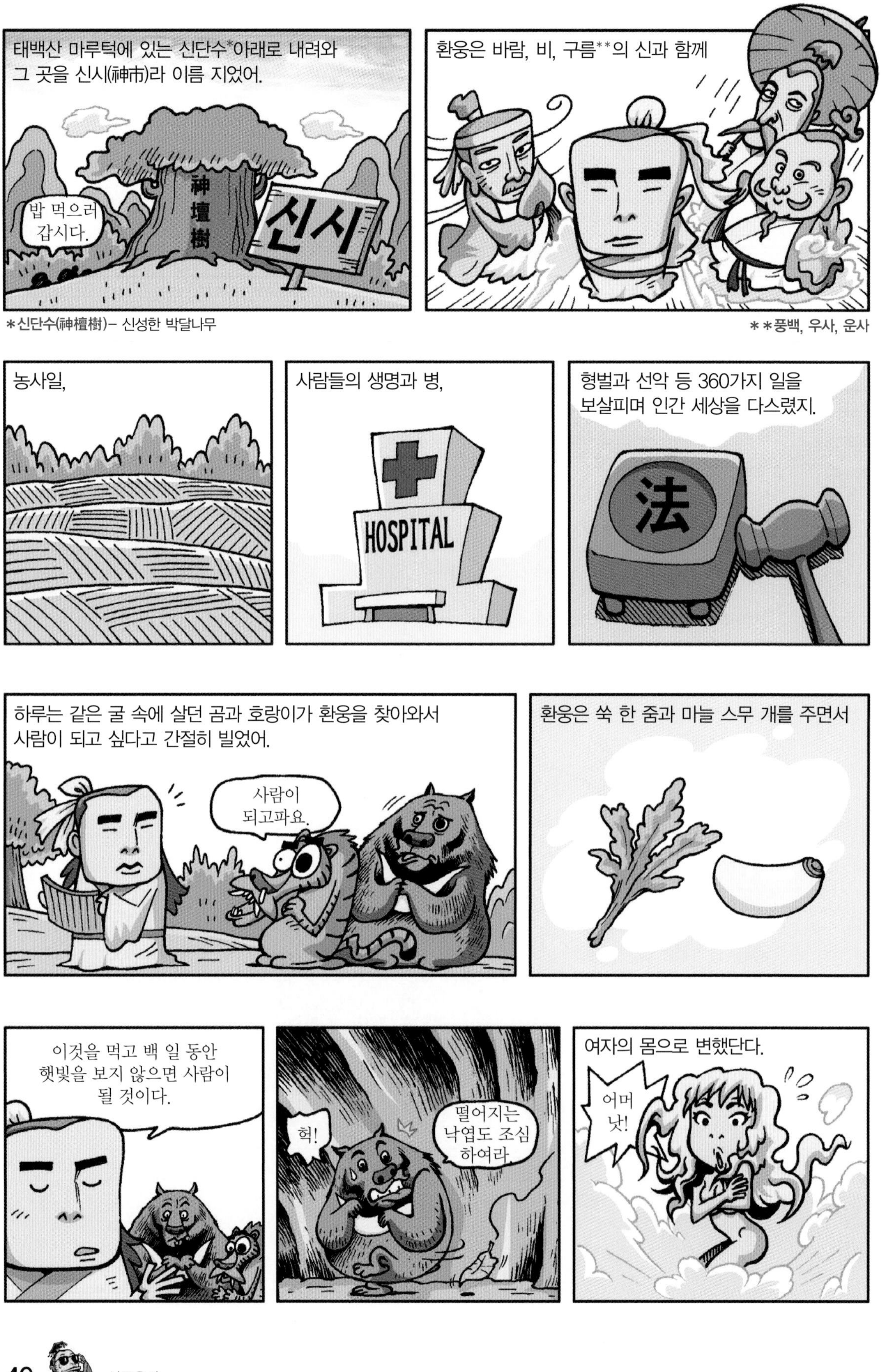

태백산 마루턱에 있는 신단수*아래로 내려와 그 곳을 신시(神市)라 이름 지었어.
神檀樹
신시
밥 먹으러 갑시다.
*신단수(神檀樹)– 신성한 박달나무
환웅은 바람, 비, 구름**의 신과 함께
**풍백, 우사, 운사
농사일,
사람들의 생명과 병,
HOSPITAL
형벌과 선악 등 360가지 일을 보살피며 인간 세상을 다스렸지.
法
하루는 같은 굴 속에 살던 곰과 호랑이가 환웅을 찾아와서 사람이 되고 싶다고 간절히 빌었어.
사람이 되고파요.
환웅은 쑥 한 줌과 마늘 스무 개를 주면서
이것을 먹고 백 일 동안 햇빛을 보지 않으면 사람이 될 것이다.
헉!
떨어지는 낙엽도 조심하여라.
여자의 몸으로 변했단다.
어머낫!

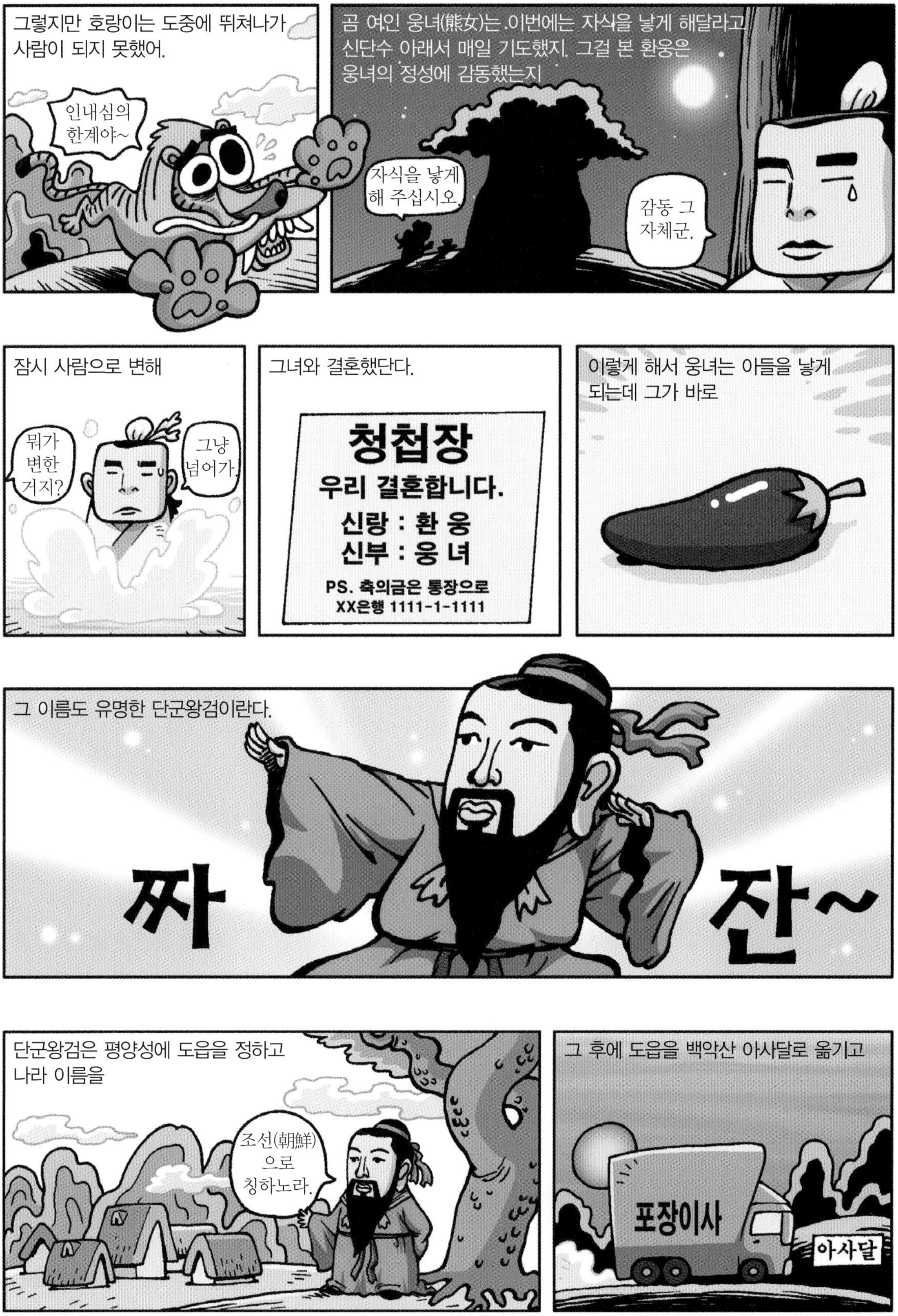

그렇지만 호랑이는 도중에 뛰쳐나가 사람이 되지 못했어.
인내심의 한계야~
곰 여인 웅녀(熊女)는 이번에는 자식을 낳게 해달라고 신단수 아래서 매일 기도했지. 그걸 본 환웅은 웅녀의 정성에 감동했는지
자식을 낳게 해 주십시오.
감동 그 자체군.
잠시 사람으로 변해
뭐가 변한 거지?
그냥 넘어가.
그녀와 결혼했단다.
청첩장
우리 결혼합니다.
신랑 : 환 웅
신부 : 웅 녀
PS. 축의금은 통장으로
XX은행 1111-1-1111
이렇게 해서 웅녀는 아들을 낳게 되는데 그가 바로
그 이름도 유명한 단군왕검이란다.
짜 잔~
단군왕검은 평양성에 도읍을 정하고 나라 이름을
조선(朝鮮)으로 칭하노라.
그 후에 도읍을 백악산 아사달로 옮기고
포장이사
아사달

1,500년 동안 나라를 다스렸다고 해.
단군조선
1500년간 통치
주(周)나라 무왕이 기자를 조선에 보냈을 때, 장당경*으로 갔다가 다시 돌아와 아사달 산신이 되었는데, 이때 나이가 1,908살이었대.
*장당경 – 황해도 구월산.
여기까지가 다들 알고 있는 단군신화의 내용이란다.
단군 STORY
친숙한 이야기긴 한데 어쩐지 황당하다고?
응.
단군 STORY
하늘에서 내려온 환웅에
환웅호
그 아들 단군은 헉! 천구백 살도 넘게 살았다니… 도대체 말이 안 되잖아.
좀 살았다는데, 왜? 마음에 안 드니?
그리고 뭐? 곰이 변해서 된 여자가 단군을 낳았으면
어?
우린 곰 할머니의 후손이란 얘기인가?
할머니! 왜 그 안에 있어요? 제가 꺼내 드릴게요.
'미련 곰탱이'란 소리 들어봤지만, 아무리 거울을 봐도 곰이랑 닮은 구석은 없다고?
어디가 닮아?
하!하!
단군신화처럼 아득히 먼 옛날의 이야기를 글자 그대로 받아들이면 안 되지.
그럼?
옛이야기

오래된 이야기 속에는 비밀스레 감추어진 의미가 많은 법이야.
감춰진 비밀
자, 그럼 지금부터 단군신화 속에 숨겨진 뜻을 함께 찾아 보자꾸나.
먼저 하느님의 아들, 환웅이 하늘에서 내려왔다고 했지?
그랬나?
얘 머리 나쁜데...
하늘은 인간이 볼 수 있는 가장 높은 곳,
닿을 수 없는 숭고한 세계,
닿을 듯, 닿을 듯, 안 닿네.
지극히 신비롭고 우러러보는 대상이야.
쿵!
날으면서 응가하네. 신비롭다.
자신이 하늘에서 내려온 하느님의 아들이라고 생각하는 건 선민의식,
난 선택된 사람.
난 너희들과는 차원이 달라.
특 혜
자꾸 깔봐.
3차원? 4차원?
즉 하늘이 선택한 뛰어난 민족이라는 자부심의 표현이지.
우린 하늘이 선택한 민족!
자부심이 지나치면 자만심이 된다는 거 명심해.
환웅이 받은 천부인 세 개는 청동으로 된 칼, 거울, 방울이라고 하는데, 이것들은 하늘에 제사지낼 때 쓰던 주술 도구란다.
이것을 가진 사람은 신의 위엄과 영험한 힘을 인정받았지.
엿장수
당신을 신으로 인정합니다~
뭐여?

환웅이 이끄는 무리는 어딘가에서 청동 칼, 거울과 방울 같은 앞선 무기와 도구를 가지고 들어와서 신석기 도구를 쓰던 사람들을 놀라게 한 거야.
넌 이런 거 없지?
최첨단 제품
냉장고
세탁기
김치냉장고
환웅이 3천의 무리를 이끌고 내려왔다는 태백산은 어디일까?
?
MOUNTAIN
묘향산이라고도 하고 백두산이라고도 해.
중요한 건 처음에 산꼭대기로 왔다는 점이지.
산은 땅 위에 있으면서도 저 구름 위 하늘 맞닿은 곳에 높이 솟아 있잖아.
그러니 하늘에서 온 성스러운 족속이라면 평야도 아니고
바다도 아닌
산에 깃들어야 어울리지 않겠니?
신단수는 신성한 박달나무인데

옛 사람들은 커다란 나무가 하늘과 땅을 연결해 준다고 생각했지.
뿌리는 땅에
가지는 하늘을 향해 뻗어 있으니
자연스레 나무가 땅 위에 사는 인간들의 소망을 하늘에 전해주고
쏘망
소망
똑바로 전달해.
하늘의 신이 내려오는 통로라고 생각할 만하지.
신이다!
신성한 제사를 지내는 곳에 세웠다는 솟대와
마을 사람들이 소원을 비는 당산나무,
서낭당도 신단수와 같은 맥락에서 이해할 수 있단다.
환웅이 거느리고 온 '풍백, 우사, 운사'는 각각
'바람[風],
비[雨],
그리고 구름[雲]을

주관하는 어른' 이란 뜻이니
오늘은 비를 뿌려 볼까나?
바람
구름
비
당시에 농사가 아주 중요한 일이었단 걸 말해.
중요
농사
또 인간 세상의 360여 가지 일을 다스렸다는 건 1년 내내 일어나는 온갖 나라 일들을 처리했다는 뜻이 되지.
정 치
조선, 아침빛이 고운 나라. 단군이 세운 나라 이름이야.
아암~ 내가 세웠지.
조선
맑고 밝은 우리 민족의 심성과 잘 어울리는 이름이지?
《삼국유사》에는 고조선과 함께 위만조선에 대한 기록도 있어.
三國遺事
고조선
위만 조선
그런데 고조선이나 위만조선은 원래 나라 이름이 모두 조선이었대.
너 짝퉁이지?
누가 할 소릴!
조선
조선
일연 스님은 이 두 나라를 구분하기 위해 단군이 세운 조선을 고조선이라고 부른 거야.
조선
古 조선
아주 오랜 세월이 지나 고려가 망하고
이성계
고려 멸망
쿠데타
이성계가 새로운 왕조를 열 때 다시 조선을 국호로 사용하는데
옛 조선의 영광을 다시 한번 되살리기 위해 국호를 조선이라 정하노라.
朝鮮

이때부터는 단군조선과 위만조선까지 다 합쳐 고조선이라고 부르게 된단다.
단군 조선
위만 조선
고조선
단군이 오랫동안 도읍으로 삼은 아사달은 과연 어디일까?
《삼국유사》의 주석에는 개성 동쪽에 있다고 해서 대체로 구월산이라고 보는 이가 많은데
백두산
평양
구월산
중국 요동 땅이라고 주장하면서 고조선의 영토가 매우 넓었다고 주장하는 사람들도 있단다.
고조선
고대의 요동
아사달의 '아사'는 '아침, 처음, 새로운, 태양, 동녘'의 뜻이고
SUN
'달'은 '땅, 벌판, 대지, 산' 등을 뜻하니
동녘에서 아침 해가 떠오를 때 새로운 기운이 넘쳐나는, 그런 축복받은 땅에 터전을 잡았다는 얘기지.
우리들이 대부분 잘 알지 못하는 고대 역사를 적어 놓은 책 《환단고기》에는
桓檀古記
옛날 환웅이 세운 나라의 힘과 문화가 중국보다 위였고
부러운 걸.
배달국
중국
힘&문화

단군왕검 때에는 중국 동북부와 한반도에 걸친 방대한 영토를 자랑했다는 기록이 있어.
고조선

《규원사화》에는
揆園史話
저자 북애노인
제작년도
1675년 조선 숙종2년

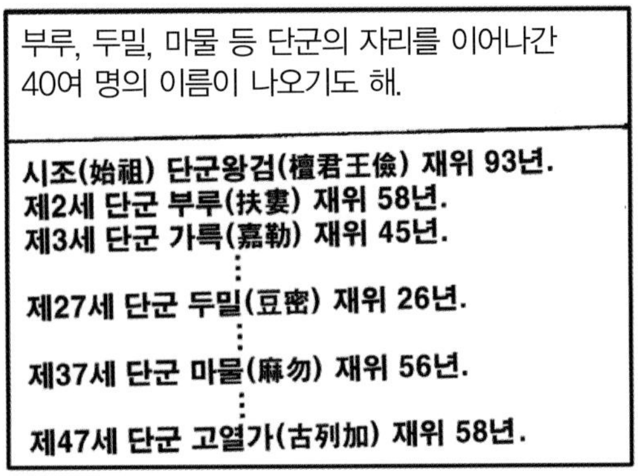
부루, 두밀, 마물 등 단군의 자리를 이어나간 40여 명의 이름이 나오기도 해.
시조(始祖) 단군왕검(檀君王儉) 재위 93년.
제2세 단군 부루(扶婁) 재위 58년.
제3세 단군 가륵(嘉勒) 재위 45년.
제27세 단군 두밀(豆密) 재위 26년.
제37세 단군 마물(麻勿) 재위 56년.
제47세 단군 고열가(古列加) 재위 58년.

그러므로 단군이 1900년 이상 살았다는 말은
에고, 에고 다리야.

단군이라 불리던 왕들이 그만큼 오랫동안 계보를 이어나갔다고 보는 것이 맞겠지.
기준 하나!
둘!
셋!
넷!
다섯!
여섯!
... 사십 칠 번호 끝!

10월 3일은 무슨 날이지?
月 日
10 3

개천절, 우리 민족의 하늘이 열린 날이란다.

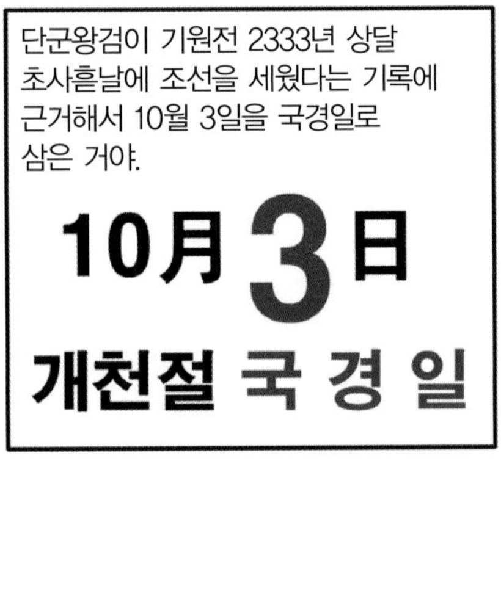
단군왕검이 기원전 2333년 상달 초사흗날에 조선을 세웠다는 기록에 근거해서 10월 3일을 국경일로 삼은 거야.
10月 3日
개천절 국 경 일

혹시 개천절 노래 첫 구절을 알고 있니?
날 어떻게 보고.
불러 볼까?
우리가 물이라면 샘이 있고-
우리가 나무라면 뿌리가 있다-
힘들게 사는군.
일연은 우리의 샘과 뿌리를 단군에서 찾고 있어.
샘
뿌리
일연 스님이 《삼국유사》를 쓴 목적은 우리처럼 역사가 길고 문화도 뛰어난 나라가
역사
문화
몽골의 야만적인 침략에 결코 쉽게 무너질 수 없다는 믿음을 심어주려는 데 큰 뜻이 있었지.
7전
8기
이대로 무너질 순 없어.
우리 땅에도 이렇게 오래 전에 조선이란 나라가 세워졌다.
古朝鮮
그 나라를 다스린 건 하늘에서 내려 온 아주 뛰어난 사람들이었다.
그리고 그들에겐 세상 모든 사람을 고루 유익하게 하려는 훌륭한 통치이념이 있었다.
홍익인간 (弘益人間)
널리 인간 세상을 이롭게 하라.
이런 걸 보여주고 싶었던 거야.
500원
현재 우리 국민의 상당수가 단군신화는 역사적 사실이 아니라 지어낸 이야기에 불과하다고 생각하고 있어.
지어낸 이야기
쿵!
속고만 살았니?
일본 사람들이 의도적으로 단군신화를 깎아내린 탓도 있고
먼저 조선사람들이 자기의 일, 역사, 전통을 알지 못하게 만들어 그 민족혼, 민족문화를 상실하게 만들고
그들의 선조와 선인(先人)들의 무위와 무능, 악행 등을 들춰내어 그것을 과장하여 가르침으로써 조선인 청년들이 부조(父祖)들을 경멸시하는 감정을 일으키게 하여
제3대 총독 사이토 마코토

그것이 점차 자아 혐오증으로 발전하게 함이 가장 효과적인 것이다. 이미 배움에 갈증이 심한 청소년들이 자국의 모든 인물과 사적에 관하여 왜곡된 지식을 얻어 경멸적 혐오증에 걸리게 되면 그들은 반드시 실망과 허무감에 빠질 것이니, 그러한 때에 장식 미화 과장된 일본 사적, 일본 인물, 일본 문화들을 소개하면 그 주입효과가 클 것이다. 제국 일본이 조선인을 반 일본인으로 만드는 요결과 첩경이 실로 여기에 있는 것이다.
불교나 기독교 같은 외래 종교의 영향으로 우리 고유의 신앙이 힘을 잃은 영향도 있을 거야.
불교
기독교
고유 신앙
이걸 보고 '굴러들어온 돌이 박힌 돌 뺀다' 고 하는 거야.
하지만 우리 민족은 커다란 시련을 겪을 때마다 단군이라는 한 할아버지를 구심점으로 뭉쳤고
단군
단군 이야기가 주는 민족적 자존감을 바탕으로 힘든 고비를 넘을 수 있었단다.
전쟁
시련
역경
단군
일제 강점기에는 만주에서 항일 무장 투쟁을 하던 많은 단체와 독립 운동가들이
중광단
한국 애국단
의열단
대한 독립군
북로군정서 등등
김좌진
홍범도
신채호
안창호
이동휘
윤봉길 등등
단군 신앙(대종교)을 믿고 투쟁하기도 했지.
단군이시여… 우리에게 나라를 되찾을 수 있는 힘을 주소서….

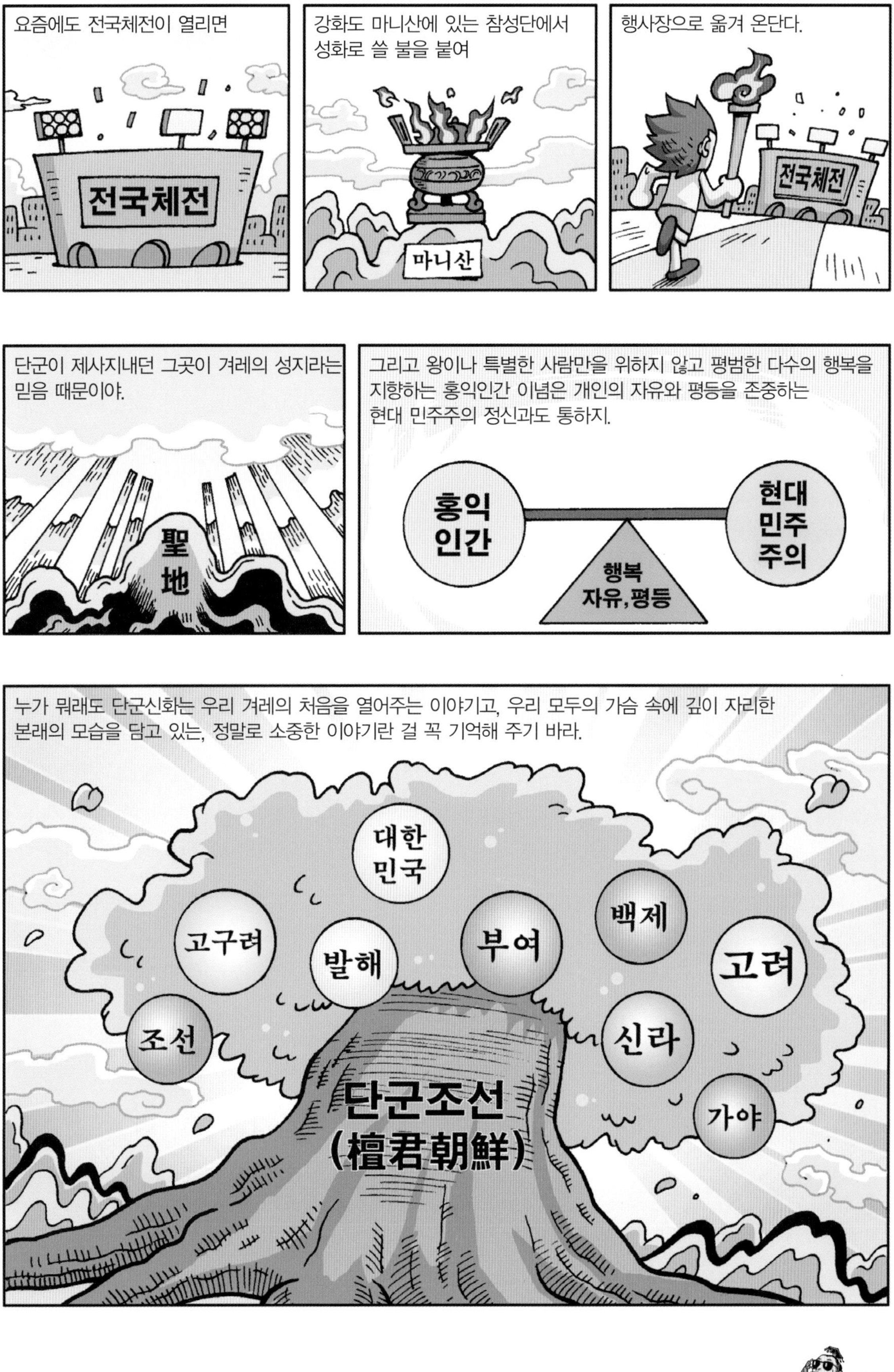
요즘에도 전국체전이 열리면
전국체전
강화도 마니산에 있는 참성단에서 성화로 쓸 불을 붙여
마니산
행사장으로 옮겨 온단다.
전국체전
단군이 제사지내던 그곳이 겨레의 성지라는 믿음 때문이야.
聖地
그리고 왕이나 특별한 사람만을 위하지 않고 평범한 다수의 행복을 지향하는 홍익인간 이념은 개인의 자유와 평등을 존중하는 현대 민주주의 정신과도 통하지.
홍익인간
현대 민주주의
행복 자유, 평등
누가 뭐래도 단군신화는 우리 겨레의 처음을 열어주는 이야기고, 우리 모두의 가슴 속에 깊이 자리한 본래의 모습을 담고 있는, 정말로 소중한 이야기란 걸 꼭 기억해 주기 바라.
대한민국
고구려
발해
부여
백제
고려
조선
신라
가야
단군조선 (檀君朝鮮)

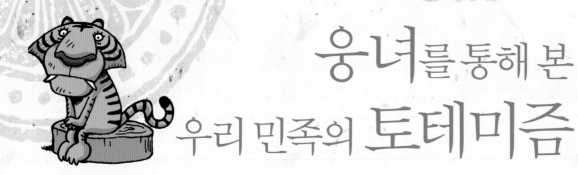

웅녀를 통해 본 우리 민족의 토테미즘

아주 오랜 옛날엔 사람들이 자신들과 비슷한 특징이 있거나, 어떤 경이로움을 지닌 동물을 신성시하는 신앙이 있었단다. 그런 걸 토테미즘이라고 해. 이야기 속에 나오는 곰은 아주 넓은 지역에서 숭배되었고, 특히 시베리아 일대에서는 '숲 속의 어른' 으로 섬김을 받았어.

그럼 곰과 호랑이가 굴속에서 100일 동안 쑥과 마늘만 먹고 견디었다는 건 뭘까? 사람이 되려면 통과해야 하는 시험 같은 것, 다시 말하면 한 인간으로 당당하게 인정받기 위해 치러야만 하는 의식이라고 볼 수 있겠지. 곰은 이 시험을 잘 통과해서 여자가 되지만 호랑이는 금기를 지키지 못해 사람이 못 되었다, 이것은 곰을 섬기는 부족의 여자는 성공했지만, 호랑이 부족의 여자는 실패한 수련 과정이었던 거야.

▲ 북한에서 발굴, 조성한 단군릉은 그 진위를 떠나 민족정통성의 상징적 위치를 가진다.

우리에게는 쑥과 마늘이 잡귀를 쫓고 나쁜 일을 없애 준다고 믿는 풍속이 있는데, 이 오래된 신화 속에도 쑥하고 마늘이 등장하는 게 흥미롭지? 그런데 좀 앞뒤가 안 맞는 게 하나 있어. 애초에 100일 동안 햇빛을 보지 말라고 해놓고, 나중엔 어째서 21일을 꺼렸다고 했을까?

우리의 고유한 풍습에 아기가 태어나면 대문에 새끼줄을 꼬아서 숯이랑 고추를 끼워 매다는 '금줄' 이란 게 있지. 소중한 새 생명이 태어났으니 바깥사람들은 마음대로 드나들지 말고 조심하라는 의미였어. 금줄을 걸어두는 기간이 바로 삼칠일, 즉 21일이었단다. 아기를 낳은 엄마도 삼칠일 동안은 무척이나 조심하며 생활했지.

▲ 한민족(韓民族)을 하나로 이어주는 상징적 존재, 단군왕검.

쑥 한 줌과 마늘 스무 개를 합치면 21이란 숫자가 나와. 이 21은 3×7, 즉 아기를 낳고 나서 산모와 아기가 주의해야 하는 기간인 삼칠일과 깊은 연관이 있을 거야. 또 햇빛을 보지 말라고 한 100일이란 날수도 아기가 새로 태어난 것을 공식적으로 축하하는 첫 잔치인 백일잔치 풍습하고 연결지어 생각해 볼 수 있지. 100일을 무사히 견디고 어두운 굴을 나와 환한 햇빛을 다시 보게 된 곰 부족의 아가씨는 새로 태어난 기분으로 결혼할 자격을 얻게 되었어.

환웅과 웅녀의 결혼은 우월한 청동기를 가진 천신족이 곰을 토템으로 하는 종족과 합쳐지면서 호랑이를 섬기던 종족을 내친 과정을 나타낸단다. 그리고 곰 부족의 여자에게서 단군이라는 훌륭한 인물이 나오는 거지. 몽골말로 하늘天을 '텡그리'라 하는데, 여기서 온 우리말 '당굴'은 하늘을 숭배하는 무당을 뜻해.

이 당굴의 한자식 표현이 단군이니, 단군은 하늘에 제사지내는 사람인 거지. 왕검은 임금과 같이 모든 일을 관장하는 사람을 의미해. 결국 단군왕검은 혼자서 제사와 정치, 두 가지 일을 다 맡아서 했던 제정일치 사회의 모습을 보여주고 있어. 또 단군檀君을 한자 그대로 풀이하면 박달나무 임금이 되거든. '박달'은 '밝달'(밝은 땅)과 통하는 말이고, 여기서 '배달'이란 말이 나왔다고 해. 우리 민족을 '배달민족'이라고도 하는데, 단군 할아버지 덕분에 '밝은 땅에 사는 사람들'이란 멋진 별명을 갖게 된 거지.

용이 끄는 수레를 타고 하늘에서 내려온 해모수

《고기》에 전하는 이야기란다.
오늘 포식하는 거? 으메 좋은 거~
이 고기 맞아?
아무렴 어때. 흐흐흐~

기원전 59년 4월 9일 아침에 하늘이 열리면서 천제(하느님)가 다섯 마리 용이 끄는 수레를 타고 흘승골성으로 내려와
흘승골성

나라를 세우고 도읍을 정한 뒤 나라 이름을 북부여라 하고 스스로 이름을 해모수라 일컬었지.
국명을 북부여라 하고
북부여
나의 이름을 해모수라 칭하노라.
수도 백악산 아사달

그 뒤 아들을 낳아 이름을 부루라 하고, 성은 해씨로 삼았어.
고소공포증 있는데….
이거 아동 학대 맞지?

해부루왕이 북부여를
다스릴 때 일이야.
북부여
어느 날 재상 아란불의 꿈에 천제
(하늘의 임금)가 나타나 말했어.
야,
일어나
봐. 할말
있거덩!
툭! 툭!
?
장차 내 자손이 이곳에
나라를 세우려 하니 너희는
다른 곳으로 피해 가거라.
아란불이 놀라서 어디로 가면
좋겠냐고 물었지.
어디로
가죠?
동해 바닷가에 가면
가섭원이란 곳이 있다.
땅이 기름지고 살기에 좋으니
그 곳에 왕도를 정하라.
예사롭지 않은 꿈에 왕은 그대로
따르고 국호를 동부여로 바꿨단다.
동부여
포장
이사
해부루왕은 늙도록 아들이 없었대.
부럽
도다…
유괴범?
무셔.
어느 날 신하들과 산천에
제사를 올리며 대를 잇게
해 달라고 빌었어.
해질 무렵 돌아오는 길에 왕이 탄 말이
곤연*이란 큰 연못 앞에서 커다란 돌을
마주 보고
?
안 비켜
짜샤?!
눈물을 뚝뚝 흘리는 거야.
얘
왜 이래?
눈에
힘을
줬더니…
쓰라려.
뚝
뚝
왕이 이상한 일이라고 생각해 그 돌을 들춰 보게 했지.
돌을
들춰
보거라!
얍!
으샤!

*곤연 – 백두산 천지.

그랬더니 개구리처럼 생긴 황금빛 사내아이가 있는 게 아니겠어?
개골~
해부루는 "하늘이 나의 기도를 들고 아들을 주셨구나." 기뻐 소리치면서
오 마이 갓!
금와*라 이름 짓고
금와!
….

*금와(金蛙) – 금개구리.

청년이 되자 태자로 삼아 뒤를 잇게 했지. 금와왕 이후에는 태자 대소가 뒤를 이었으나
해부루
금와
대소
고구려 무휼**이 쳐들어와 죽이고 동부여를 정복했단다.
동부여 문제집
완전정복
1
고구려 출판사

**무휼 – 대무신왕. 고구려 3대 왕.

부여는 고조선 다음으로 우리 역사에 등장하는 나라로
부여
고조선
풍덩
기원전 1세기~기원후 494년 사이에 만주 송화강 유역에 자리 잡고 있었지.
부여
송화강
고구려
옥저
강을 끼고 있는 기름진 평야는 농사짓기에 좋았고
개기름
강
평야

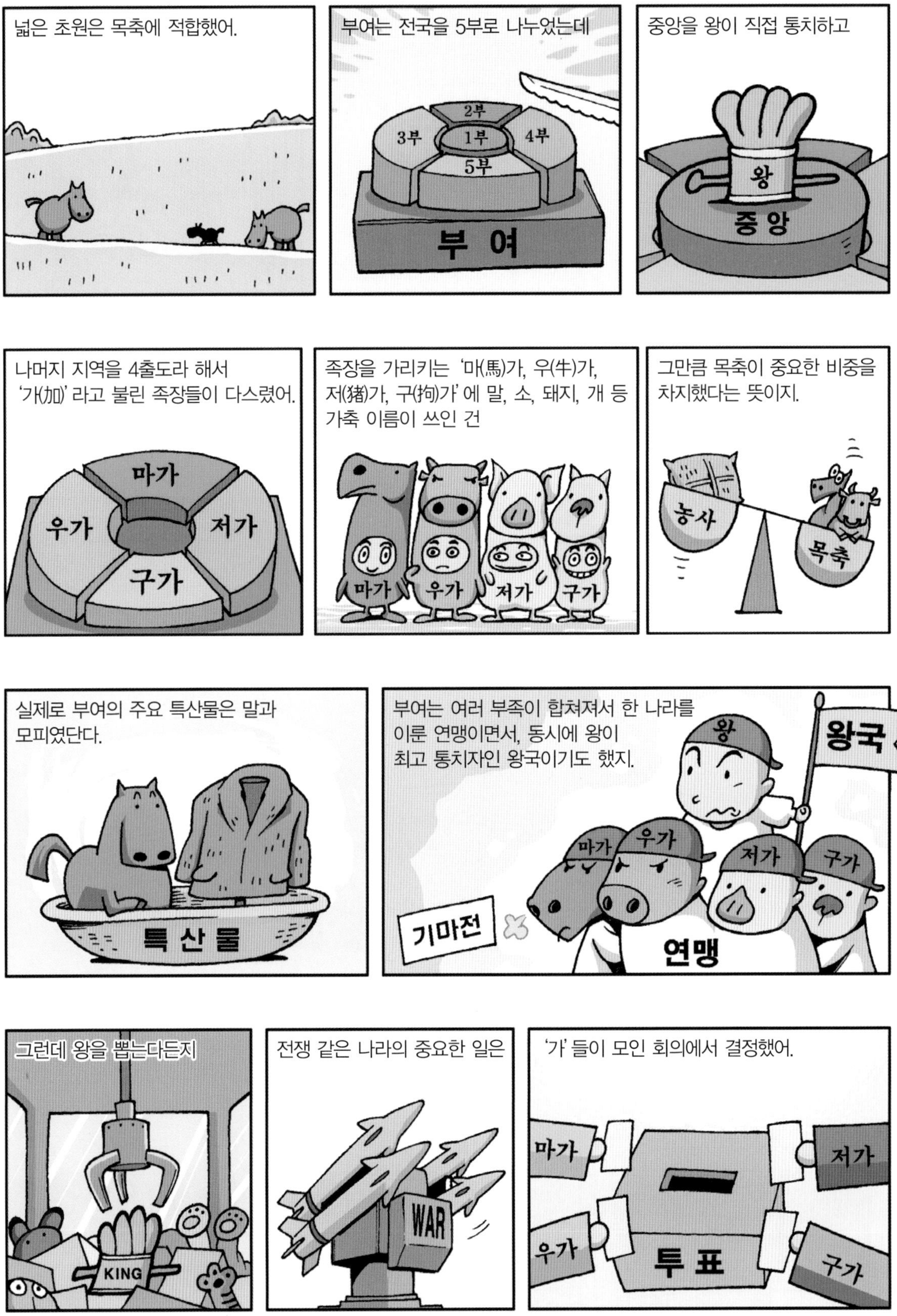
넓은 초원은 목축에 적합했어.
부여는 전국을 5부로 나누었는데
2부
3부
1부
4부
5부
부 여
중앙을 왕이 직접 통치하고
왕
중 앙
나머지 지역을 4출도라 해서
'가(加)' 라고 불린 족장들이 다스렸어.
마가
우가
저가
구가
족장을 가리키는 '마(馬)가, 우(牛)가,
저(猪)가, 구(拘)가' 에 말, 소, 돼지, 개 등
가축 이름이 쓰인 건
마가
우가
저가
구가
그만큼 목축이 중요한 비중을
차지했다는 뜻이지.
농사
목축
실제로 부여의 주요 특산물은 말과
모피였단다.
특 산 물
부여는 여러 부족이 합쳐져서 한 나라를
이룬 연맹이면서, 동시에 왕이
최고 통치자인 왕국이기도 했지.
왕
왕국
마가
우가
저가
구가
기마전
연맹
그런데 왕을 뽑는다든지
KING
전쟁 같은 나라의 중요한 일은
WAR
'가' 들이 모인 회의에서 결정했어.
마가
저가
우가
투 표
구가

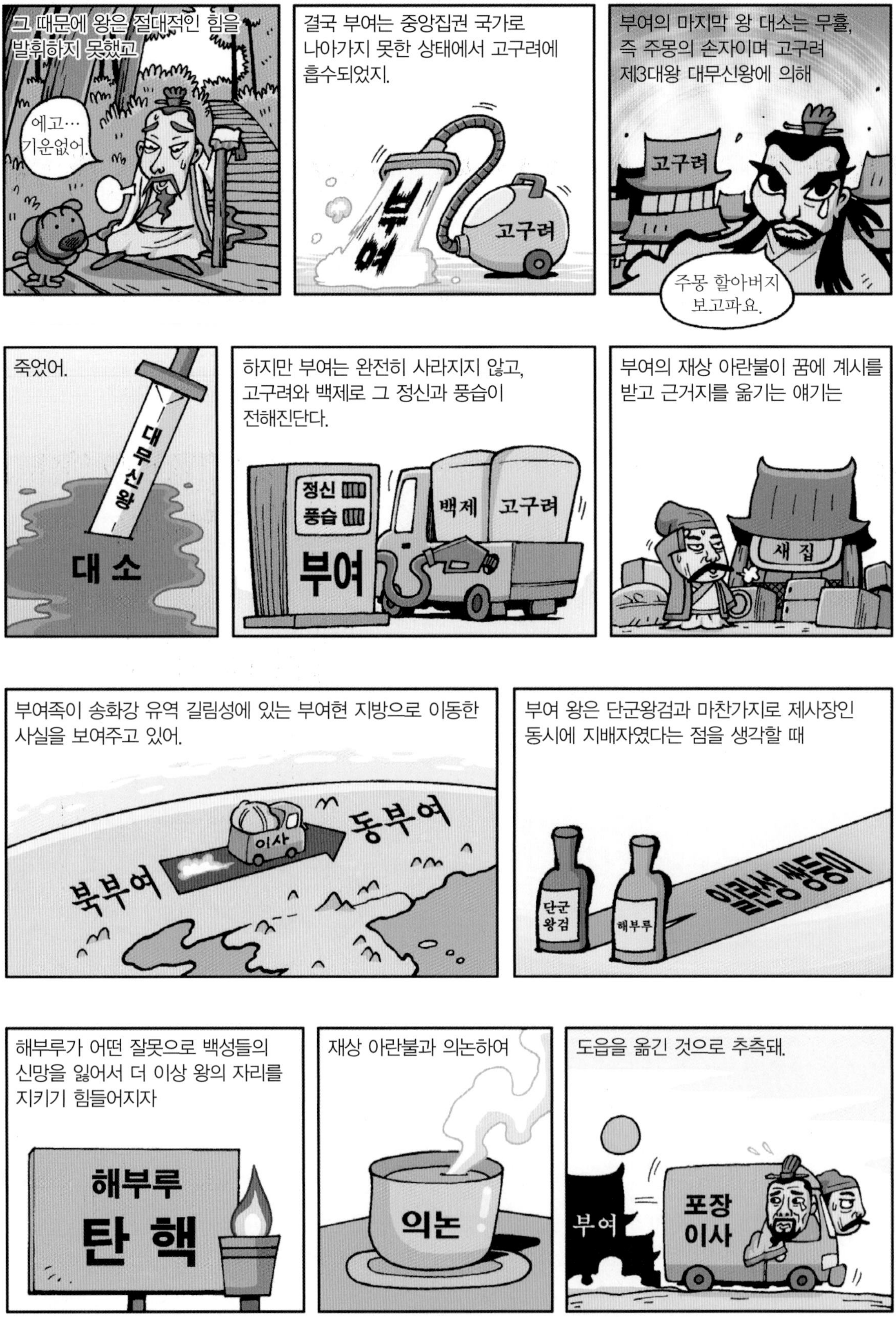
그 때문에 왕은 절대적인 힘을 발휘하지 못했고
에고… 기운없어.
결국 부여는 중앙집권 국가로 나아가지 못한 상태에서 고구려에 흡수되었지.
부여
고구려
부여의 마지막 왕 대소는 무휼, 즉 주몽의 손자이며 고구려 제3대왕 대무신왕에 의해
고구려
주몽 할아버지 보고파요.
죽었어.
대무신왕
대 소
하지만 부여는 완전히 사라지지 않고, 고구려와 백제로 그 정신과 풍습이 전해진단다.
정신
풍습
부여
백제
고구려
부여의 재상 아란불이 꿈에 계시를 받고 근거지를 옮기는 얘기는
새 집
부여족이 송화강 유역 길림성에 있는 부여현 지방으로 이동한 사실을 보여주고 있어.
이사
동부여
북부여
부여 왕은 단군왕검과 마찬가지로 제사장인 동시에 지배자였다는 점을 생각할 때
단군 왕검
해부루
해부루가 어떤 잘못으로 백성들의 신망을 잃어서 더 이상 왕의 자리를 지키기 힘들어지자
해부루
탄 핵
재상 아란불과 의논하여
의논
도읍을 옮긴 것으로 추측돼.
부여
포장 이사

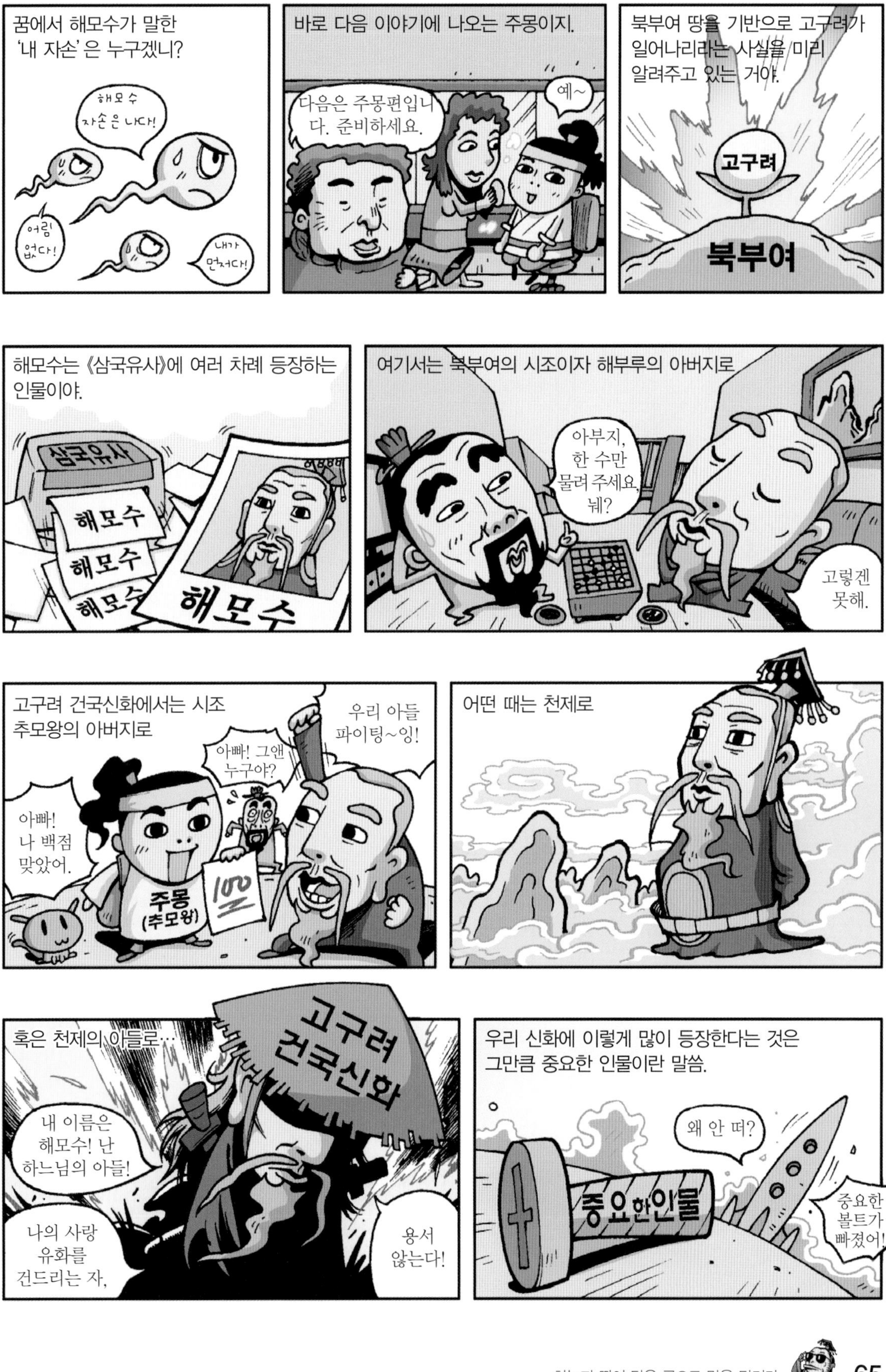

꿈에서 해모수가 말한
'내 자손'은 누구겠니?
해모수 자손은 나다!
어림 없다!
내가 먼저다!
바로 다음 이야기에 나오는 주몽이지.
다음은 주몽편입니다. 준비하세요.
예~
북부여 땅을 기반으로 고구려가 일어나리라는 사실을 미리 알려주고 있는 거야.
고구려
북부여
해모수는 《삼국유사》에 여러 차례 등장하는 인물이야.
삼국유사
해모수
해모수
해모수
해모수
여기서는 북부여의 시조이자 해부루의 아버지로
아부지, 한 수만 물려 주세요. 녜?
고렇겐 못해.
고구려 건국신화에서는 시조 추모왕의 아버지로
우리 아들 파이팅~잉!
아빠! 그앤 누구야?
아빠! 나 백점 맞았어.
주몽
(추모왕)
100
어떤 때는 천제로
혹은 천제의 아들로…
고구려 건국신화
내 이름은 해모수! 난 하느님의 아들!
나의 사랑 유화를 건드리는 자,
용서 않는다!
우리 신화에 이렇게 많이 등장한다는 것은
그만큼 중요한 인물이란 말씀.
왜 안 떠?
중요한인물
중요한 볼트가 빠졌어!

해모수가 당시 사람들에게 아주 훌륭한 인물로 받들어졌다는 걸 알 수 있지.
훌륭한 인물
또 다섯 마리 용이 끄는 수레를 타고 하늘에서 왔다고 했으니
부여 땅에 이미 살고 있던 사람들보다 훨씬 뛰어난 문물을 가지고 위쪽에서 내려온 인물로 해석할 수 있어.
《삼국사기》에는 해부루가 동부여로 떠나고 나서
동부여
북부여
옛 북부여 땅에 해모수가 나타나 도읍을 삼았다고 했는데
내가 이 땅 매입했어.
수도
북부여
여기서는 해모수가 하늘에서 내려와 북부여를 세웠고
북부여
백악산 아사달
그의 아들 해부루가 왕위를 물려받은 것으로 되어 있지.
해모수
왕위
해부루
일연 스님은 해모수를 인간이 아닌 천제로 훨씬 신성한 존재로 올려놓았어.
하느님
해모수가 세운 북부여는 동부여로 이어지고, 주몽의 고구려, 온조의 백제로 뻗어나가며
북부여역
동부여역
고구려역
백제역

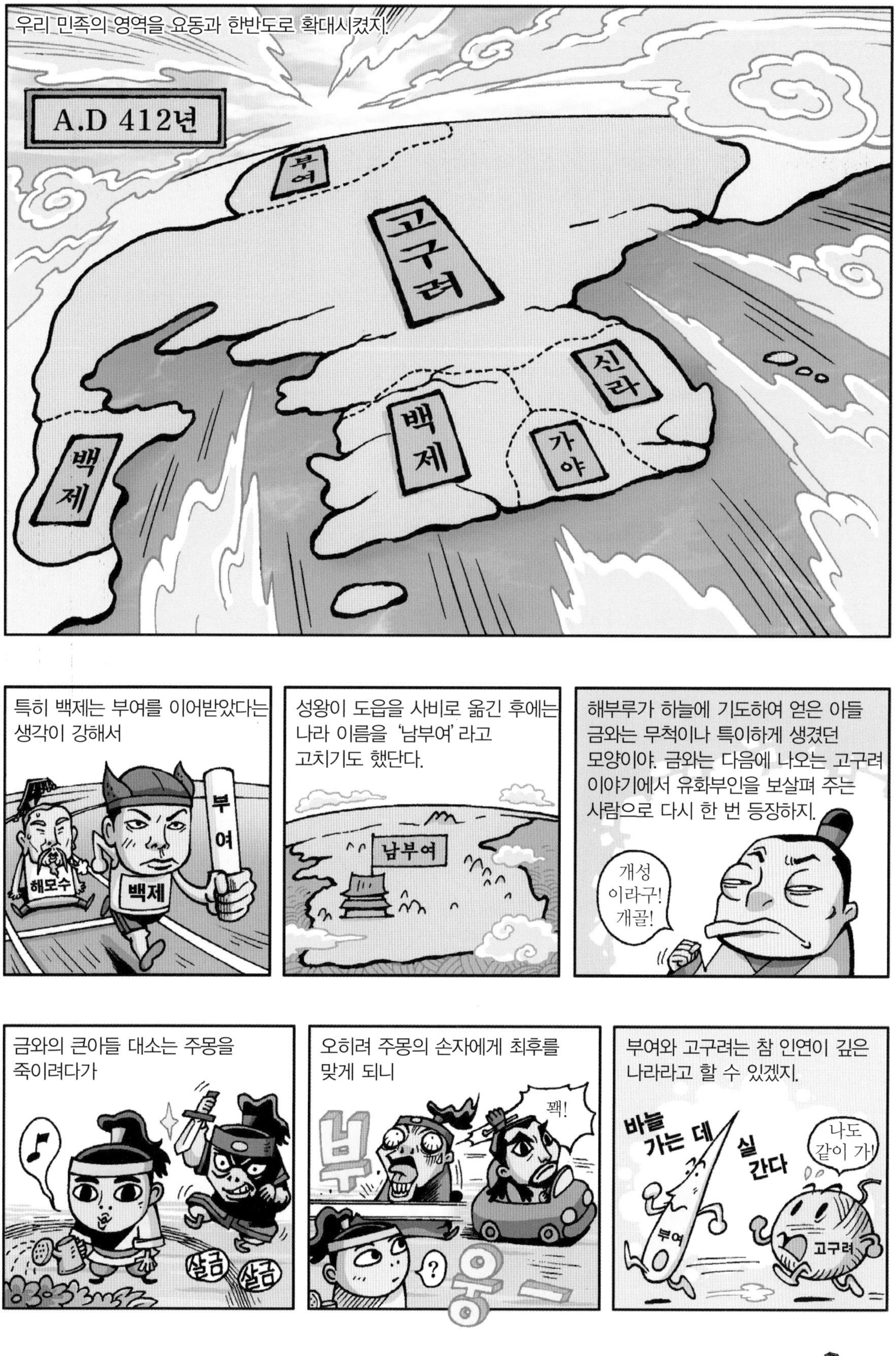
우리 민족의 영역을 요동과 한반도로 확대시켰지.
A.D 412년
부여
고구려
신라
백제
가야
백제
특히 백제는 부여를 이어받았다는 생각이 강해서
부여
해모수
백제
성왕이 도읍을 사비로 옮긴 후에는 나라 이름을 '남부여'라고 고치기도 했단다.
남부여
해부루가 하늘에 기도하여 얻은 아들 금와는 무척이나 특이하게 생겼던 모양이야. 금와는 다음에 나오는 고구려 이야기에서 유화부인을 보살펴 주는 사람으로 다시 한 번 등장하지.
개성이라구! 개골!
금와의 큰아들 대소는 주몽을 죽이려다가
살금
살금
오히려 주몽의 손자에게 최후를 맞게 되니
꽥!
?
부웅-
부여와 고구려는 참 인연이 깊은 나라라고 할 수 있겠지.
바늘 가는 데 실 간다
나도 같이 가!
부여
고구려

찬란한 역사, 고구려를 세운 주몽

해부루의 뒤를 이어 금와왕이 즉위했을 때 일이야.
경 금와왕즉위식 축
어느 날 왕은 태백산 남쪽 우발수를 지나다
눈부시게 아름다운 젊은 여인을 만나게 됐지.
아이 눈부셔.
어찌 이런 곳에 있는가 하고 물으니
저는 본시 물의 신 하백의 딸로 이름은 유화입니다.
물신 살려!
어느 날 동생들과 노는데 하느님의 아들 해모수가 나타나
척
저를 웅신산 밑 압록강가로 데려가
정을 통했습니다.
우린 정을 통…과 했소.
그리고 길을 떠나 돌아오지 않았습니다.
부모님은 중매도 없이 낯선 사내를 따라가 함부로 몸을 맡겼다고 화를 내시며
불화 火
저를 이곳으로 귀양 보냈습니다.

금와왕은 유화를 궁궐로 데려와 빛이 들지 않는 으슥한 방에 가두었어.
탁
그런데 햇빛이 그 방으로 들어오더니 유화가 가는 대로 계속 비추는 거야.
자꾸 따라와.
다다...
그런 일이 있은 뒤 유화는 아기를 가졌지.
그런데 낳고 보니 닷 되나 되는 커다란 알이었지 뭐니.
좋은 징조가 아니라며
좋은 징조가 아냐….
알을 개와 돼지에게 던져주어 먹게 했지만
툭
모두 먹지를 않았어.
에비! 먹는 거 아냐!
배고픈디.
길에 내다 버려도 짐승들이 다 알을 피해 다니고
피해 다녀.
알쓰
들에 버려두니 새와 짐승들이 오히려 알을 덮어 보호해 주었어.
저기… 내 차례거든.
조금만 더.
줄을 서.
그제야 사람의 힘으로 안 되는 것을 알고 어미에게 돌려 주었대.
옛소! 받으시오.
유화가 알을 천으로 싸서 따뜻한 곳에 두었더니
익어~
익어~
사내아이 하나가 껍질을 깨고 알에서 나왔는데
뽁

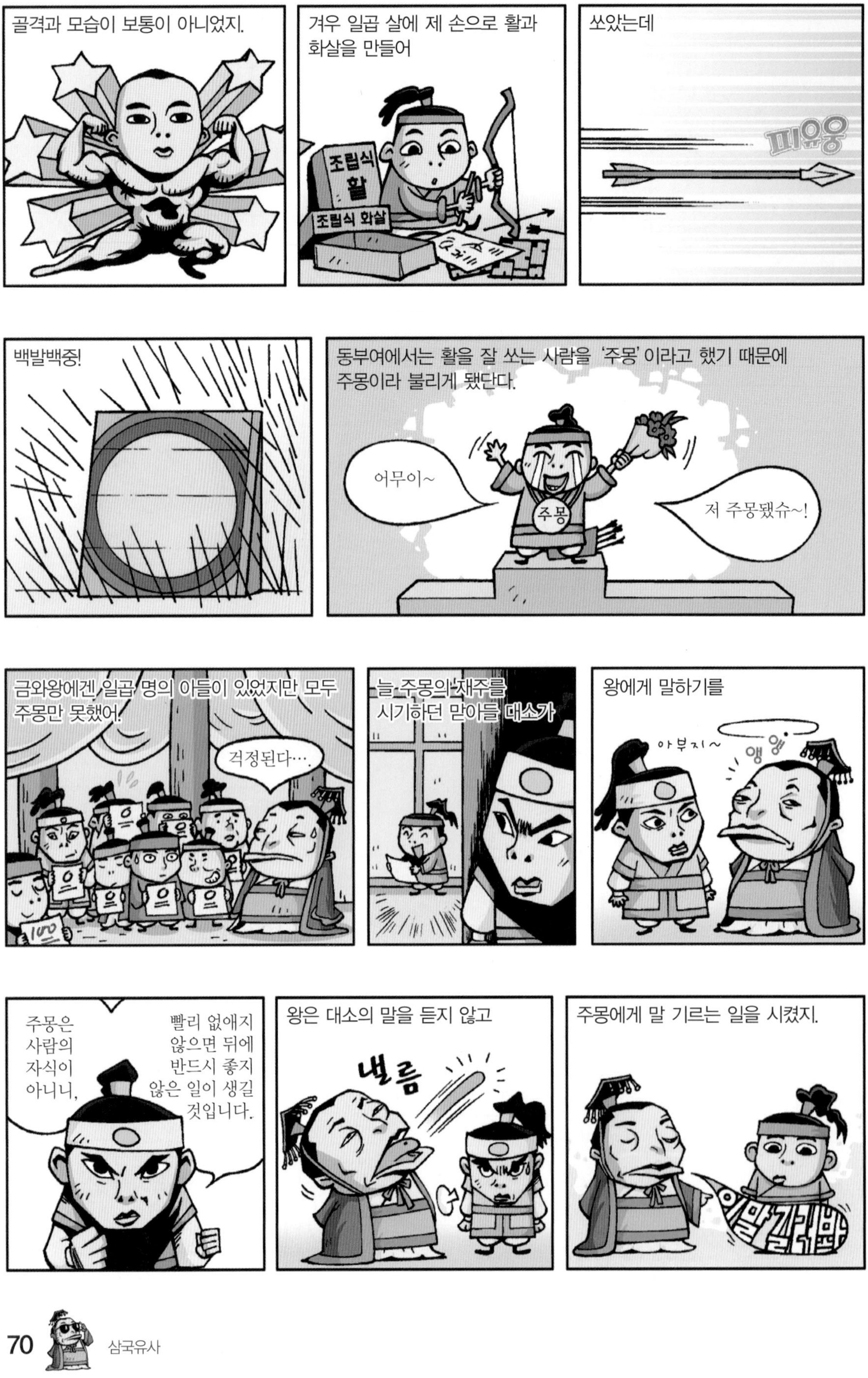
골격과 모습이 보통이 아니었지.
겨우 일곱 살에 제 손으로 활과 화살을 만들어
조립식 활
조립식 화살
쏘았는데
피유웅
백발백중!
동부여에서는 활을 잘 쏘는 사람을 '주몽'이라고 했기 때문에 주몽이라 불리게 됐단다.
어무이~
주몽
저 주몽됐슈~!
금와왕에겐 일곱 명의 아들이 있었지만 모두 주몽만 못했어.
걱정된다….
늘 주몽의 재주를 시기하던 맏아들 대소가
왕에게 말하기를
아부지~
앵 앵
주몽은 사람의 자식이 아니니, 빨리 없애지 않으면 뒤에 반드시 좋지 않은 일이 생길 것입니다.
왕은 대소의 말을 듣지 않고
낼름
주몽에게 말 기르는 일을 시켰지.

주몽은 말을 보는 눈이 있었기 때문에
뭘 봐?
좋은 말은 적게 먹여
엥? 이게 뭐야?
볼품없이 야위게 만들고
똥눌힘도 없네…
둔한 말은 잘 먹여
많이 먹어.
좋아 좋아.
살찌게 했단다.
꺼어억
말인가? 돼지인가? 그것이 알고 싶다
왕은 살찐 말은 자기가 타고
이 말 내 거.
여윈 놈을 주몽을 주었어.
그 말 너 가져.
난 다시 좋은 말로 만들면 되지~롱!
뿌직
주몽은 말을 기르면서 오이, 마리, 협보 등 충실한 벗을 사귀고
기예를 연마하며
부지런히 앞날을 준비했단다.
투자
왕자들과 신하가 은밀히 주몽을 해치려 하자
주몽을 없애 후환을 미연에 방지해야 하오.
이 기미를 눈치 챈 주몽의 어머니가
기미

몰래 불러서 말했어.
이 나라 사람들이 너를 해치려고 한다.
너는 재주와 지략이 뛰어나니 어디 간들 못 살겠느냐? 그러니 빨리 이곳을 떠나도록 해라.
어머니….
주몽은 어머니의 충고대로 친구 셋과 함께 서둘러 동부여를 떠났지.
두 두 두
이를 안 왕자들이 군사들을 이끌고 추격해 왔어.
놓칠성 싶으냐?
도망가는데 갑자기 엄수에 이르러 길이 가로막혔어.
이런…
다급해진 주몽이 앞으로 썩 나서며 시퍼런 강물을 향해 외쳤지.
나는 천제의 아들이요, 물의 신 하백의 외손이다. 오늘 화를 피해 도망가는데 뒤쫓는 자들이 들이닥치니 어찌하면 좋겠는가?
주몽의 말이 끝나기 무섭게 강물 속에서 물고기와 자라들이 새까맣게 떠오르더니
철썩
철썩
철썩

다리를 놓아주고
….
쿵!
그 덕분에 무사히 건널 수 있었어.
다리는 이들이 건너자마자 풀려
후드드
후드드
뒤쫓아 온 대소의 무리는 강을 건너지 못했지.
분하다…!
주몽은 추격을 따돌리고
현도군이 자리했던 졸본주(계루, 홀본이라고도 함)에 도읍을 정했단다.
졸본주
궁궐을 지을 겨를이 없어 비류수* 가에 초막을 짓고
비류수
평양
나라 이름을 고구려라고 했지.
高句麗
*비류수 – 평양의 동북쪽으로 추측
이에 따라 자신의 성도 고(高)씨로 했는데
가정법원
무엇을 도와드릴까요?
성(姓) 변경 신청서
성을 해씨에서 고씨로 바꾸려고 하는데요.
이때 주몽의 나이 열두 살이었다고 해.
열두 살이면 나와 같은 초등학교 5학년이네.
초등학교 5학년?
시방 나한테 욕한겨?

단군 신화를 닮은 주몽 이야기

우리에겐 많은 신화가 있지만, 주몽 이야기처럼 웅장하고 잘 짜인 얘기도 드물지. 고구려의 옛무덤에는 신비로운 벽화들이 많이 남아 있는데, 그 중에는 신단수로 보이는 나무 옆에 곰과 호랑이가 그려진 작품도 있어서 단군신화를 표현한 듯한 것도 있단다.

그러고 보니 주몽 이야기는 단군신화와 비슷한 면이 많구나. 단군은 하느님의 아들이 이 땅에 내려와 낳았고, 주몽은 하느님의 아들이 햇빛으로 변해 잉태시켜 낳았으니 둘 다 하늘의 자손이란 얘기지.

▲ 주몽이 고구려를 건국하고 최초의 수도로 삼았다는 오녀산성. 흘승골성으로도 불린다.

방에 갇혀 있던 유화가 아기를 잉태하는 대목은, 곰이 굴 속에서 일정한 시간을 견딘 다음 웅녀가 되어 단군을 낳은 것과 닮아 있지. 유화가 해모수를 처음 만난 곳이 웅심연熊心淵이란 점도 예사롭지 않아. 웅심연은 '곰 마음 연못' 이란 뜻이니 말이야. 고구려 사람들은 곰을 신성한 동물로 여겨 함부로 잡거나 죽이지 않았다고 해. 또 고조선의 도읍지였던 평양을 서울로 삼기도 했지. 고조선과 고구려의 건국 신화 사이에 이렇듯 공통점이 많은 건, 고구려가 단군조선의 전통을 이은 나라였기 때문이란다.

하지만 큰 어려움 없이 나라를 세운 단군과 달리 주몽은 많은 시련을 겪은 다음에 왕이 될 수 있었지. 태어나자마자 버려졌고, 그를 시기하는 왕자들 때문에 말을 먹이는 고된 일을 해야 했고, 죽음의 위협을 피해 달아나야 했잖아.

부여에 계속 남아 있었더라면 어찌 되었을지 알 수 없는 주몽에게 나라를 세우려는 큰 뜻을 품게 하고, 할 수 있다는 자신감을 심어준 사람은 바로 어머니 유화 부인이었어. 유화柳花는 버드나무 꽃이야. 버드나무는 몽골 등 유목민들 사이에서 신이 깃든 나무로 여겨진단다. 무당이 병을 치료하는 데도 쓰였고, 자손의 번영과 풍요를 상징하기도 하지.

유화란 이름은 그녀가 신의 말을 전하는 신성한 여인이었다는 뜻이야. 유화는 주몽이란 뛰어난 인물을 낳았고, 활쏘기를 가르쳤지. 그리고 나라를 세우는 데 필요한 준비를 차근차근 하도록 했고, 새로운 영토를 개척하러 떠나는 아들에게 곡식의 씨앗을 챙겨주었어. 고구려라는 위대한 나라가 탄생하는 바탕에는 유화라는 훌륭한 어머니가 있었던 거지. 고구려 사람들은 한 해의 수확을 감사하며 하늘에 제사 지내는 '동맹' 축제에서 유화부인을 '부여신'으로 섬겼다고 해.

주몽은 탄생부터가 남달랐지. 어머니가 햇빛을 품어 잉태했다는 것도 믿기 어려운데, 게다가 알로 낳았다니. 사람이 닭도 아니고, 어떻게 알을 낳을 수 있냐고? 햇빛은 태양에서 나오는 거고, 옛날 사람들은 해를 무척이나 우러러봤어. 그러니 해의 기운을 타고난 주몽이 신성한 하늘의 자손임을 나타내지.

그리고 알은 해처럼 둥근 모양으로 하나의 세계를 의미해. 알을 깨고 나오는 사람은 이전과는 다른 새로운 세상을 열어갈 영웅이 되지. 하늘의 신을 아버지로, 물의 신을 어머니로 신비하게 탄생한 주몽의 특기는 바로 활쏘기! 겨우 일곱 살에 국가대표급 실력을 자랑하게 되지. 부여에서는 활을 잘 쏘는 사람을 '추모'라고 했는데, 이를 한자로 적은 게 '주몽'이란다.

이야기 속에서 가장 믿기 어려운 장면은 주몽이 대소왕자의 추격

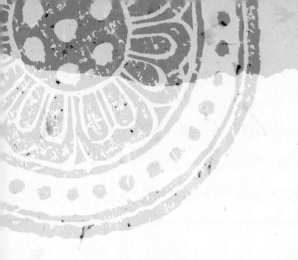

을 받으며 도망칠 때 엄수라는 강물이 가로막자, 수많은 물고기와 자라 떼가 물위에 다리를 놓아주었다는 거지. 이것은 주몽의 외할아버지가 하백, 즉 강물을 관장하는 신이었다는 데서 실마리를 찾을 수 있어. 위기 상황에 몰린 주몽을 보고 강 주변에 살던 하백 부족 사람들이 도움을 주었다고 풀이하면 어떨까? 어머니 유화부인 집안의 도움을 받아 뒤쫓는 군사들을 따돌리고 강물을 건너 남쪽으로 무사히 빠져나갈 수 있었던 거라고 말이야.

주몽이 처음으로 도읍을 삼은 곳은 졸본, 지금으로 말하면 중국 지린성에 있는 환인 일대라고 해. 이곳에는 적석총(돌무덤)같은 고구려의 유적이 많이 남아 있지. 고구려란 나라 이름은 본래 '구려'에서 나온 말이야. 고구려 말로 성이나 읍을 '구루'라고 했는데, 여기에 '고高' 자를 덧붙인 것은 구려보다 큰 고을이란 뜻이니, 한 차원 높아진 나라임을 드러내는 거야. 고구려는 소노, 절노, 순노, 관노, 계루의 5부족이 어우러진 나라였단다.

처음엔 소노부에서 연맹을 이끌었는데, 주몽이 내려와 송양의 비류국을 물바다로 만든 이후 연맹의 주도권이 주몽의 계루 집단으로 넘어간 것으로 보여. 주몽은 오이, 마리, 협보 등 가까운 사람들뿐만 아니라, 부여를 떠나 새로운 삶을 꿈꾸는 많은 무리들을 이끌고 졸본으로 왔을 거야. 이들은 뛰어난 활솜씨와 말 타기 실력으로 고구려 연맹의 중심세력이 될 수 있었지.

주몽이 고구려를 세운 때는 만주와 한반도 일대에 철기 문화가 들어오면서 사회적으로 큰 변화가 있었던 시기야. 한나라가 고조선을 멸망시킨 후, 그 자리에는 크고 작은 수십 개의 나라들이 생겨났어. 이 때 등장하는 주몽은 뛰어난 무술 실력과 지략을 두루 갖춘 영웅이었지. 그는 송양을 항복시킨 뒤 얻은 땅을 '다물도' 라고 했는데, '다물' 은 순수한 고구려말로 옛 영토를 되찾자는 뜻이란다. 자신을 하느님의 아들이며, 물의 신 하백의 외손이라고 밝힌 주몽은 '잃어버린 옛 조선의 영광을 되찾아 강력한 나라를 이루자' 는 의지를 보이지. 그가 세운 나라 고구려는 마지막까지 남았던 한사군, 낙랑을 몰아내고, 200번이 훨씬 넘는 전쟁을 치러내면서 중국의 침략으로부터 우리 민족을 꿋꿋하게 지켜냈어.

▲ 고구려인들이 사냥하는 모습을 보여주는 수렵도. '강서대묘' 벽화 일부

제4장
박씨, 석씨, 김씨 왕이여,
나라를 새롭게 하라
신라
박혁거세
석탈해
김알지

세상을 밝게 다스린 거서간, 박혁거세

옛날 진한 땅에는 여섯 마을이 있었단다.
양산촌
고야촌
가리촌
진한
고허촌
진지촌
대수촌

기원전 69년 3월 초하룻날, 여섯 부족의 우두머리가 각각 자제들을 거느리고 알천 언덕에 모여 의논을 했지.

임금이 없으니 백성들이 모두 법도를 모르고 제멋대로요.

서둘러 덕 있는 사람을 임금으로 모시고 나라를 세워 도읍을 정해야겠소.
의논 후에 높은 곳에 올라
줄을 서시오.
새치기 하지 맙시다.
밀지 마시오! 떨어지오!
남쪽을 바라보니
양산 아래 나정이라는 우물가에 번개처럼 이상한 기운이 드리워졌어.
양산
그 옆에는 흰 말 한 마리가 나타나 땅에 꿇어 앉아 절을 하고 있는 거야.
사람들이 모두 그곳으로 달려가 보니
다다다…
커다랗고 자줏빛이 나는 알 한 개가 놓여 있었어.
말은 사람을 보더니
….
길게 울고
이히힝 히힝~
빤히 쳐다 봐. 기분 나쁘게!

하늘로 올라갔단다.
엄마~ 히이 히힝~
일러라, 일러.
베~
조금 있으니
알에서
벌떡
오옷!
사내아이가 나왔는데
뽁
오오오옷!
매우 단정하고 아름다웠어.
사삭
사람들은 동천으로 데리고 가
동천 목욕탕
쌔앵
목욕시켰더니, 아이 몸에서는 광채가 나고
온갖 새와 짐승은 춤을 추었지.
쿵작 디스코장 쿵작
인간 출입 금지

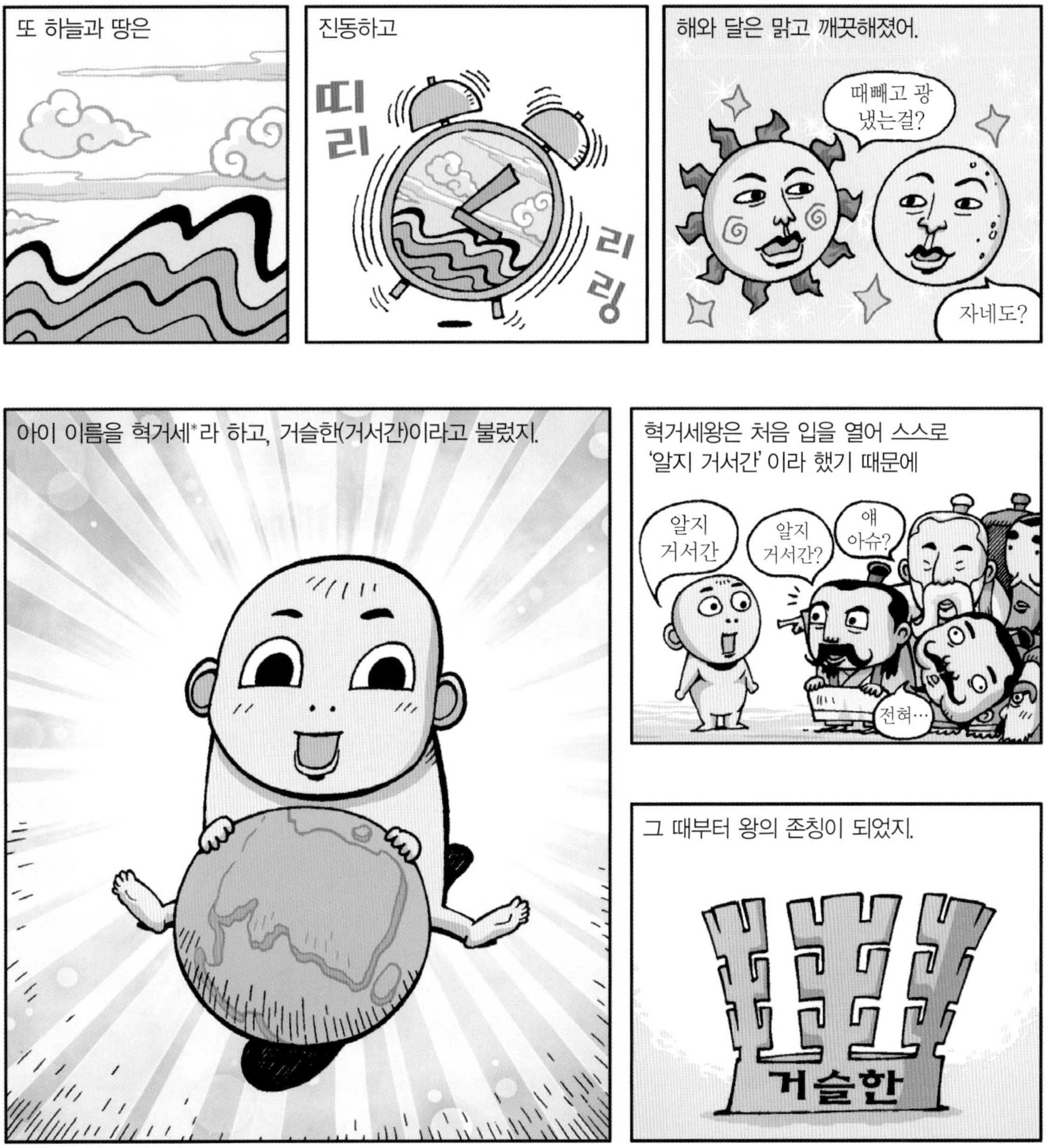

또 하늘과 땅은
진동하고
띠리
리링
해와 달은 맑고 깨끗해졌어.
때빼고 광 냈는걸?
자네도?
아이 이름을 혁거세*라 하고, 거슬한(거서간)이라고 불렀지.
혁거세왕은 처음 입을 열어 스스로 '알지 거서간'이라 했기 때문에
알지 거서간
알지 거서간?
얘 아슈?
전혀…
그 때부터 왕의 존칭이 되었지.
거슬한

*혁거세(赫居世) – 세상을 밝게 다스린다는 뜻.

여섯 촌의 사람들은 하늘이 소원대로 임금님을 내려 준 것을 소리 높여 칭송하고
칭송가
칭송가
칭송가
이제 천자가 하늘에서 내려왔으니 덕 있는 여자를 배필로 맞으면 되겠다며
환호했어.
와

바로 이날 정오 무렵, 사량리란 마을 알영 우물가에 계룡 한 마리가 나타나더니
왼쪽 겨드랑이 밑에서 여자아이를 낳았대.
뿍
얼굴과 모습은 유달리 고왔지만
입술이 닭의 부리처럼 생겨 보기가 흉했지.
에잉~
보기 흉해.
사람들은 아이를 월성 북쪽에 있는 냇물로 데려가 씻겼더니
닭 부리 같던 입술이 바로 떨어졌어.
어머낫!
그때부터 그 냇물을 발천이라 부르게 됐단다.
제거할 발, 내 천!
撥川
사람들은 남산 서쪽 기슭에 궁궐을 짓고
성스러운 두 아이를 모셔다가 길렀어.
궁궐
방가 방가
못 생겼다.
사내아이는 바가지 모양의 알에서 태어났기 때문에 성을 박(朴)이라고 하고
朴
여자아이는 알영정에서 나왔으므로 알영(아리영)이라고 이름 지었지.
알영井

두 성인이 열세 살 되는 해 혼인하여 왕과 왕후가 되었단다.
이보오 마누라
아이, 징그럽게….
기원전 57년 나라 이름을 '서라벌' 또는 '서벌'이라 했는데
서라벌 or 서벌
고구려
백제
'사라' 또는 '사로*'라고도 했어.
사라 or 사로

*사라, 사로 – 신라의 옛 이름. 지증왕 4년(503년) 나라 이름을 신라로 정함.

또 처음 왕후가 계정에서 태어나니 '계림국'이라고도 불렀는데
계림국
이는 계룡이 상서로움을 나타내기 때문이야.
좋은 일이 있을 징조야.
탈해왕이 김알지를 얻으면서 숲속에서 닭이 울어서
꼬꼬댁!
나라 이름을 '계림'이라 고쳤다고도 해.
鷄林
닭 계, 수풀 림!
혁거세왕은 나라를 다스린 지 61년째 되는 어느 날 죽어 하늘로 올라갔어.
왕의 몸뚱이는 죽은 지 7일 후에 땅에 흩어져 떨어졌는데
투둑

이때 왕후도 세상을 떠났대.
백성들이 왕과 왕후의 시체를 합해서 장사 지내려 하니까
왕 + 왕후
난데없이 큰 뱀이 나타나
불쑥
뱀이다~아! 뱀이다~아! 몸에 좋고 맛도 좋은 뱀이다~아!
쫓아다니면서 일을 방해했어.
이씨!
자꾸 쫓아다녀.
사람들은 할 수 없이 시체를 다섯으로 나눠 각각 장례지내고
다섯 개의 능, 오릉(五陵)을 만들었지.
이 능을 사릉이라고도 부르는데, 담엄사 북쪽에 있단다.
蛇 뱀 사
陵 언덕 릉(능)
혁거세왕이 하늘로 올라간 뒤 태자 남해왕이 왕위를 물려받았지.

바다를 건너온 용왕의 아들 탈해왕

신라 2대 남해왕 때 일이야. 가락국 앞바다에 낯선 배 한 척이 닻을 내리니
고구려
백제
가락국
신라

가락국의 수로왕은 신하와 백성을 거느리고 바닷가로 나가 북을 울리면서 맞이하려 했지.
둥
둥
가락국
그러나 배는 신라 동쪽 하서지촌 아진포로 달아나 버렸어.
신라
가락국
아진포
엥?
아진포 갯가에 아진의선이라는 늙은 할멈이 살았는데
늙은 할멈이라니? 젊은 누나라 불러다오!
혁거세왕에게 해산물을 바치던 어부의 어미였단다.
엄마~ 배달갔다 올게~
해산물
운전 조심혀.
어느 날 바다 쪽에서 까치 소리가 들려오자 깜짝 놀라며 말했어.
깍 깍
이 바다에는 본래 바위라곤 없는데 웬일로 까치들이 모여서 이리 시끄럽게 울까?
깍 깍
이상하다 싶어 얼른 배를 저어 다가갔겠지.
깍 깍

까치들은 어떤 배 위에서 울고 있었어.
깍
깍

그 배 안을 살펴보니 한가운데 궤짝 한 개가 있었단다. 길이가 스무 자, 넓이가 열석 자쯤 되는 커다란 궤짝이었어.

할멈이 배를 끌어다가 숲 아래 매어 놓고 좋은 일인지 나쁜 일인지 하늘에 물었지.
좋은 일일깝쇼? 나쁜 일 일깝쇼?
글쎄다 ….

조금 있다가 궤짝을 열어보니
끼익!

놀랍게도 잘 생긴 사내아이가 일곱 가지 보물을 품에 안고 노비들을 거느리고 앉아 있는 게 아니겠어?
7가지 보물

할멈은 이들을 집으로 데려와 정성껏 대접했는데
뭐냐?
다 어류뿐이잖아.
주는 대로 드셔!
7일째 되는 날
쨍~
7
아침에 아이가 처음으로 입을 열었지.
쩍
입 열었네.
저는 본래 용성국 사람입니다.
INDIA
용성국
우리나라에는 28대를 내려오며 용왕님이 아무 걱정없이 잘 살게 다스려 주셨지요.
28대
태평성대
이 용왕님들은 모두 사람의 모습으로 태어나 대여섯 살이 되면 왕위를 이어받았지요.
왕위
6
제 아버지는 바로 용성국을 다스리시는 함달파왕이고
나 함달파 왕이야.
용성국
어머니는 적녀국의 공주였습니다.
여인국
그런데 시집와서 오래도록 아들을 낳지 못한 어머니는
딸
딸
딸
나라의 대가 끊길까 봐
자손
7년 동안이나 하늘에 기도했습니다.
7
소원성취
년
마침내 아기를 가졌는데
임신

낳아보니 커다란 알이었습니다.
아버지는 이 일에 대해 신하들과 의논하고 좋은 징조가 아니라고 생각하고 버리기로 했지요.
버리십시오!
그럴까? 그러지 뭐….
그래서 커다란 궤짝 하나를 만들어
나(알)와 일곱 가지 보물, 노비들을 함께 띄워 보냈답니다.
알
7가지보물
노 비
아버지 어머니가 부디 인연 있는 땅에 닿아 나라를 세우라고 빌었더니
소원성취
붉은 용이 나타나 우리 배를 호위해서

여기까지 인도해 주었습니다.
이 말을 하고 나서 아이는 두 하인을 데리고 토함산으로 올라갔단다.
토함산
산마루턱에 돌집을 짓고 이레 동안 머물면서
7일
성 안에 살 만한 곳이 있는지 살폈어.
그러던 중 초승달 모양의 언덕이 좋아 보여
오오옷
여기 아니거덩!
어딜 넘봐!
서둘러 찾아갔더니 그곳엔 이미 호공이란 사람이 살고 있었지.
당신 집이요?
아이는 그 터를 차지하기 위해
…
…
꾀를 한 가지 생각해냈어.
먼저 호공의 집 옆에 몰래
숫돌과 숯을 묻어둔 다음
숫돌
숯
이튿날 아침에 호공을 찾아가서는 태연하게 말했지.
이리 오너라~!
엥? 꼬마 또 너냐?
니가 와!

이 집은 우리 조상이 살던 집이오.
엥?
얼토당토않게 우기는 소릴 듣고 호공은 그럴 리 없다며 펄쩍 뛰었어.
그럴 리 없거든!
그럴 리 있거든요!
옥신각신 다투던 두 사람은 결국 관청에 판결을 맡기기로 했지.
관청
재판관이 아이에게 물었어.
무슨 근거로 네 집이라고 하느냐?
재판관
우리 조상은 대대로 대장장이였습니다.
얼마 동안 다른 지방에서 살다가 와 보니 저 사람이 자기 집처럼 살고 있었습니다.
어?
집 주변 땅을 파서 조사해보면 제 말이 사실임을 알 것입니다.
파 보자.
좋다!
그의 주장대로 땅을 파보니 숫돌과 숯이 나와 대장간 터가 분명해 보였어.
띵~
어? 나왔네.
끄아악!
재판관은 호공에게 얼른 집을 돌려주라 했고
방 빼!
아이는 호공의 집을 차지하고 살게 되었지. 이 아이가 바로 탈해란다.
꺼이 꺼꺼이~
당시 신라 남해왕은 이 이야기를 듣고 그의 슬기에 감탄하여
와우!
나 완전 감탄!

큰딸을 주어 사위로 삼았지.
축 결혼
탈해의 아내인 아니부인은 바로 남해왕의 맏공주야.
아니? 부인 뭐하시오?
어이, 큰딸~
남해왕이 세상을 떠나자 왕의 아들 노례는 지략이 뛰어난 매부 탈해에게 왕위를 양보하려 했단다.
양보
YIELD
왕위
그렇지만 탈해는 극구 사양하여
양보
YIELD
4
한참 실랑이가 벌어졌지.
사양한다잖아!
양보한다잖아!
그러다 탈해가 한 가지 제안을 했어.
한 가지 제안!
뭔데?
헥! 헥!
예부터 덕이 있고 지혜로운 사람은 이가 많다고 했습니다.
그러니 우리 두 사람 중 이가 더 많은 사람이 왕위에 오르는 건 어떻겠습니까?
오호~
왕위
노례도 좋은 생각이라고 하여
좋은
생각!
두 사람은 곧 떡 한 덩이씩을 가져다 입에 물었다
꽉
놓았지.
떡
떡에 찍힌 잇자국을 세어 보니 노례의 이가 더 많아서
내가 졌네~ㅋ
내가 이겼네… 쩝

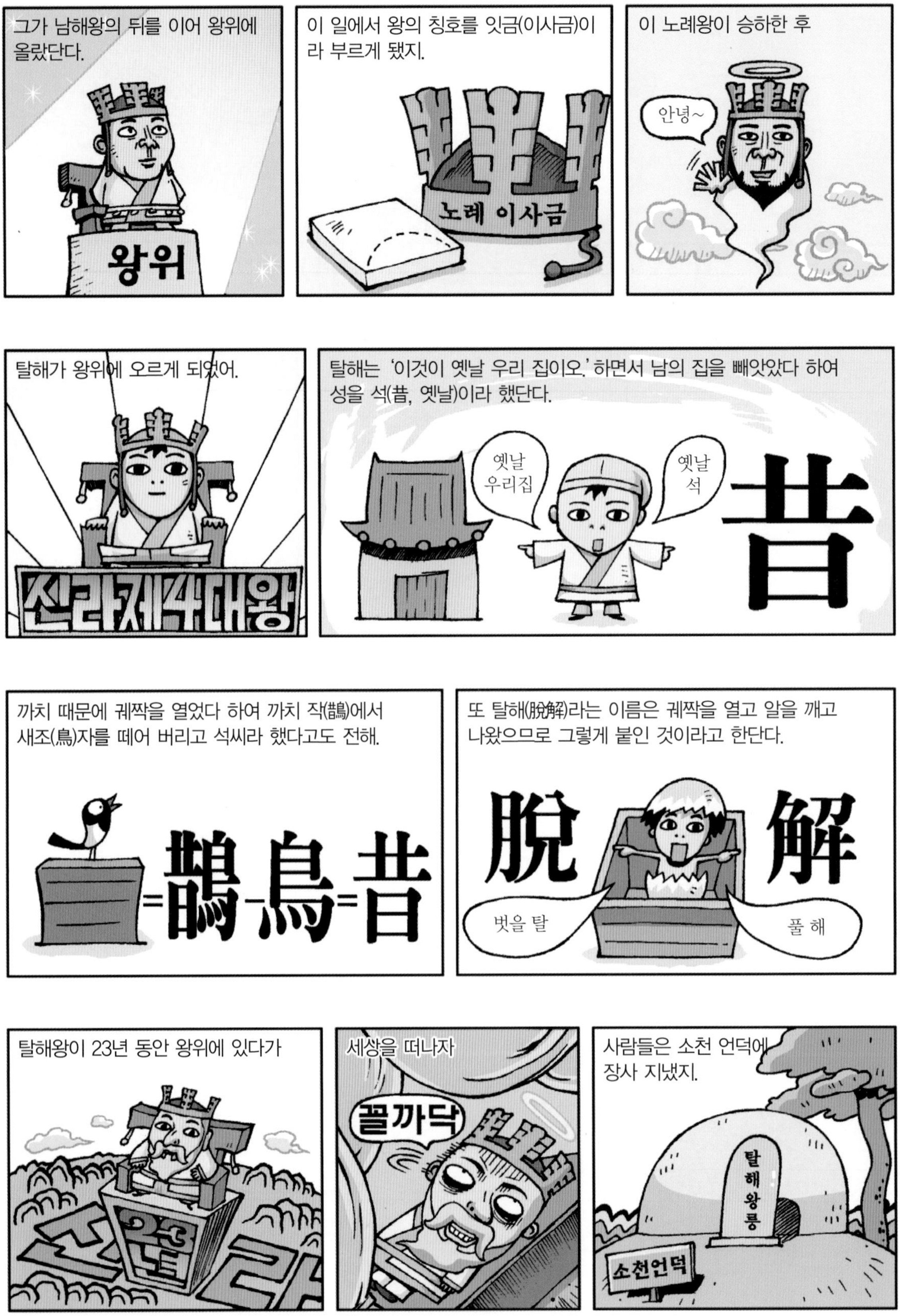
그가 남해왕의 뒤를 이어 왕위에 올랐단다.
왕위
이 일에서 왕의 칭호를 잇금(이사금)이라 부르게 됐지.
노례 이사금
이 노례왕이 승하한 후
안녕~
탈해가 왕위에 오르게 되었어.
신라제4대왕
탈해는 '이것이 옛날 우리 집이오.' 하면서 남의 집을 빼앗았다 하여 성을 석(昔, 옛날)이라 했단다.
옛날 우리집
옛날 석
昔
까치 때문에 궤짝을 열었다 하여 까치 작(鵲)에서 새조(鳥)자를 떼어 버리고 석씨라 했다고도 전해.
=鵲-鳥=昔
또 탈해(脫解)라는 이름은 궤짝을 열고 알을 깨고 나왔으므로 그렇게 붙인 것이라고 한단다.
脫
解
벗을 탈
풀 해
탈해왕이 23년 동안 왕위에 있다가
23년
세상을 떠나자
꼴까닥
사람들은 소천 언덕에 장사 지냈지.
탈해왕릉
소천언덕

그런데 그의 혼이 나타나
스스
탈해왕릉
내 뼈를 묻지 말라고 했어.
내 뼈 묻지 마~
놀란 사람들이 그의 무덤을 파 보니
파바바박

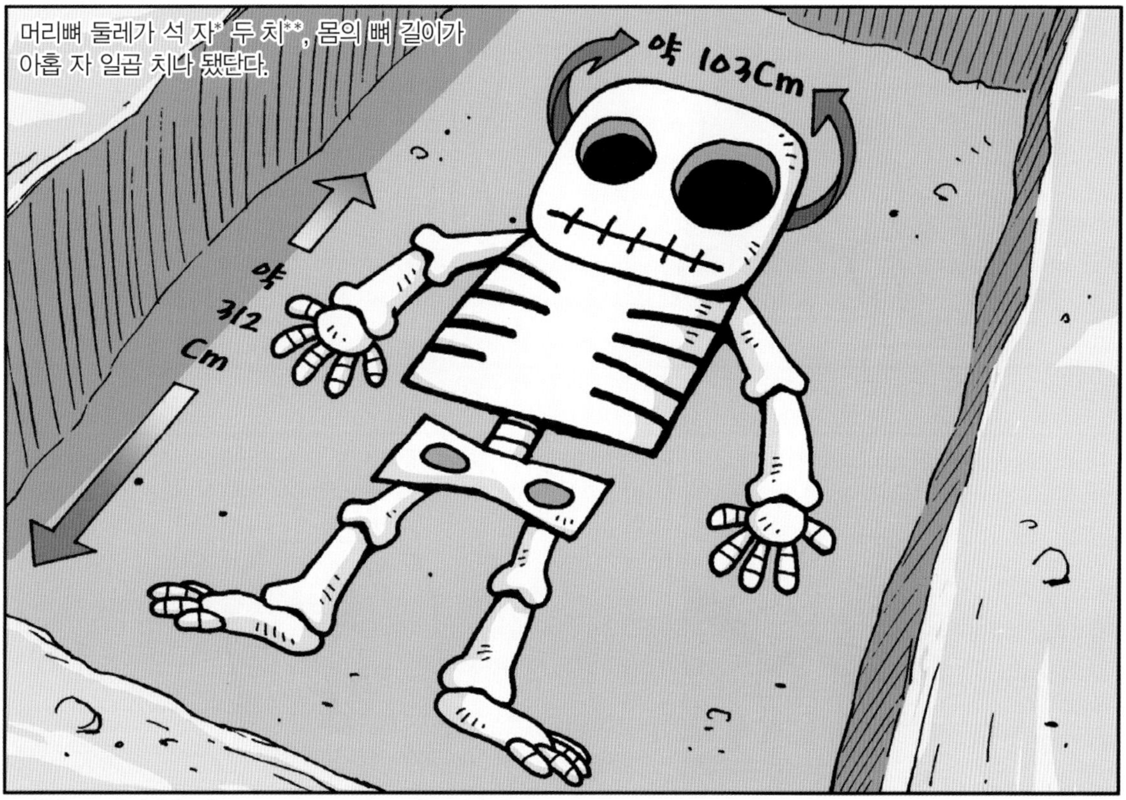
머리뼈 둘레가 석 자* 두 치**, 몸의 뼈 길이가 아홉 자 일곱 치나 됐단다.
약 103Cm
약 312 Cm

*자(척) – 고려 시대에 1자는 32.21cm. **치 – 1치는 1자의 1/10.

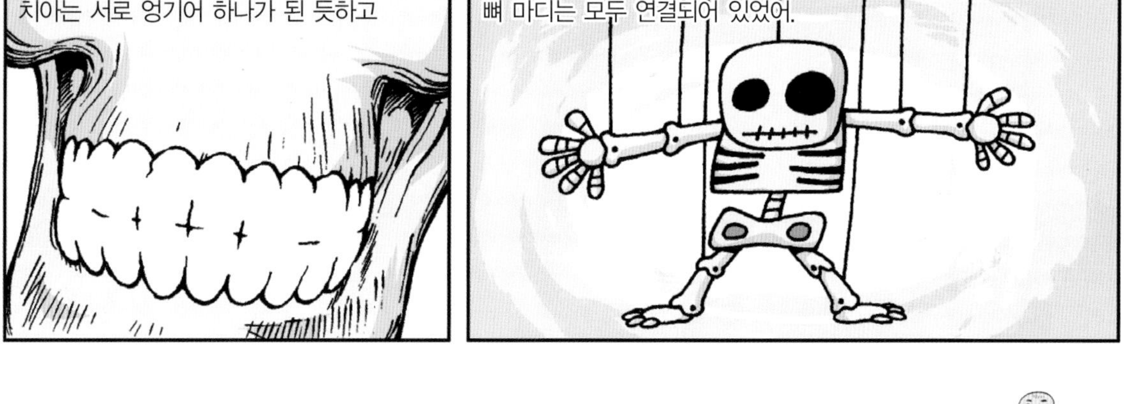
치아는 서로 엉기어 하나가 된 듯하고
뼈 마디는 모두 연결되어 있었어.

가히 천하에 둘도 없는 장사의 골격이었지.
천하장사
어무이~ 나 천하장사 먹었슈~!
그 뼈를 부수어
그의 모습대로 빚어 대궐에 모셔 두었더니
다시 그의 혼령이 나타나 "내 뼈를 동악(토함산)에 두라."고 하여
이곳에 묻어. 알았지?
토함산
그대로 따랐단다.
탈해왕릉
토함산
이후로 나라에서 동악산에 제사를 계속 지냈대.
토함산

황금 궤짝에서 나온 작은 아이, 김알지

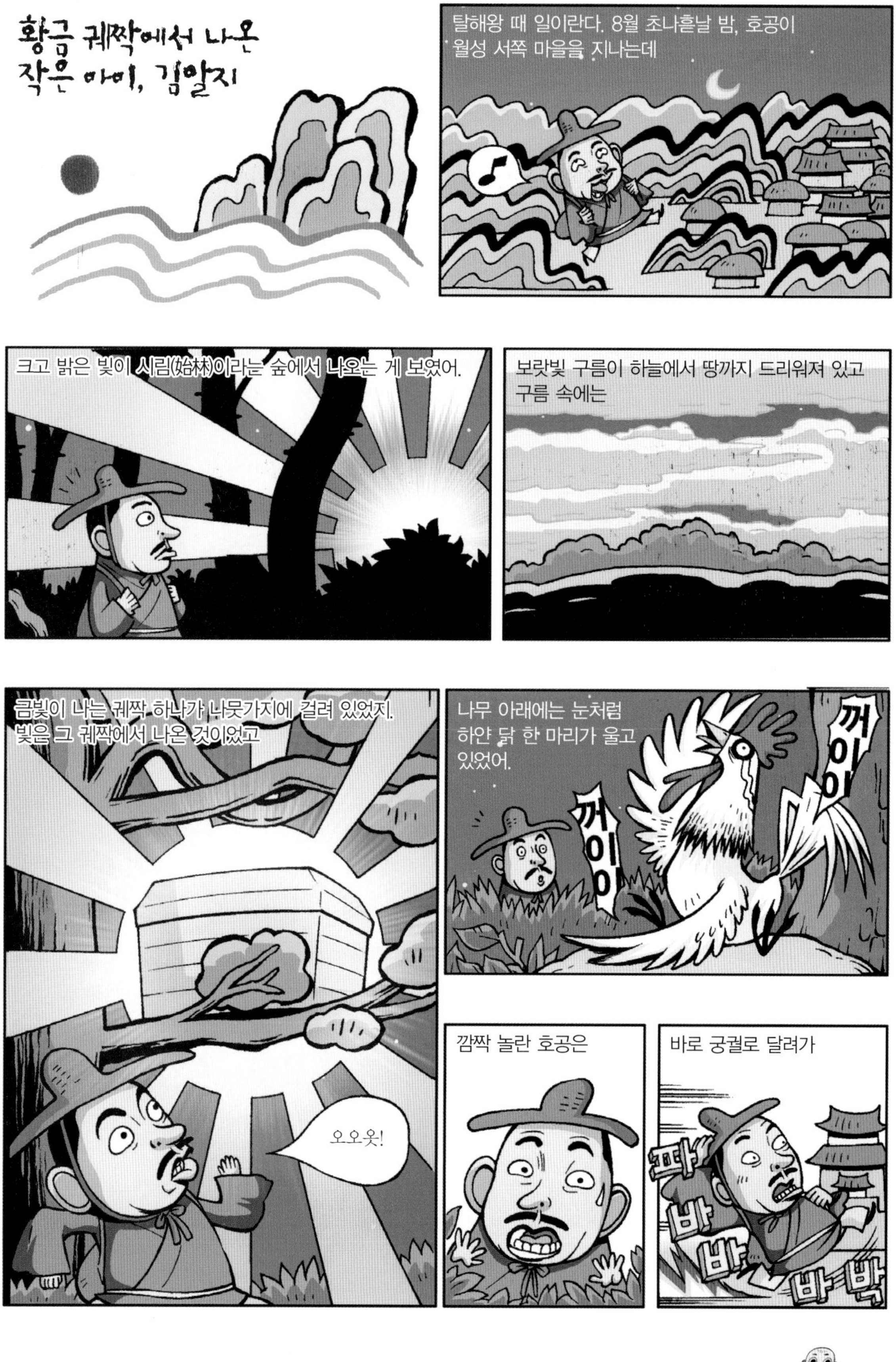
탈해왕 때 일이란다. 8월 초나흗날 밤, 호공이 월성 서쪽 마을을 지나는데
크고 밝은 빛이 시림(始林)이라는 숲에서 나오는 게 보였어.
보랏빛 구름이 하늘에서 땅까지 드리워져 있고 구름 속에는
금빛이 나는 궤짝 하나가 나뭇가지에 걸려 있었지. 빛은 그 궤짝에서 나온 것이었고
오오옷!
나무 아래에는 눈처럼 하얀 닭 한 마리가 울고 있었어.
꺼이이
꺼이이
깜짝 놀란 호공은
바로 궁궐로 달려가
파바바바박

탈해왕에게 아뢰었지.
궤짝 빛 반짝 반짝, 흰 닭 꺼이 꺼이.
정말?
왕이 숲으로 달려와
파바바박
궤짝을 열어 보니
사내아이 하나가 누워 있다가
커어어~
피유~
긁적 긁적
피유~
벌떡 일어났어.
벌떡
깜짝이야!
벌떡
그 모습이 혁거세 때와 비슷해서 알지라고 이름지었단다.
알지는 우리말로 '작은 아이(어린애)'란 뜻이거든.
탈해왕은 알지를 하늘이 내린 사람이라 생각하고
왕이 아이를 안고 궁궐로 돌아오는데 새와 짐승들이 따라오면서 기뻐 춤을 추었어.
저 인간들 내가 먼저 찜했어!
먼저 잡아 먹는 게 임자야!
짐승들이 기뻐 춤을 추는구나.
우당탕

좋은 날을 택하여 태자로 삼았지.
경 축
태자 책봉식
그러나 탈해왕이 승하한 뒤
알지는 파사왕에게 왕위를 양보하고 오르지 않았어.
양 보
YIELD
알지는 황금색 궤짝에서 나왔다고 하여 성을 김(金)씨라고 했는데
성 김, 쇠 금
金
신라 김씨가 알지에서 시작되었지.
경주김(金)씨 족보
시조 김알지
김알지의 7대 손(孫)이 바로 신라의 13대 왕인 미추왕이란다.
나 알지?
누구시더라?

씨족 사회 연합의 상징, 혁거세

진한에 있던 여섯 마을의 우두머리들이 혁거세를 왕으로 세운다는 이 이야기는 씨족 사회가 합쳐져 '사로국'이란 하나의 왕국으로 발전해가는 과정을 보여준단다. 혁거세가 열 살 무렵에 왕이 되었다는 건 진한의 여섯 마을을 통합하는 데 10년 정도의 시간이 걸렸음을 뜻하지.

혁거세

'혁거세'란 이름에는 세상을 밝힌다는 의미가 담겨 있고, 성을 '박朴'으로 삼은 것은 표주박 같은 커다란 알에서 나왔기 때문이래. 세상을 변화시킬 훌륭한 영웅을 알을 깨고 나오는 것으로 묘사한 것은 앞에서 얘기했지? 알 또는 태양, 밝은 빛에 대한 숭배는 고구려 동명왕 신화와 공통으로 엿볼 수 있어. 혁거세는 당시에 왕이 아닌 '거서간居西干'으로 불렸는데, '간'은 칭기즈 칸처럼 막강한 힘을 가졌던 사람에게 붙이는 칭호였단다.

▲ 계림

혁거세와 결혼한 알영은 어떤 사람일까? 알영의 입술이 닭부리 같았다고 한 게 흥미롭지? 신라는 유난히 닭과 인연이 많아. 신라 사람들은 닭의 신을 섬겨 머리에 날개깃털을 꽂아 장식했다는 기록이 있지. 또 인도에서는 신라를 '구구타예설라'라고 불렀는데, 이것은 '닭'과 '귀하다'는 뜻이 합쳐진 거란다.

계림

신라를 계림鷄林이라고 한 걸 봐도, 확실히 신라에서는 닭을 귀히 여기고 섬기는 닭 토테미즘이 널리 퍼져 있었던 것 같아. 옛사람들이 새를 하늘과 인간 세상을 이어주는 동물로 신성시했잖아. 닭은 새와 비슷한 신성성을 가지면서도, 날이 밝아오는 걸 가장 먼저 알리는 동물이지. 그러니 해가 일찍 떠오르는 동쪽나라 신라에서 특별한 대우를 받은 게지.

▲ 닭은 매우 친숙한 동물로 지금까지도 나쁜 것을 쫓는 역할을 지녔다고 생각된다. 벽사금계도.

알영

알영의 '알'은 '사물의 핵심, 근원'을 뜻하고 여성에만 쓰이는 말이야. '신라의 근원이 된 여성'이란 뜻에서 알영이라 불렀겠지. 알영의 입술이 닭과 비슷했다는 건 그녀가 신성한 여자였다는 의미란다.

오릉

혁거세의 유해를 다섯 군데로 나누어 장사지낸 게 특이하지? 혁거세와 알영을 함께 묻으려고 하니까 큰 뱀이 방해해서 결국 다섯으로 나누게 됐거든. 지금은 뱀을 좋지 않은 징조로 생각하는 경우가 많은데, 《삼국유사》 속에 나타난 뱀은 대부분 좋은 일을 하는 것으로 나타나. 여기서도 오릉을 만들게 하는 역할을 하지.

신라왕들의 무덤은 거의 작은 산만큼 큰데, 다섯 군데에 봉긋 솟은 오릉五陵은 신라 영토의 중심에 있던 토함산과 네 군데 가장자리에 있던 팔공산, 계룡산, 지리산, 태백산, 이렇게 다섯 산을 상징하는 거야. 신라 사람들은 오악을 신성한 제단으로 삼아 제사를 지냈대. 그렇다면 혁거세가 묻힌 오릉은 신라 곳곳에 왕의 위엄이 미치기를 바라는 뜻에서 만들었다고 볼 수 있겠지.

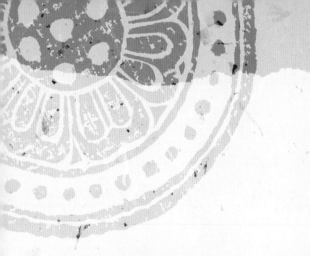

▲《삼국사기》에 의하면 오릉은 박혁거세·알영 왕비·남해 차차웅·유리 이사금·파사 이사금 등 박 씨 왕가의 초기 능묘로 전해지고 있다.

우리 건국 신화에 자주 등장하는
난생설화 卵生說話

주몽과 혁거세에 이어 알에서 태어난 아이가 또 나왔구나. 이런 이야기를 난생설화라고 하는데, 동북아시아 지역에 전해지는 독특한 이야기야. 알의 둥근 모양은 태양을 상징하고, 태양은 하늘과 같이 존귀한 대상이지.

그러니까 알에서 태어난 아이는 하늘의 자손으로 아주 귀한 사람을 뜻하는 거, 알고 있지? 알의 모습으로 태어나서 버림을 받는 것도 주몽과 같은 점이야. 그런데 설화 속에서 부모에게 버림받은 아이들은 결국 남다른 인물이 되고 큰 성취를 이루게 돼. 우리 무속에 전해지는 바리공주도 일곱째 공주로 태어나 바다에 버려졌어. 하지만 멀쩡하게 호강하면서 자란 여섯 언니들이 다 마다한 임무를 부모님을 살리기 위한 일념으로 끝까지 해내고, 마침내는 죽은 이들의 억울함을 대변해주는 큰 무당이 되지.

석탈해는 용성국 왕자로 태어나 바다를 통해 신라로 온 사람이야. 용성국이 어디였는지 정확히 알 수는 없지만, 그가 호공의 집을 차지하기 위해 '숫돌과 숯'을 묻었다는 대목에서 추측이 가능해. 숫돌과 숯은 대장장이가 쇠를 다룰 때 필요한 도구들이야. 그렇다면 석탈해는 철기를 다루는 기술을 가진 사람이었을 거야.

▲ 석탈해왕릉. 경주 동천동 소재.

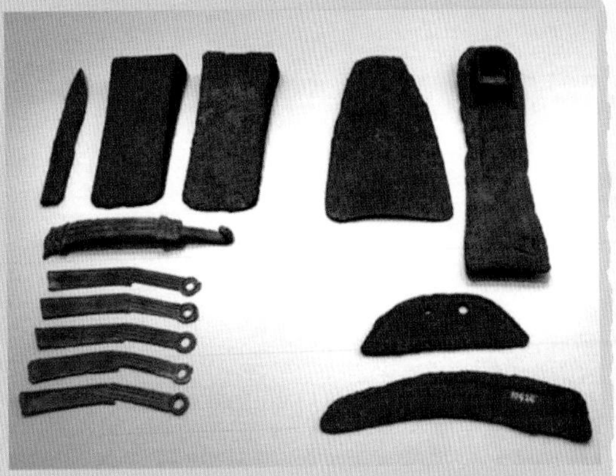
▲ 초기 철기 시대의 유물

당시 신라는 청동기 도구를 사용하고 있었는데, 어디선가 탈해가 이끄는 사람들이 앞선 철기 문명을 가지고 들어온 것을 뜻하지. 탈해가 박혁거세와 다른 혈통을 가지고 있었음에도 불구하고 왕위에 오를 수 있었던 건, 그가 신라 사람들을 압도할 만한 선진 문물을 전파했기 때문이야. 탈해는 지금의 일본 북쪽에 있는 먼 곳으로부터 신라로 왔다고 하고, 호공은 '왜' 라고 불린 일본의 작은 나라들 중 한 곳에서 들어와 신라에 정착한 사람이라고 해.

떡에 찍힌 잇자국을 세어서 왕이 될 사람을 결정한 일도 재미있지? 잇자국이 많은 사람은 연장자를 뜻하고, 당시 나이가 많으면 지혜로운 사람으로 대접했음을 알 수 있어. 오랫동안 신라왕들의 칭호였던 '이사금' 은 이렇게 해서 생긴 말이란다.

남해왕이 태자로 세웠지만, 그의 아들 노례에게 왕위를 양보했던 석탈해는 노례(유리 이사금)의 뒤를 이어 신라의 네 번째 임금이 되지. 그가 죽은 뒤 혼령이 명한 대로 거대한 뼈를 부수어 얼굴 모습을 만들었지? 비범한 사람이 죽은 후 그의 소상을 만들어 모시는 것은 신라의 독특한 풍습이었던가 봐. 원효대사가 죽은 후 그의 아들 설총도 유골을 빻아서 형상을 빚었다는 기록이 있단다. 탈해의 뼈를 모신 토함산에 매년 제사를 지낸 것은 그가 신으로 숭앙받았다는 뜻이 되지.

박씨, 석씨, 김씨가 왕위를 이어가며 국력을 키워간 '사로국' 은 지증왕 때 나라 이름을 '신라' 라고 하지. '좋은 일이 날마다 새로이 생기니 세상을 다 끌어안을 것' 이란 뜻이야. 큰 나라로 성장하겠다는 당찬 포부와 자신감이 들어 있는 나라이름이지.

2부

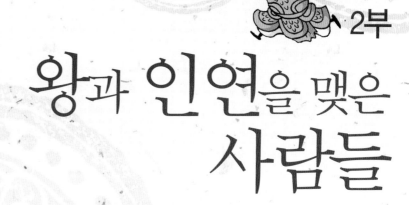

왕과 인연을 맺은 사람들

제5장
나라를 위기에서 구하라
해와 달의 빛,
연오랑 세오녀
이야기
신라 제8대 아달라왕 4년, 동해
바닷가 마을에 연오랑과 세오녀라는
다정한 부부가 살았어.
하루는 연오랑이 바다에 나가
미역을 따는데
미역을 따오리까~ 소라를 딸까~♪
바위 하나가 둥둥 떠오더니
응?
둥
둥
그를 태우고 바다 건너 일본으로
가 버렸어.
그걸 본 일본 사람들은 어땠을까?
신비롭고 놀라웠쓰므니다.

배도 아니고, 바위를 타고 온 연오랑이 보통 사람이 아니라며 왕으로 모셨지.
왕이시여~!
주겄떠…씨!
한편 세오녀는 아무리 기다려도 남편이 돌아오지 않으니까
어쭈! 요즘 들어 자꾸 늦어!
바닷가로 나가 정신없이 찾아 다녔겠지.
여보야~! 어딨어~? 대답해~!
그렇게 한참을 헤매는데 바위 위에 낯익은 신발이 눈에 띄는 거야.
바로 연오랑의 신발이었지.
세오녀가 그 바위로 뛰어오르는 순간
바위는 스윽~~ 움직이더니
스윽
옴마!
세오녀를 태우고 일본으로 흘러갔단다.
바위에 실려 온 세오녀를 보곤 사람들이 놀라서
저기….
이번엔 여자이므니다.
왕에게 달려가 말했어.
다음엔 어떻게 되었는지 알겠지?
뻔한 거 아냐?
연오랑과 세오녀는 다시 만나
서방늬임~!
마누라….
에효…
퉤!

왕과 왕비로서 함께 나라를 다스렸단다.
빨랑 빨랑 못해?!
너도 결혼해 봐! 그걸로 끝이야. 씨!
왕 맞스므니까?
전 독신 주의자이므니다.
그런데 이 부부가 일본으로 떠난 다음에 신라에서는 아주 큰 일이 생겼어.
어? 큰 일일세.
하늘의 해와
달이
갑자기 제 빛을 잃어버린 거야.
다들 이게 무슨 일인가 하고 걱정했겠지.
무슨 일인가?
아달라왕은 궁궐에 점치는 관리를 불러서
어떤 점을 칠깝쇼?
어째서 이런 일이 생겼는지 물어봤어.
어째서 이런 일이 생겼냐고오~
지금 이 변고는 우리나라에 와 있던 해와 달의 정기가 일본으로 가버렸기 때문에 생긴 것이걸랑요.
웃자고 한 건데... 써...훌쩍
이 말을 들은 왕은 서둘러서 일본으로 사신을 보내.
사신
왜?
탁
사정 이야기를 하고
연오랑과 세오녀 두 사람에게 신라로 돌아와 달라고 부탁했지.
You Must Come Back Silla (Please-)
쿵짝
쿵짝

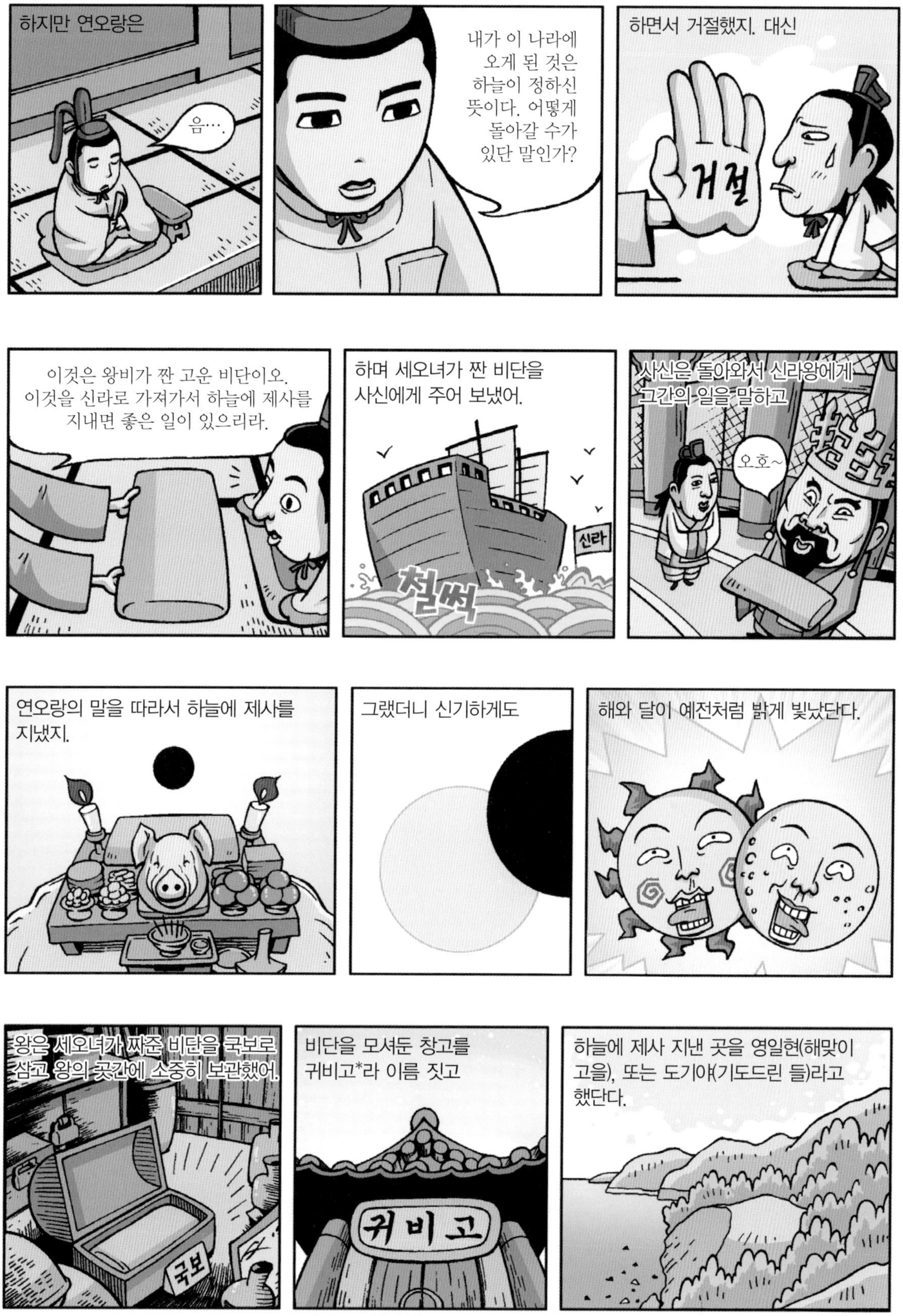

하지만 연오랑은
음….
내가 이 나라에 오게 된 것은 하늘이 정하신 뜻이다. 어떻게 돌아갈 수가 있단 말인가?
하면서 거절했지. 대신
거절
이것은 왕비가 짠 고운 비단이오. 이것을 신라로 가져가서 하늘에 제사를 지내면 좋은 일이 있으리라.
하며 세오녀가 짠 비단을 사신에게 주어 보냈어.
신라
철썩
사신은 돌아와서 신라왕에게 그간의 일을 말하고
오호~
연오랑의 말을 따라서 하늘에 제사를 지냈지.
그랬더니 신기하게도
해와 달이 예전처럼 밝게 빛났단다.
왕은 세오녀가 짜준 비단을 국보로 삼고 왕의 곳간에 소중히 보관했어.
국보
비단을 모셔둔 창고를 귀비고*라 이름 짓고
귀비고
하늘에 제사 지낸 곳을 영일현(해맞이 고을), 또는 도기야(기도드린 들)라고 했단다.

*귀비고 – 귀한 왕비의 곳간

연오랑 세오녀 설화의 의미

우리 동해 바닷가에 살던 부부가 일본으로 건너가 왕과 왕비가 되었다니 어깨가 으쓱해지지 않니? 하지만 얘기 그대로 바닷가에 살던 평범한 부부가 다른 나라로 떠나가서 왕과 왕비가 되었다고 보기엔 어딘지 무리가 있어 보이지.

중국 역사책《삼국지》가운데 왜인전에 보면 당시 일본에는 크고 작은 30여 개의 나라가 있었다고 해. 그 중 야마일국은 신라와 중국에 사신을 보낼 만큼 강성했는데 이 나라를 다스렸던 하미코 여왕이 한반도에서 건너왔다는 주장이 있단다. 아직 입증되진 않은 견해이지만, 우리 조상들이 오랜 옛날부터 일본에 발달된 문화를 전해준 건 확실해. 가야인들은 4세기 대화국에 앞선 문물을 전해 주었고, 백제인들은 7세기 찬란한 아스카 문명을 꽃피우게 했지. 우리에게는 언제부턴지 알 수도 없을 만큼 오래 전부터 해와 달을 섬겨온 풍습이 있어. 우리를 품고 있는 대자연 가운데서도 해와 달은 아주 특별한 존재야. 저 높은 하늘 위에 둥그러니 떠서 세상을 밝게 비춰주잖아? 하루의 반은 눈부신 햇빛이, 또 절반은 은은한 달빛이... 1년 365일 그렇게 어김없이 우리를 밤낮으로 지켜주는 해와 달이니, 마음의 소원을, 커다란 걱정을 해와 달에 대고 비는 건 어쩜 당연한 일이었겠지. 과학이 발달한 요즘보다 그 옛날 사람들 눈에는 해

▲ 연오랑 세오녀상

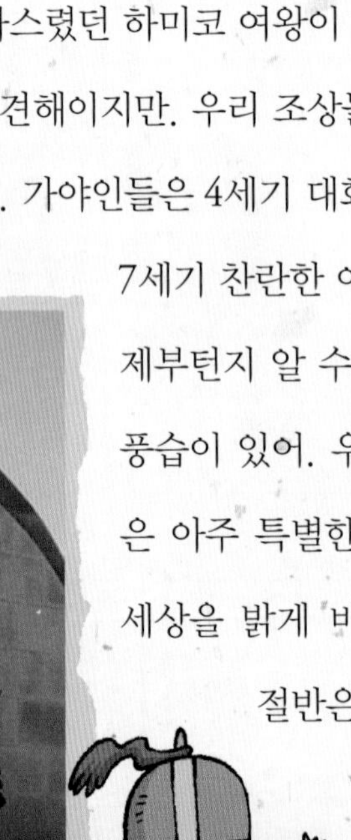

와 달이 한층 더 신비롭고 우러러볼 대상으로 비쳤을 거야.

이야기의 배경이 되는 영일迎日은 우리나라에서도 해가 제일 먼저 떠오르는 곳, 이름 그대로 해를 맞는 곳이니 해를 얼마나 중요하게 생각했겠니? 그러니 해와 달이 제 빛을 잃었다는 건 더할 수 없이 큰 사건이고 위기가 아닐 수 없어. 당시 신라에 자연의 순리를 거스를 만한 중대한 일이 생겼다고 추측해 볼 수 있겠지. 연오랑은 이 소식을 듣고 자신이 직접 돌아가진 않았지만 나 몰라라 하지 않고 해결책을 알려주지. 바로 아내 세오녀가 짠 고운 비단을 바치고 하늘에 제사를 드리는 방법! 왜 하필 비단일까? 비단은 한 올 한 올 가늘디가는 실들을 꼬고, 씨실과 날실을 촘촘히 엮어서 정성껏 짜야만 완성되는 옷감이야. 어지럽게 흩어진 것들을 모아 짜임새 있게 아우른 것이니 질서와 조화를 의미하는 거지.

▲ 어떤 이들은 일본의 시조 여신인 아마테라스와 세오녀를 동일시하기도 한다.

이 이야기 속의 연오랑 세오녀가 사람이 아니라 해와 달에 깃들어 있는 정령이라고 해석하기도 해. 즉 연오랑, 세오녀의 이름에는 모두 까마귀 오鳴 자가 들어 있는데 까마귀는 하늘과 땅을 이어주는 신령한 새로 해와 달에 살고 있다 믿었지. 고구려의 상징인 삼족오도 같은 새인 거지. 연오랑, 세오녀 이름 속의 '오鳴' 자는 '검은 새'를 뜻하는데, 세 발 달린 검은 새 '삼족오'는 고구려의 상징으로 '태양'을 의미한단다. 세오녀까지 일본으로 가버리자 해와 달이 빛을 잃었다는 건 그녀가 태양에 깃든 성스러운 기운이란 뜻이겠지.

나라를 지키려는 큰마음, 미추 이사금
신라 제13대 미추 이사금은 알에서 태어난 김알지의 7세손이야.
알지
세한
아도
수류
욱보
구도
미추
1 2 3 4 5 6 7
집안 대대로 높은 귀족이고 성품도 훌륭했지.
성품
귀족난
23년 동안 왕위에 있다가
안 내려와?
왕 위에 있었다 잖아.
죽은 후 흥륜사 동쪽에 묻혔어.
뒤를 이어 유례 이사금이 신라를 다스릴 때,
신라
이서국 사람들이 수도 금성(경주)으로 쳐들어왔는데
이서국
(청도)
금성 (경주)
싸움은 점점 불리해졌지.
신라
바로 그때 어디선가 귀에 대나무 잎을 꽂은 군사들이 나타나서 적군을 물리쳤단다.
그런데 적군이 물러가자

댓잎 군사들도 순식간에 사라져 버렸지.
사람들이 참 신기한 일이다, 이게 어찌 된 일일까… 하고 있었겠지.
그런데 미추왕릉 앞에 대나무 잎이 수북하게 쌓여 있는 거야. 사람들은 그걸 보고
미추 이사금의 혼령이 댓잎 군사들을 보내
신라를 도와주었단 걸 알았지.
제가 도와 드릴게요.
고마워 청년.
신라
이 일이 있고부터 미추왕릉에 죽현릉*이란 별명이 붙었단다.
죽현릉 (竹現陵) 댓잎군사가 나타난 큰 무덤이란 뜻
미추왕릉에 얽힌 다른 이야기도 전해진단다. 제37대 혜공왕 15년 어느 봄날
김유신 장군의 무덤에서 갑자기 회오리바람이 일더니
휘리릭
말을 탄 장군과 갑옷을 입은 40여 명의 군사가 따라 나왔어.
두두두

*죽현릉 – 댓잎 군사가 나타난 큰 무덤

이들은 모두 미추 이사금이 묻혀 있는 죽현릉으로 들어갔지.
잠시 후에 무덤 속에서 울면서 하소연하는 소리가 들려왔어.
흑흑흑!
저는 살아서는 평생 어려운 나라 일을 돌보고 삼국을 통일하는 데 큰 공을 세웠습니다.
그리고 죽은 넋이 되어서도 나라를 지키고 위기에서 구하려는 마음이 한결 같습니다.
그런데 지난 경술년에 제 자손이 죄 없이 억울하게 죽임을 당했습니다.
김융의 난
혜공왕 770년
김유신 후손의 억울한 죽음
임금이나 신하들이 저의 공을 잊어버려서 이런 일이 일어난 것이니, 차라리 먼 곳으로 떠나고 싶습니다. 왕께서 허락해 주십시오.
뚝
뚝
이렇게 하소연하는 이는 바로 김유신 장군의 혼이었지.
미추왕은 유신을 달래며 설득했단다.
응애 응애
착하지 뚜~욱!
나와 그대가 이 나라를 지켜주지 않는다면 이 백성들은 어떻게 되겠소? 부디 마음을 돌리시오.
쭈쭈 줄까?

김유신 장군이 세 번 간청했지만
한 번
두 번
세 번
왕이 허락하지 않자
불허
다시 회오리바람이 일면서
휘리릭
무리들이 김유신 장군의 무덤으로 되돌아 갔단다.
이 소식을 들은 혜공왕은
아… 두렵고 두렵다.
곧바로 신하 김경신을 보내 김유신 공의 무덤에 가서 사과하게 하고
사과
장군과 인연이 있던 절, 취선사에
이 절은 내가 고구려, 백제를 평정하고 복을 빌기 위해 세운 절이지.
취선사
밭 30결을 내려주며 명복을 빌었지.
부디 노여움을 푸시고 극락왕생하시오.
땅문서 밭 30결 혜공왕드림
취선사
미추 이사금은 죽어 혼이 되어서도 김유신의 노여움을
부글
부글
노여움
막으려 했으니
탁
노여움
미추 이사금
나라를 위하는 마음이 정말 컸음을 알 수 있을 거야.
나라를 위하는 마음
신라
이에 사람들은 무덤의 직위를 오릉*보다 높게 하여 대묘라 하고, 제사를 끊이지 않고 지내며 그 덕을 기렸단다.
대묘
크다.

*오릉 – 신라의 시조 박혁거세와 왕비 알영의 무덤.

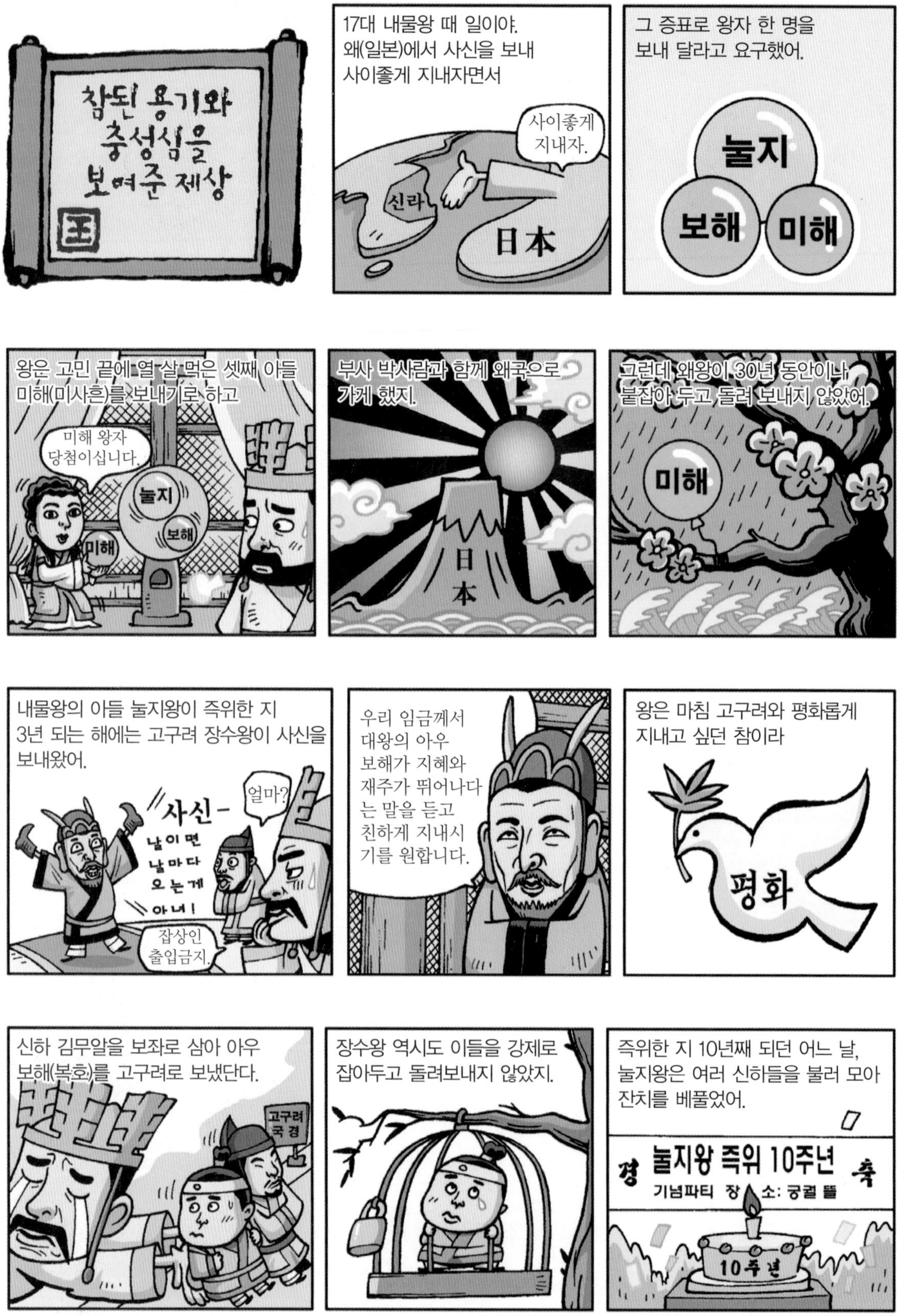
참된 용기와 충성심을 보여준 제상
王
17대 내물왕 때 일이야. 왜(일본)에서 사신을 보내 사이좋게 지내자면서
사이좋게 지내자.
신라
日本
그 증표로 왕자 한 명을 보내 달라고 요구했어.
눌지
보해
미해
왕은 고민 끝에 열 살 먹은 셋째 아들 미해(미사흔)를 보내기로 하고
미해 왕자 당첨이십니다.
눌지
보해
미해
부사 박사람과 함께 왜국으로 가게 했지.
日本
그런데 왜왕이 30년 동안이나 붙잡아 두고 돌려 보내지 않았어.
미해
내물왕의 아들 눌지왕이 즉위한 지 3년 되는 해에는 고구려 장수왕이 사신을 보내왔어.
사신-
날이면 날마다 오는게 아녀!
얼마?
잡상인 출입금지.
우리 임금께서 대왕의 아우 보해가 지혜와 재주가 뛰어나다는 말을 듣고 친하게 지내시기를 원합니다.
왕은 마침 고구려와 평화롭게 지내고 싶던 참이라
평화
신하 김무알을 보좌로 삼아 아우 보해(복호)를 고구려로 보냈단다.
고구려 국경
장수왕 역시도 이들을 강제로 잡아두고 돌려보내지 않았지.
즉위한 지 10년째 되던 어느 날, 눌지왕은 여러 신하들을 불러 모아 잔치를 베풀었어.
경 눌지왕 즉위 10주년 축
기념파티 장 소: 궁궐 뜰
10주년

술잔이 여러 번 돌고
어지러~
팽글
팽글
흥겨운 음악이 울리는데 왕은 눈물을 뚝뚝 흘리면서 말했지.
얼씨구 절씨구 덩가 덩가
뚝
뚝
아버님은 백성의 일이 먼저라 생각하시어 사랑하는 아들을 왜국에 보내 놓고 끝내 다시 만나지 못하고 돌아가셨소.
나도 고구려의 말만 믿고 아우를 보냈건만 여태 돌려 보내지 않고 있으니 하루라도 울지 않는 날이 없소.
훌쩍
…
만일 두 아우가 돌아와서 함께 아버님 묘소에 갈 수 있다면 온 나라 사람들에게 은혜를 갚을 것이니 누가 이 일을 할 수 있겠소?
스윽..
모든 신하들이 생각하고 의논하더니
비싼 술 먹고 심장 떨리는 소릴… 에잉.
소곤 소곤
잘 놀다가 초치는 사람 꼭 한 명씩 있더라….
다시는 끼워주지 맙시다.
그래도 물주인데….
입을 모아 말했어.
입들 좀 모아 보시오들!
그것은 쉽지 않은 임무이니 지혜와 용기가 뛰어나야만 할 것입니다. 신들의 생각에는 삽라군 태수 제상이 마땅할 듯합니다.
삽라군 태수 김제상* 말이오?
왕이 제상을 불러 이 어려운 일을 할 수 있겠느냐고 물었겠지.

* 《삼국사기》에는 박제상으로 기록되어 있음.

그랬더니 제상은 왕 앞에서 공손히 절한 뒤에 대답했어.
어렵고 쉬운 일을 가려서 한다면 충성스럽지 못한 것이며, 죽고 사는 것을 따져 행동한다면 용기가 없는 것입니다.
제가 비록 부족한 점이 많지만 명령을 받들어 임금님의 근심을 덜어 드리겠습니다.

왕이 그의 충심에 감동하여 술을
따라주며 격려하니
파이팅!
아야아!
쪼잔하게.
꽉, 꽉 눌러
담아봐!
제상은 즉시 변장을 하고
찍
고구려 보해가 있는 곳으로
숨어 들어갔지.
고구려
국경
보해 왕자는 제상이
계획한 대로
오오옷!
A계획?
A계획?
오버!
밤중에 몰래 고성 바닷가로
도망쳤단다.
걸어가도 될
거 같은데…
이 계획은
도착지까지
이렇게 가야만
합니다.
고성 포구에는 제상이 미리 준비해
둔 배가 기다리고 있었거든.
장수왕은 뒤늦게 이 사실을 알고 군사들에게
뒤쫓게 했지.
하지만 보해가 고구려에 있는 동안 주변
사람들에게 은혜를 베풀어 왔던 터라
은혜
보해 왕자를 동정한 군사들은 화살촉을
뽑고 활을 쏘는 시늉만 했단다.
그 덕분에 다친 데 없이
무사히 신라로 돌아올 수
있었지.
무사
귀환!
신라
왕은 제상이 보해 왕자와 함께
돌아온 걸 보고 눈물을 흘리며
기뻐했어.
형님!
아우님!

그렇지만 보해를 보고 있자니
…
30년 넘게 못 만나고 있는 동생
미해가 더욱 보고 싶어졌지.
마치 몸뚱이에 팔뚝이 하나만 있고,
얼굴에 눈이 한 쪽만 있는 듯하구나.
왕이 일본에 있는 미해 왕자 때문에 마음이 아파하는 소릴 듣고, 제상은 바로 길을 떠났단다.
집에서는 가족들이 기다리고 있었지만, 잠깐 들르지도 않고 그대로 동해 바닷가로 향했어.
우리 여보는 왜
이렇게 안 오시나?
으샤!
으샤!
이 소식을 들은 아내는 율포까지 쫓아갔지만
남편이 탄 배는 이미 저만치 떠가고 있었지.
목이 터져라 하고 애타게 불러도 제상은 손만 흔들어 보이곤
배를 멈추지 않았어.
여보오~
왜국에 도착한 제상은
일본
왜왕의 의심을 사지 않으려고
거짓말을 했지.
신라의 왕이
아무 죄도 없는
저의 아버지와
형을 죽여서
이곳으로
도망쳐
왔습니다.

왜왕은 이 말을 믿고 그에게 집을 마련해 줬어.
집 좀 보여주시므니다.
倭 부동산
제상은 미해 왕자 곁에서 기회가 오길 기다렸지.
제상과 미해 왕자는 늘 물고기와 새를 잡아서 왜왕에게 바치니 매우 기뻐하면서 의심하지 않았어.
안개가 자욱한 어느 날 새벽에 제상이 미해에게 말했지.
이거 안개 맞으오?
그냥 넘어갑시다.
소독차
쿨럭
쿨럭
떠나기 좋은 날이 왔습니다. 지금 빨리 떠나십시오.
미해는 혼자 갈 수 없다면서 같이 떠나자고 했지만 제상은 고개를 저었어.
공만 두고 나 혼자 갈순 없소.
그런 개그 이젠 안 먹힙니다.
제가 같이 떠나면 왜인들이 금세 알고 쫓아올 것입니다. 저는 여기 남아서 저들을 막을 것이니 걱정 말고 떠나십시오.
고국에 계신 대왕님의 마음을 편하게 해 드릴 수 있다면 저는 더 이상 바랄 것이 없습니다.
그는 일본에 와 있던 신라 사람 강구려에게 미해를 모시도록 했어.
홀로 남은 제상은 미해의 방으로 들어가 왕자가 전날 사냥하느라 피곤해서 일어나지 못 한다며 사람들의 접근을 막았지.
접근금지
해가 질 때가 되어도 나오지 않자 수상하게 여긴 사람들이 다시 묻자
해가 지고 있쓰므니다.
미해 상, 아직도 자무니까?
그제야 제상은 미해 공이 벌써 떠났다고 말했어!
미해…
없~따!

왜왕은 곧바로 기마병에게 뒤쫓게 했지만
쫓아라!
절대 놓쳐선 아니된다!
이미 시간이 오래 되어 잡을 수가 없었지.
화가 치밀어 오른 왜왕은
제상을 옥에 가두고 어째서 왕자를 보냈느냐고 물었어.
나는 신라의 신하로서 우리 임금의 오랜 소원을 풀어드리려고 했소.
소원
너는 이미 내 신하라고 해놓고 이제 와서 신라의 신하라고 고집한다면 다섯 가지 형벌로 벌할 것이요, 지금이라도 나의 신하가 되겠다면 높은 벼슬로 상을 주겠다.
차라리 신라의 개, 돼지가 될지언정 왜국의 신하는 되지 않겠소.
월! 월!
꿀! 꿀!
화가 난 왕은 제상의 발바닥 가죽을 벗기고
갈대를 베어
그 위를 걷게 했지. 상상도 하기 힘든 끔찍한 형벌이었어.
아우욱! 오빠~ 너무 자극적이야~
이…
발에서 나온 피가 강물처럼 흘렀다고 해.
좀더 센 거 없수?
다시 물어도 신라의 신하라고 대답하니
다시 묻겠다! 넌 누구의 신하냐?!
골백 번 물어도 신라 신하.

뜨겁게 달군 쇠 위에 올라서게 했어. 아무리 해도 제상이 굴복하지 않자
핫! 뜨거 핫! 뜨거 핫! 핫! 뜨거, 뜨거~
오빠~ 더 달궈~
목도라는 섬에서 불태워 죽이고 말았어.
목도
한편 미해는 바다를 건너 무사히 신라로 돌아왔고
무사귀환
일본
신라
왕은 아우들을 다시 만난 기쁨에 큰 잔치를 베풀고
잔치국수
죄수들을 풀어 주었지.
사면(赦免)
교도소
두부 없소?
엄마, 나 사면먹었어
두부나 처먹어!
제상의 아내에겐 '국대부인'이란 작위를 내리고 딸은 미해 왕자의 부인으로 삼았어.
경사 났네 경사 났어~
덩실 덩실
제상이 신라를 떠날 때 부인이 뒤쫓아가 망덕사 남쪽에 있는 모래사장에 주저앉아 오래도록 울부짖어서 그곳을 장사(긴 모래밭)라 부르게 되었어.
장사(長沙)
친척 두 사람이 제상의 아내를 부축해 돌아오려 했지만 부인이 다리를 뻗은 채 꼼짝 하지 않아서 벌지지(다리를 뻗쳤다는 말)라고도 한대.
돌덩이 같아.
벌지지(伐知旨)
세월이 흘러도 남편을 못 잊은 부인은 세 딸을 데리고 치술령에 올라가 바다 건너 일본에서 죽어간 남편을 그리워하다 죽고 말았단다.
그리고 치술령 신모(神母)가 되어 지금도 그를 기리는 사당이 남아 있다고 해.

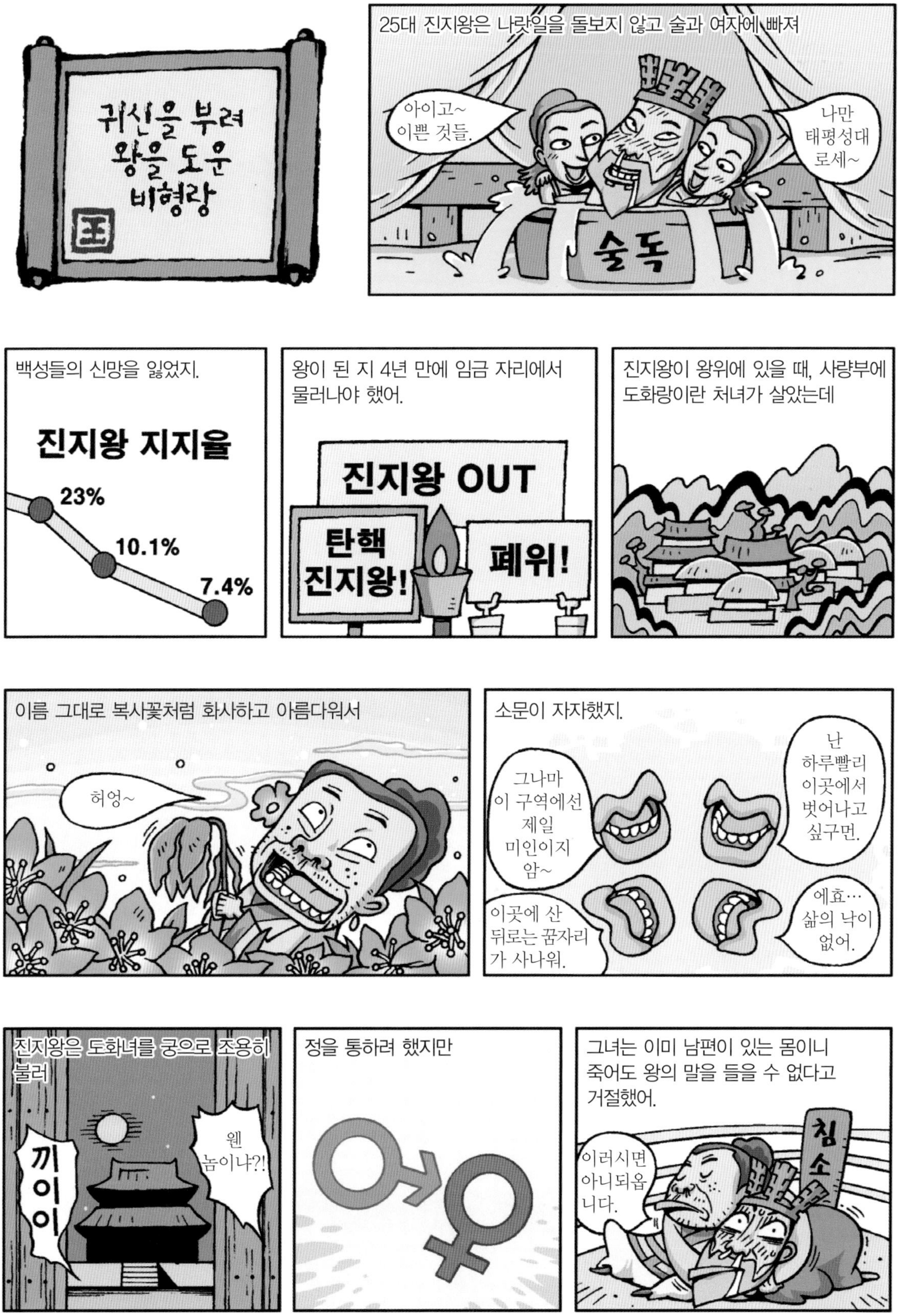

귀신을 부려 왕을 도운 비형랑
25대 진지왕은 나랏일을 돌보지 않고 술과 여자에 빠져
아이고~ 이쁜 것들.
나만 태평성대로세~
술독
백성들의 신망을 잃었지.
진지왕 지지율
23%
10.1%
7.4%
왕이 된 지 4년 만에 임금 자리에서 물러나야 했어.
진지왕 OUT
탄핵 진지왕!
폐위!
진지왕이 왕위에 있을 때, 사량부에 도화랑이란 처녀가 살았는데
이름 그대로 복사꽃처럼 화사하고 아름다워서
허엉~
소문이 자자했지.
그나마 이 구역에선 제일 미인이지 암~
난 하루빨리 이곳에서 벗어나고 싶구먼.
이곳에 산 뒤로는 꿈자리가 사나워.
에효… 삶의 낙이 없어.
진지왕은 도화녀를 궁으로 조용히 불러
끼이이
웬 놈이냐?!
정을 통하려 했지만
그녀는 이미 남편이 있는 몸이니 죽어도 왕의 말을 들을 수 없다고 거절했어.
이러시면 아니되옵니다.
침소

그러자 왕은 만약 남편이 없다면 괜찮겠냐고 물었지.
도화녀는 할 수 없이 그렇다고 대답했고
그렇다~
왕은 그녀를 돌려보냈지.
이쁜 건 알아 가지고…
켁
기운 엄청 세네, 씨!
켁
바로 그 해에 진지왕은 임금 자리에서 쫓겨나
아웃!
히잉~
뻥
죽고 말았어.
다시 3년 후 도화랑의 남편도 죽었는데
남편이 죽고 열흘 쯤 지난 밤
밤
홀로 있는 도화녀의 방으로 진지왕의 혼령이 들어와
물었어.
헤~
옛날에 네가 나에게 약속한 말을 기억하느냐으~
남편이 없으면 허락한다고 했으니 이제 내 말을 듣겠느냐으~
도화녀는 더 이상 거역할 수 없어
기억력도 좋으셔.
나 머리 좋다 으~

함께 밤을 지샜지.
으흐… 밤 꼴딱 샜다.
눈이 시뻘게 가지고… 이게 뭐여?.
꼬끼오~
왕이 도화녀의 방에 머무른 7일 동안 오색구름이 집을 덮고
묘한 향기가 방에 가득했대.
이 일로 도화녀는 아기를 가졌고
이게 뭔일이랴?
달이 차서
너 아니거든!
사내아이를 낳으니
이름을 비형이라 지었어.
이름 비형
진평왕*이 이 얘기를 듣고
오호~ 그런 일이
아무 말도 안 했는뎁쇼.
비형을 궁중으로 데려와 길렀는데

***진평왕** – 진지왕의 뒤를 이어 왕이 됨. 선덕여왕의 아버지.

어려서부터 재주가 뛰어나
구르는 재주
데굴 데굴
아이고~ 어지러버!
열다섯 살에 벌써 집사 벼슬에 올랐대.
비형이 밤만 되면 궁궐을 빠져 나간다는 말에

왕이 용맹한 군사 50명에게 감시하게 했더니
매번 월성(신라 궁궐)을 날아 넘어가서
오오오옷!
새벽까지 귀신들과 어울려 노는 게 아니겠어?
왕이 비형을 불러 귀신들을 데리고 노는 게 사실이냐고 물었어.
그렇다고 하니
예.
그럼 귀신들을 시켜서 신원사 북쪽 개천에 다리를 놓으라고 명령했지.
OK?
OK!
비형은 귀신들을 시켜서 그 날 하룻밤 사이에 커다란 돌다리를 놓았고
오늘 일당은 얼만교?
야참 주는 거 맞재?
사람들은 그 다리를 귀교*라 불렀단다.
하룻밤 사이에 귀신들이 놓았다.
그려? 무서운 다리 구먼.
왕은 다시 비형을 불러서
이리 다시 오시오! 냉큼 다시 오시오!
귀신들 중에 인간 세상에 와서 나랏일을 도울 만한 자가 있느냐고 물었어.
국회

＊귀교(귀신다리) – 지금은 없어졌지만 경주 탑정동 근처에 있었을 것으로 추정.

이튿날 비형이 길달이란 자를 데려와 충직하다고 소개하니
안녕하 셔유?
집사 벼슬을 주고 각각 임종에게 양아들로 삼게 했지.
양 아빠
부비 부비
저기… 이쪽 이거든.
메~
길달에게 흥륜사 남쪽에 문루*를 세우게 했어.
흥륜사 문루 신축공사 계획

*문루 – 절 입구에 출입문 구실을 하는 누각.

길달은 문루를 세우고
매일 밤 그 문루 위에 올라가서 잠을 잤대.
쿠울~ 쿠울~
그래서 사람들은 그 문루를 길달문이라 불렀단다.
드르렁~
쿨~
오늘도 인가?
하루도 거르는 날이 없군.
그러던 어느 날 길달은 인간 세상에 진력이 났는지
아… 싫증나.
여우로 변해
펑
달아나 버렸어.
비형은 귀신들을 시켜
도망간 길달을 잡아 죽였지.
이 때문에 귀신들이 비형의 이름만 들어도 무서워서 도망갔단다.
난 혈액형이 B형이래.
어머! 나도 B형인데
B형 무셔~!
헉! B, B형?!

제6장
우리 국토를 지켜라
국토

세 가지 일을
미리 알았던
선덕여왕
王

진평왕에게 아들이 없어 첫째 딸 덕만이
왕위를 이어받으니 신라 최초의
여자 임금인 27대 선덕여왕이란다.

처음엔 신하와 백성들이 미덥지 않아
했지만
여자가 왕이라니!
믿고 의지할 수 있을까?

곧 여왕의 지혜와
지혜의 샘물

혜안에
사물을
사물
꿰뚫어 보는 눈

탄복해서 마음으로 따르게 되었어.
자꾸 쫓아와.
마음
한번은 당나라 태종이 붉은색, 자주색, 흰색 꽃이 핀 모란 그림과 그 꽃씨 석 되를 신라에 보내 왔어.
한되
두되
석되
찬찬히 그림을 보고 난 여왕은
선덕여왕의 선견지명*이 어느 정도인지 다음 세 가지 이야기로 알 수 있단다.
STORY 1
STORY 2
STORY 3
이 꽃은 틀림없이 향기가 없을 것이다.
예?
신하들은 세상에 향기 없는 꽃도 있나 하면서 수군거렸지만
세상에 말도 안 되는 소릴! 여왕이 미쳤나 보오.
수군 수군
앞으로가 걱정되오.
여왕은 꽃씨를 궁궐 뜰에 심으라고만 했어.
이듬해 봄 마침내 꽃이 피었는데
꽃잎이 다 떨어질 때까지도 향기가 나지 않는 거야.
킁 킁!
무취(無臭)
신하들이 모두 놀라 "어떻게 향기가 없을 줄 아셨습니까?" 하고 물었지.
이런 개그 하지 맙시다~
꽃을 그린 그림에 나비가 없으니 꽃에 향기가 없음을 알았다. 이 그림은 당나라 임금이 내가 남편 없이 혼자임을 빗댄 것이다.

*선견지명 – 앞을 내다보는 지혜.

하면서 빙긋 웃었단다.
빙긋~
걸리면 가만 안 두겠어. 씨…!
어느 추운 겨울날, 경주 영묘사 옥문* 지 연못에 난데없이 개구리 떼가 몰려와 삼사 일을 계속 울어댔어.
영묘사
옥문지 연못
개구리는 겨울잠을 자는 동물인데
코~
코~
한겨울에 개구리가 울어대니
꺼이~
꺼이~
추버
얘들아~ 보일러 고장났다~! 뭐 꼭 사달라는 건 아니다~
사람들은 불길한 조짐이 아닐까 여왕에게 물었지.
불길한 조짐
신라
이야기를 들은 왕은 서둘러 각간 알천과 필탄에게 명령하기를
부르셨나이까?
응!
경들은 즉시 정예군 2,000명을 데리고 서쪽 교외로 떠나시오. 그 곳에서 여근곡을 찾아가면 틀림없이 적병이 숨어 있을 것이니 기습하여 죽이도록 하오.
명 받잡겠나이다!
두 각간은 왕명을 받고 각각 군사 1,000명씩을 거느리고 서쪽으로 향했지.
가서 물으니 부산 아래에 여성의 음부와 비슷하게 생긴 골짜기**가 있었어.
그 골짜기에는 과연 여왕의 말대로 백제군 500명이 숨어 있었지.
백제

*옥문 – 여성의 생식기를 의미.

**여근곡은 현재 경주시 건천읍 신평리에 있음.

알천과 필탄은 양쪽에서 기습하여
와~
야~
모두 죽였고
남산 고개에 숨어 있던
장군 우소와
백제
꼭꼭 숨어라. 머리카락 보인다.
뒤이어 도착한 지원군 1,300명도
지원군
늦었다.
쌩
습격하여 몰살시켰어.
칙
위기를 모면한 뒤 신하들이 궁금하여 물었지. 백제군의 매복을 어떻게 미리 알았느냐고 말이야.
그것이 알고 싶다! 두둥~
그것을 알려주마 두둥~
개구리가 성이 난 듯 울어댄 것은 군대가 일어난 것을 뜻하고
개골! 개골!
벌떡
군대
옥문지는 여성, 음양의 음이며, 그 빛은 희니 서쪽을 상징하오.
옥문지
= 여성
서쪽
= 음
그래서 적군이 서쪽에 있겠구나 생각했소. 또 여근곡에 숨어든 적병이 남자이니 금세 죽을 줄 안 것이오.
오오오옷!
지혜로운 선덕여왕은 자신의 죽음을 예견하기도 했단다.
예견
하루는 여왕이 "내가 몇 년 몇 월 며칠에 죽을 것이니, 나를 도리천에 장사 지내시오."라고 말했거든.
몇 년
몇 월
며칠

당시 건강하던 임금이
건강
죽은 후 일을 당부하니
신하들은 참 뜬금없었어.
UFO
뜬금없이 얘가 왜 나와? 정말 엉뚱하군!
게다가 '도리천'은 불교에서 말하는
옥황상제가 있는
하늘을 뜻하니
어떻게 도리천에 장사지내란
말인지 어리둥절했지.
여왕은 그 속을 알고 있다는 듯이
"도리천은 낭산 남쪽 비탈이니라."하고
알려 주었어.
경주 낭산 남쪽 비탈길
아하 그렇구나~
나중에 예언한 그 날이 오자
정말로 선덕여왕은
죽고 말았단다.
신하들은 왕이 미리
일러준 대로 낭산
남쪽 비탈에 장사
지냈대.
선덕여왕릉
그로부터 10여 년 후 문무왕이
즉위하고 나서
왕위에 오르신 것을 경하드리옵니다~
땡큐
낭산 남쪽 선덕여왕의 능 아래에 사천왕사란 절이 세워졌단다.
낭산
선덕여왕릉
사천왕사

불경에 "사천왕 하늘 위에 도리천이 있다."는 구절이 있대.
佛經
그러니까 사천왕사가 지어짐으로써
사천왕사
여왕의 능이 있는 자리가 바로 도리천이 된 거지.
선덕여왕릉
사천왕사
도리천
그제야 모두들 여왕의 선견지명을 깨닫고
先見之明
그가 신령스러운 성인이었음을 알았어.
聖人
신라의 대표적 유물 첨성대도
바로 선덕여왕 때 세운 거란다.

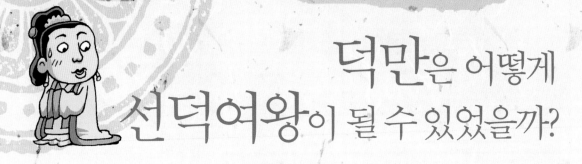

덕만은 어떻게 선덕여왕이 될 수 있었을까?

우리나라 역사를 통틀어 여성이 최고통치권자가 되었던 경우는 신라 시대의 선덕, 진덕, 진성여왕 때뿐이란다. 특히 선덕여왕은 왕은 당연히 남자이어야 한다는 금기를 깨고 최초로 여왕이 되었으니, 참 대단한 일이지. 남녀차별이 많이 줄었다는 요즘에도 여성이 대통령이나 총리에 당선되는 경우는 아주 드물잖아.

진평왕의 큰딸, 덕만공주는 어떻게 해서 선덕여왕이 될 수 있었을까? 그건 신라에는 엄격한 신분제도인 골품제가 있었기 때문이란다. 골품제도는 골제와 두품제로 구성되는데, 부모가 모두 왕족이면 성골(성스러운 뼈), 한쪽만 왕족이면 진골(진짜 뼈)이라고 했고, 귀족들을 6두품부터 1두품까지 나누어 신분의 높고 낮음에 따라 오를 수 있는 벼슬등급, 결혼, 집의 크기, 옷의 색깔 심지어 수레 장식까지 정해져 있었지. 모든 생활에 특권을 주거나 제약이 되었던 골품제도는 죽을 때까지 바꿀 수 없는 신분으로 작용했어. 그런데 진평왕이 아들 없이 죽고 나니 그의 딸들 외에는 성골 신분을 가진 사람이 없었던 거야. 이러한 배경에서 선덕여왕이 아버지 뒤를 이어 왕위에 오르게 되지.

▲ 선덕여왕

진평왕 때에는 왕실 가족들의 이름을 모두 석가모니 일가에서 따왔는데, 이것은 왕이 곧 부처라는 생각을 심어주어 왕의 권위를 한층 더 강화시키려는 의도였지. 여기에 자신들이 일반 귀족보다 더 우위에 있는 성골임을 내세워 스스로 성스러운 왕이라고 했어. 진평왕이 걸음을 옮길 때 돌계단이 한꺼번에 세 개나 부러졌다든지, 하늘에서 사신이 내려와 옥으로 만든 허리띠를 전했다는 얘기는 하늘이 낸 성스러운 신분이라는 성골의식을 드러내지.

▲ 첨성대

하지만 유례없이 여왕이 탄생하고 보니 여기저기서 헐뜯는 말들도 많았나 봐. 당나라 태종은 "신라는 여자가 왕이 되어 이웃나라의 업신여김을 받으니 당나라 왕족을 보내 신라왕으로 삼으면 어떻겠느냐."는 뚱딴지 같은 소리를 했대. 상대등(귀족세력을 대표하는 화백회의 의장) 비담과 염종은 여왕이 정치를 잘못해서 나라가 위태롭다며 반란을 일으키기도 했어. 자꾸 여왕의 능력을 의심하는 말들이 많으니, 선덕여왕이 여자지만, 그 어떤 남자보다 왕으로서 자격이 충분하다는 생각을 심어줄 필요가 있었겠지. 앞의 세 이야기는 여왕에 대한 편견을 씻어내기 위해 뛰어난 지혜를 보여주려 하는 거라고 풀이할 수 있단다.

어쨌든 선덕여왕은 국내외의 정세에 현명하게 대처하면서 삼국통일로 나아가는 발판을 닦았고, 태평성대를 누렸다는 평가 속에 첨성대를 쌓는 등 많은 업적을 남겼단다. 곡선과 직선이 독특한 조화를 이루고 있는 첨성대는 천 년도 훨씬 넘는 세월을 견디고 아직도 그 자리를 지키고 있는 귀중한 유적이지. 첨성대를 이루고 있는 돌의 개수가 362개로 1년을 상징한다, 지금 남아 있는 세계에서 가장 오래된 천문대다, 라는 의견에 대해 첨성대를 별자리를 관찰하기 위해 세워진 것이 아니라 하늘에 제사지내는 신성한 제단이었다는 주장도 있어.

왕보다
빛나는 이름,
김유신
王

김유신은 각간 서현의 맏아들로 진평왕 17년에 태어났는데, 누나 보희, 남동생 흠순, 여동생 문희가 있었어.

유신은 북두칠성의 정기를 타고 나 등에 7개의 별 무늬가 뚜렷하고

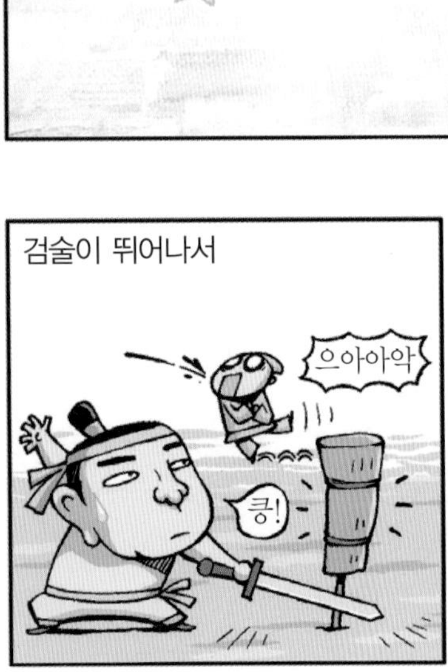
검술이 뛰어나서
으아아악
쿵!

열여덟 살에 화랑을 지휘하는 국선이 되었단다.
화랑5계
국선

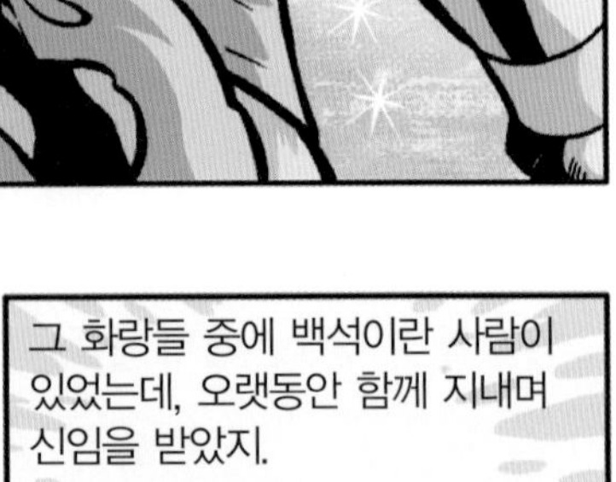
그 화랑들 중에 백석이란 사람이 있었는데, 오랫동안 함께 지내며 신임을 받았지.

하루는 유신이 고구려와 백제를
어떻게 쳐야 할까 고민하고 있는데
백석이 조용히 찾아와 말했어.
우선 적국에 몰래 들어가 저들의 형편을 미리 살펴보는 게 좋을 듯 합니다. 제가 공을 모시고 함께 가겠습니다.
유신은 좋은 생각이다 싶어서
좋은 생각이오.
그날 밤으로 백석을 데리고 고구려로 떠났지.
공을 모시고 가시오.
둘이 한참을 가다 고개에서 쉬는데
어디선가 두 여인이 나타나 따라왔어.
자꾸 따라오네.
난 좋아. 흐흐~
또 골화천(지금의 영천)에서 자려고 하는데
여인숙
여인 하나가 더 나타났지.
여인숙
세 여인이 맛좋은 과일을 내놓으며 상냥하게 대하니
유신도 기분 좋게 얘기를 나눴거든.
헤~
그때 여인들이 낮은 목소리로
야~

공께 꼭 드릴 말씀이 있으니 저 백석이란 자를 잠시 따돌리고 저희를 따라오십시오.
…
?
그런데 숲속으로 들어가자 여인들은 갑자기
유신은 무슨 일인가 싶어서 백석 몰래 여자들을 따라갔지.
엄마가 낯선 사람 따라가지 말랬는데….
신의 모습으로 변하는 거야.
펑
이 신 아닌 거 같은데?
문제 많군.
작가가 문제야!
다시!
빵
….
그대가 적국의 첩자(간첩)가 유인하는데도 모르고 따라가니 위험을 알리려고 왔소.
유신은 정신을 차리고 보니
….
세 신령은 이미 사라지고 없었지.
뭣들 하셔요?
보여?

신령의 보살핌에 감격하여 두 번 절하고 숲을 나왔어.
하안 버언~
두우 버언~
끝!
숙소로 돌아온 유신은
여인숙
갑자기 생각난 듯이 백석에게
어이쿠! 이런!
왜 그러시오?
내가 꼭 필요한 문서를 집에 두고 왔구나~
다시 집에 돌아가서 갖고 가야 되겠다~
그러니까 백석이 그냥 가자고 졸랐지만
기어이 집으로 돌아왔단다.
집에 도착하자마자 유신은 백석을 묶어 놓고 심문하니
왜 이러는 건데~!
몰라서 묻냐? 빨랑 불어.
결국 사실을 털어놓았지.
툭
사실
저는 본래 고구려 사람입니다.
예전에 국경지방에서 강물이 거꾸로 흐른 일이 있었습니다.
왕은 점을 잘 치기로 유명한 추남을 불러 물어 보았지요.
이름 그대로 정말 못 생겼군.
왕이라 봐준다.

추남은 왕비께서 음양의 도를 거슬러 생긴 일이라 아뢰니
왕비는 말도 안 되는 소리라며 추남을 시험해 보라고 했답니다.
자신 있음.
만일 맞히지 못하면서 요망한 소릴 했다면 당장 죽여야 한다고 왕을 부추겼지요.
부추
…
왕은 상자 속에 쥐 한 마리를 감추고
무엇이 들었는지 맞히게 했습니다.
…
안에 무엇이 들었을까요?
추남은 서슴없이 쥐 여덟 마리가 있다고 대답했는데
도전 골든벨
쥐 8마리
왕은 한 마리를 여덟 마리라 했으니 틀렸다면서
땡
죽이고 말았지요.
탁
추남은 죽기 전에 큰소리로 '내가 죽으면 적국의 대장으로 다시 태어나 반드시 고구려를 멸망시킬 것'이라고 저주를 퍼부었습니다.
저주
그제야 뭔가 이상하다 생각한 왕이
뭔가 이상하다.
찍! 찍!
쥐의 배를 갈라 보니
놀랍게도 새끼 일곱 마리가 들어 있었지요.
1
2
3
4
5
6
7

추남의 말이 맞은 걸 알았지만 뒤늦게 후회해도 소용 없었습니다.
엎질러진 물
그날 밤 왕은 죽은 추남이 서현공(김유신의 아버지) 부인의 품속으로 들어가는 꿈을 꾸었답니다.
그 꿈이 너무 생생한지라
생생한 꿈이군.
허억!
나를 여기 보내 추남의 환생인 당신을 유인하기로 한 것입니다.
김유신은 백석을 처형하고
자신을 살려준 세 신령에게 제사를 드렸어.
음식이 너무 부실한 거 같지 않소들?
그러게나 말이오. 먹을 게 없소이다~!
에잉~ 괜히 일러 줬나 보오. 나 삐쳤음!
…….
54대 경명왕 때 김유신은 그 호국의 공을 기려 흥무대왕으로 받들어졌지.
침략
흥무대왕
신라
김유신의 무덤은 서산 모지사 북동쪽으로 뻗은 봉우리에 있단다.
북
서
동
남
모지사
김유신 묘

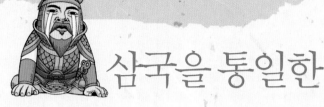

삼국을 통일한 김유신은 어떤 사람일까?

'별의 정기를 받고 태어났으며, 죽은 후에는 왕과 같은 대우를 받았다, 죽을 고비에선 신이 나타나 구해주었고, 고구려에 한을 품고 죽은 귀신 같은 점술가가 신라의 장군으로 환생하였다.'는 이야기에서 김유신이 얼마나 대단한 사람인지 알 수 있지. 신라 사람들에게 있어 김유신 장군은 거의 신과 마찬가지로 여겨질 만큼 성스러운 존재였단다.

유신의 아버지 김서현은 본래 금관가야의 왕족이었어. 가야가 신라에 망하지만 않았다면 왕이 되었을 수도 있었을 거야. 532년 금관가야가 망하자 가야의 왕족들은 신라 사람이 되어 살아야 했어. 신라에서는 이들을 배려해서 벼슬도 내려주었지만, 한 나라의 왕족이었을 때와는 비교도 안 되는 신분이었지.

▲ 김유신 장군은 삼국통일의 주역이자 화랑정신의 상징이다.

그런데 서현은 신라 진흥왕의 친동생 숙흘종의 딸 만명과 사랑에 빠지고 만단다. 얼마 후 서현이 만노군(충북 진천) 태수가 되어 떠나게 되자 둘은 함께 도망칠 작정을 하고, 이를 알게 된 숙흘종은 노발대발, 만명을 집에 가두고 지켰지.

숙흘종은 딸이 좋아하는 사람과 결혼하려는 걸 왜 그렇게 싫어했을까? 자기 집안은 신라의 왕족으로 고귀한 신분(성골)인 데 반해, 서현은 이미 망해 버린 가야의 왕족(진골)이었으니 서로 어울리지 않는다고 생각한 게지. 그런데 딸 만명이 아버지 허락도 없이 서현을 따라가려 했으니 화가 날 만도 하지. 집에 갇힌 만명은 어떻게 됐을까? 하늘이 도운 건지 갑자기 집에 벼락이 떨어지고 그 틈에 빠져나온 만명은 서현에게 내달렸지.

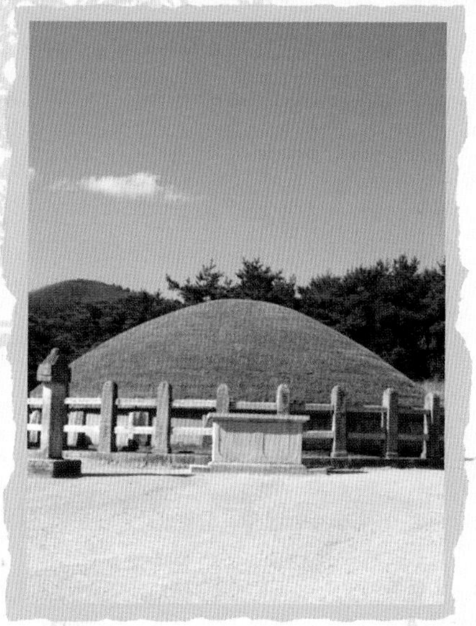

▲ 김유신 묘

만노군으로 달아난 두 사람은 결국 사내아이를 낳게 되는데, 그렇게 해서 태어난 아이가 바로 유신이란다. 참, 못 말리는 부모 밑에서 탄생부터가 예사롭지 않지? 서현으로서는 만명과 결혼함으로써 자연스레 신라 왕족과 섞이게 되고 신분이 높아질 수 있는 계기가 되었지.

그 아버지에 그 아들, 아니 아버지보다 한 술 더 뜨는 아들 김유신은 나중에 자기 누이동생 문희를 신라의 왕이 되는 김춘추와 결혼시키려는 계략을 세운단다. 그의 계략은 완벽하게 들어맞아서 김유신의 가문은 신라의 왕실 못지않은 영광을 누리게 된단다. 가야의 찬란했던 이름은 사라졌어도 그 가야의 후손은 신라에서 못다 이룬 꿈을 이루고야 말았지.

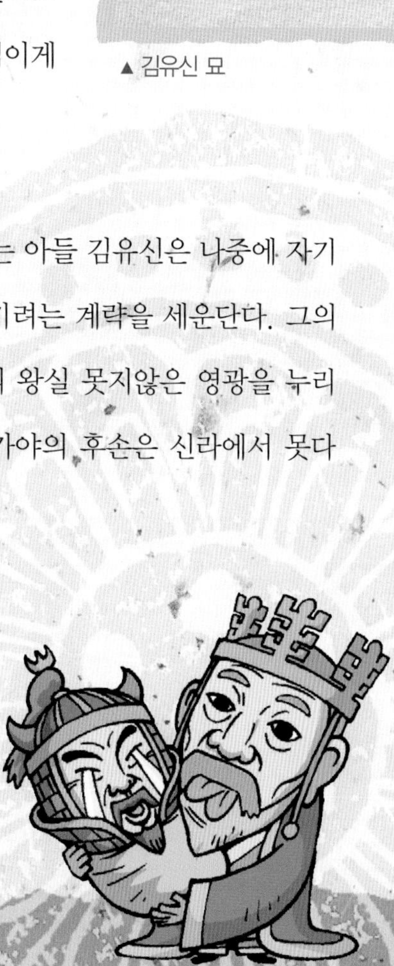

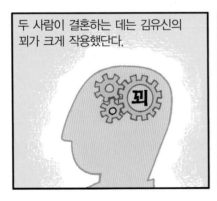

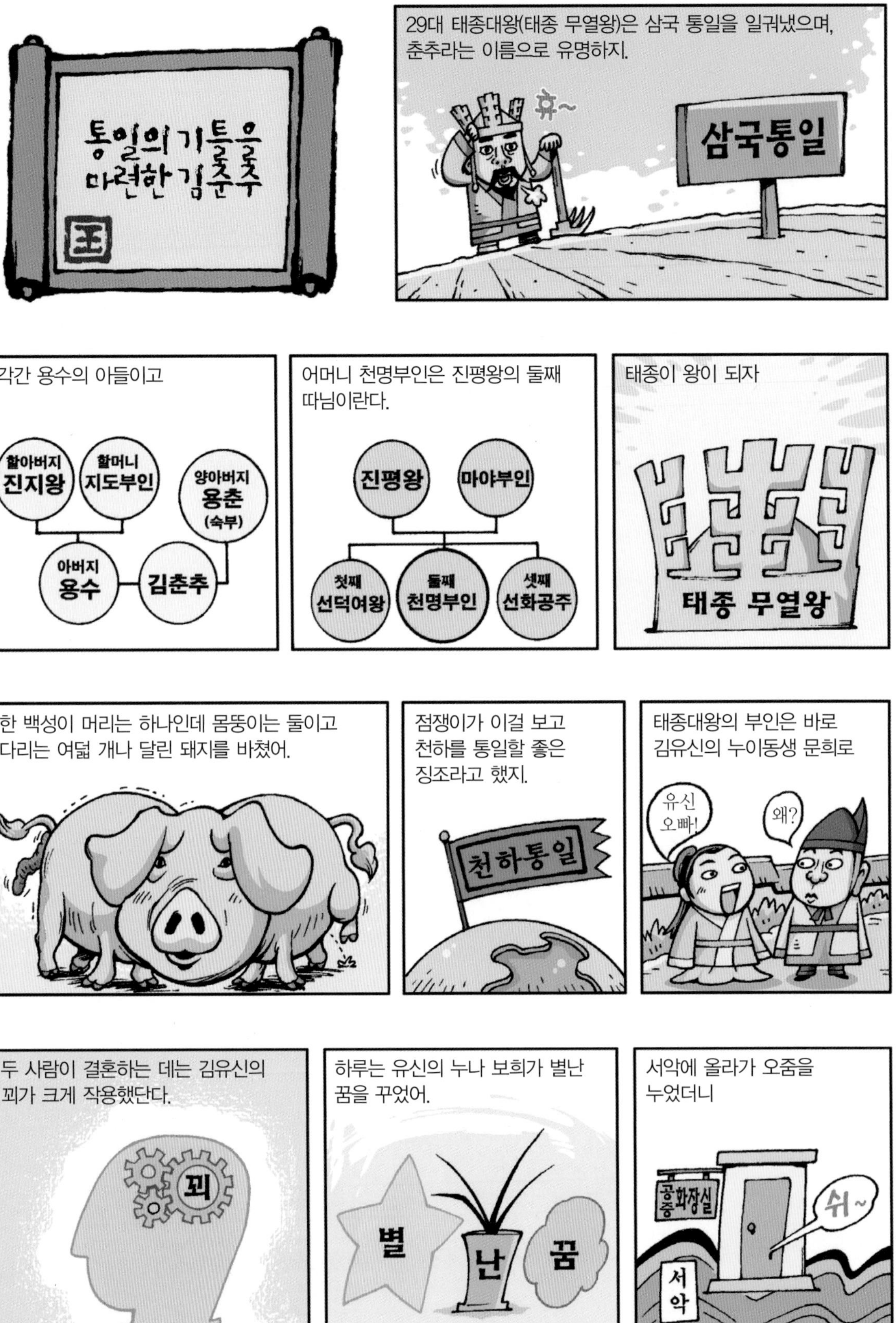
통일의 기틀을 마련한 김춘추
王
29대 태종대왕(태종 무열왕)은 삼국 통일을 일궈냈으며, 춘추라는 이름으로 유명하지.
휴~
삼국통일
각간 용수의 아들이고
할아버지 진지왕
할머니 지도부인
양아버지 용춘 (숙부)
아버지 용수
김춘추
어머니 천명부인은 진평왕의 둘째 따님이란다.
진평왕
마야부인
첫째 선덕여왕
둘째 천명부인
셋째 선화공주
태종이 왕이 되자
태종 무열왕
한 백성이 머리는 하나인데 몸뚱이는 둘이고 다리는 여덟 개나 달린 돼지를 바쳤어.
점쟁이가 이걸 보고 천하를 통일할 좋은 징조라고 했지.
천하통일
태종대왕의 부인은 바로 김유신의 누이동생 문희로
유신 오빠!
왜?
두 사람이 결혼하는 데는 김유신의 꾀가 크게 작용했단다.
꾀
하루는 유신의 누나 보희가 별난 꿈을 꾸었어.
별
난
꿈
서악에 올라가 오줌을 누었더니
공중화장실
쉬~
서악

서라벌 장안이 오줌에 다 잠기는 거야.
끊기질 않아~!
콰
콰
콰콰콰
장마철도 아닌데 웬 홍수?!
물 냄새가 이상해~!
아침에 일어나 동생 문희에게 꿈 얘기를 했더니
Good Morning
어젯밤 꿈에….
세상에….
대뜸 그 꿈을 팔라고 했겠지.
얼마면 돼? 얼마면 되냐고?!
가을동화
보희는 동생이 비단치마를 주겠다면서 졸라대니까 별 생각 없이 그 꿈을 동생에게 팔았어.
착
땡 잡았다.
문희
치마
꿈
보희
물물교환
그러고 한 열흘 정도 지난 정월 보름날
음력 1月15日
집에 놀러온 김춘추와 공을 차던 유신은
휘익
일부러 춘추의 옷고름을 밟았지.
찍

떨어진 옷고름을 꿰매 주겠다는 구실로 춘추를 안채로 데려 갔단다.
안채
유신이 누나에게 춘추의 옷고름을 달아 달라고 하니
보희는 어떻게 처음 보는 남자를 만나냐며 거절했어.
척
거절
하지만 그때 동생 문희가 선뜻 나서서
저요!
저요!
옷고름을 달아 주었지.
뜨아
자꾸 살하고 같이 꿰매~!
바느질 처음이라… 하하!
그 후로 춘추는 유신이 자기를 누이와 맺어주려 했음을 알아채고
유신
문희
춘추
거리낌 없이 문희와 가깝게 지내게 돼.
나 잡아봐라~
잡히면 죽었스~
얼마 후 문희는 춘추의 아이를 갖게 되었는데
임신
유신은 동생이 집안을 욕되게 했다면서 태워 죽이겠다고 길길이 뛰었어.
방방
소문은 삽시간에 서라벌에 다 퍼졌지.
삽
시간
서라벌
소문
선덕여왕이 궁궐 밖 남산으로 행차하는 날
경주남산
나들이
유신은 일부러 날을 잡아
날 잡았다.
잼 있냐?

마당에 장작불을 지피고 문희를 화형하겠다고 했어.
Camp Fire
여왕이 남산에 올라갔다가 이 연기를 보고 웬 연기냐고 물었겠지.
신하들이 김유신이 누이동생을 태워 죽이려 한다, 누이동생이 시집도 가지 않고 임신을 해서 그런다,
하니까 누구의 소행이냐고 물었어.
누구의 소행이냐?!
뜨끔!
절대 모르옵니다.
그때 앞에 있던 김춘추의 낯빛이 달라지는 걸 보고
응?
여왕이 야단을 쳤지.
바로 네가 저지른 짓이었구나. 빨리 달려가서 구하지 않고 뭐하고 있느냐?
아하!
그 말에 춘추는 급히 달려가
어디선가 누군가에 무슨 일이 생기면~
파바바박
말리고
뜨거~
뜨거~
뭐 하슈?
말리고 있소.
정식으로 혼례를 올렸단다.
김문희
김춘추
혼례
이렇게 해서 동생을 춘추와 결혼시키려 한 유신의 계략은 성공했고
결혼
텅!
계략
문희는 언니에게서 꿈을 산 효과를 보았지.
효과
100%

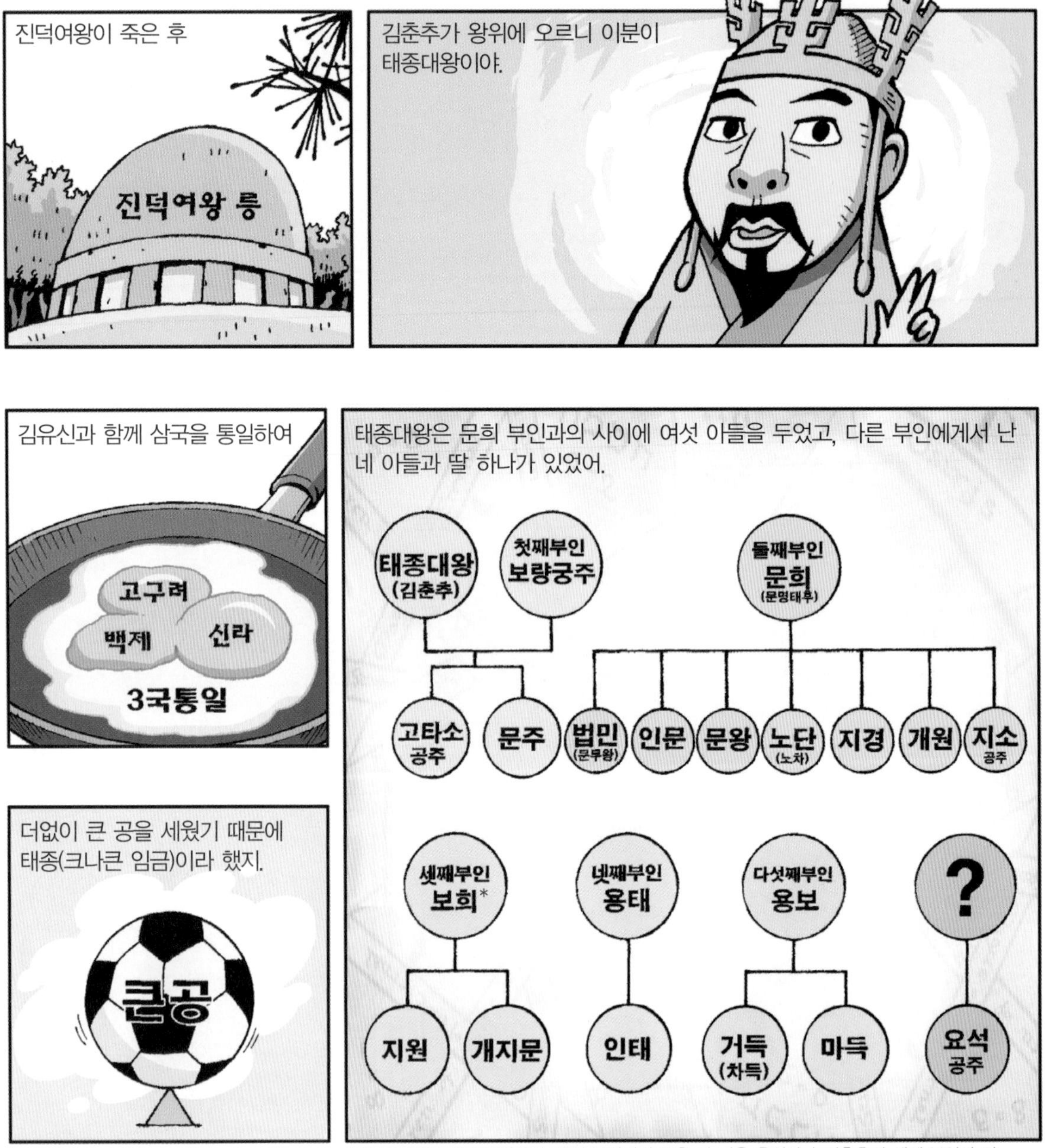
진덕여왕이 죽은 후
진덕여왕 릉
김춘추가 왕위에 오르니 이분이
태종대왕이야.
김유신과 함께 삼국을 통일하여
고구려
백제
신라
3국통일
더없이 큰 공을 세웠기 때문에
태종(크나큰 임금)이라 했지.
큰공
태종대왕은 문희 부인과의 사이에 여섯 아들을 두었고, 다른 부인에게서 난
네 아들과 딸 하나가 있었어.
태종대왕 (김춘추)
첫째부인 보량궁주
둘째부인 문희 (문명태후)
고타소 공주
문주
법민 (문무왕)
인문
문왕
노단 (노차)
지경
개원
지소 공주
셋째부인 보희*
넷째부인 용태
다섯째부인 용보
?
지원
개지문
인태
거득 (차득)
마득
요석 공주

*보희 – 김유신의 누이동생. 동생 문희에게 꿈을 판 것을 후회하다 김춘추의 셋째 부인이 됨.

태종은 한 끼에 자그마치 쌀 서 말과
장끼(수꿩) 아홉 마리씩을 먹는
대식가로도 유명했단다.
쌀 서 말
꿩 9마리
한끼
나 떨고 있니?
백제를 멸망시킨 후에는
점심은 거르고 아침 저녁만
먹었는데도
저녁
점심
아침
하루에 쌀 여섯 말과 술 여섯 말,
꿩 열 마리가 들었대.
쌀 여섯 말
술 여섯 말
꿩 10마리
아침+저녁

태종이 다스릴 때 백성들은
태평성대를 노래했단다.
태평
성대~!
태평성대
작사 작곡 태종
그 후 신문왕 때의 일이야.
신문
한번은 당나라 고종이 사신을 보내
사신
To 신라 신문왕
돌아가신 나의 아버지께서는 위징, 이승풍 등
어진 신하와 마음을 합하여 천하를
통일하였으므로 태종황제라 한 것이다.
그런데 너희 신라는 작은 나라이면서 감히
태종이란 황호를 사용하니 이는 도리에 어긋난
것이다. 속히 그 왕호를 고치도록 하라.
From 당 고종
이 요구를 받고 신문왕은 편지를
보냈어.
To 당 고종
신라가 비록
작은 나라이지만
성스러운 신하 김유신을
얻어 삼국을 통일했기에
태종이라 한 것입니다.
From 신라 신문왕
고종은 글을 읽고서는
예전 자기가 태자였을
때 기억이 떠올랐어.
그 당시 하늘에서 "하늘나라의 서른세
분 중 한 분이 신라에 태어나서 유신이
되었다." 라는 이상한 외침이 들린 적이
있었거든.
외침
혹시나 하여 기록을 찾아보니
'유신' 이 틀림없었어.
기록
당나라 왕은 놀랍고 두려운
마음에
아… 무셔라.
태종의 왕호를 고치지 않아도
좋다고 했지.
신문왕아~
제발 고치지마~!
응!응!
확 고칠까 부다!
당나라
신라

제7장
이 나라를 평안케 하라

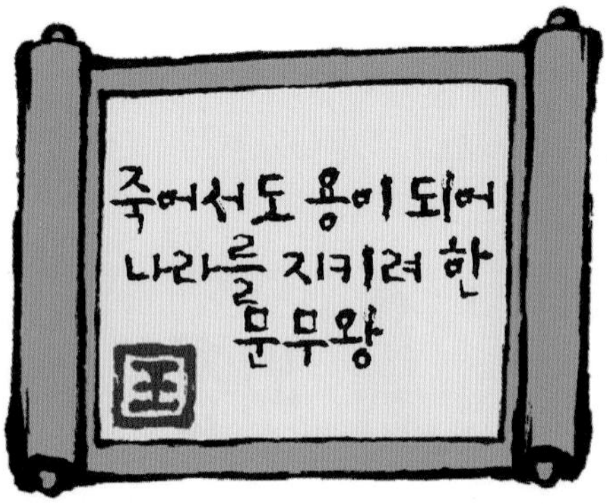
죽어서도 용이 되어
나라를 지키려 한
문무왕
王

문무왕은 즉위 8년째 되던 668년, 김인문, 김흠순 등과 함께 군사를 거느리고 고구려 정벌에 나섰어.
신라
고구려

평양에서 당나라 군대와 연합
당나라
당군
고구려
연합
평양
신라군
당군
백제
신라

고구려를 멸망시키고
고구려 멸망

드디어 삼국을 통일했지.
신라
고구려
백제
삼국통일

그런데 고구려를 정벌한 후에도 당나라 군대는 돌아가지 않고
집에 안 가?
배 좀 고치고!
신라마저 삼켜버릴 기회를 엿보고 있었거든.
껌뻑
껌뻑
문무왕은 이를 알아채고
꺼어 어어!
신라
얍!
군사를 동원해 막으니
당 고종(태종을 이어 왕이 됨)은 당나라에 와 있던 김인문*에게
이리 오시오! 냉큼 오시오!
?
당나라
황궁
너희들이 우리 군사의 도움으로 고구려를 토벌하고도 이제 와서 우리를 해치다니 이런 경우가 어딨느냐?
하고는 그를 감옥에 가두어 버렸지.

***김인문** – 태종무열왕 김춘추의 둘째 아들로 문무왕의 동생.

그리고 대장 설방에게 50만이나 되는 군대를 주어 신라를 치라고 했어.
당
다행히 당나라에 공부하기 위해 와 있던 의상법사가
당나라
화엄 (華嚴)
인문한테서 이 소식을 듣고
여기가 아닌가?
택배
당
감독관
긴급 전갈

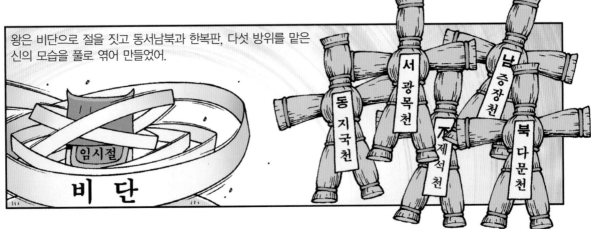

곧바로 귀국해서 문무왕에게 위험을 알렸지.
위험
DANGER
신 라
왕은 용궁에서 비법을 받아 왔다는 명랑법사를 궁궐로 불러 대책을 물었어.
하! 하! 하! 하!
오오오옷! 저렇게 명랑할 수가!
명랑은 낭산 남쪽 신유림에 사천왕사를 세우면 될 것이라고 알려 줬단다.
하! 하! 하! 하!
사천왕사
이 때 정주(현 경기도 개풍) 바닷가에 이미 수많은 당군이 가까이 왔다는 급보가 왔어.
당
급보
그러자 명랑은 우선 물들인 비단을 가지고 임시로 절을 지으면 될 것이라 했지.
하! 하! 하! 하!
너무 명랑한 거 아냐?
왕은 비단으로 절을 짓고 동서남북과 한복판, 다섯 방위를 맡은 신의 모습을 풀로 엮어 만들었어.
임시절
비 단
동 지국천
서 광목천
남 증장천
제석천
북 다문천
그리고 명랑은 밀교* 승려와 함께
'문두루' 라는 비법을 썼단다.
風
浪

*밀교 – 7세기에 널리 퍼졌던 비밀불교. 주문으로 신통력을 발휘한다고 믿음.

그러자 신기하게도 갑자기 바다 한가운데서 풍랑이 크게 일어나 당나라 배들이
모두 뒤집혀 침몰하고 말았대.
콰
콰
콰
콰
콰

당을 물리친 신라는
와
와
당나라

명랑의 말대로 절을 고쳐 짓고
사천왕사라고 했어.
사천왕사

671년에도 당나라는 조헌이 이끄는
5만 명의 군사로 신라를 치려고 했지.
당

하지만 또 배들이 물에 빠져 신라 공격에 실패하자
철썩
철썩

김인문과 함께 옥에 갇혀 있던 박문준을 불러들여
컴 온~
나?
?
어찌된 일인가 하고 물었어.
어찌된 일인가?
박문준은 고종이 듣기 좋게 말했단다.
사탕 발림
여기 온 지 10년이 넘어 나라 안 사정을 잘 모르지만
한 가지 들은 이야기가 있습니다.
우리나라가 삼국을 통일하도록 도와준
대국(당나라를 말함)의 은혜를 갚기 위해
새로 낭산 남쪽에 천왕사를 짓고
황제의 만수무강을 축원하였다 합니다.
大國
1
신라
고구려
백제
삼국통일
낭산
사천왕사
만수무강
당 고종이 크게 기뻐하면서
하늘을 날듯 듣기 좋은 말이로다~
악붕귀를 보내 그 절을 살펴보고 오라 했지.
저 말이 사실인지 확인하고 와.
얍!
신라에선 당나라 사신에게 사천왕사를 보여주기가 꺼려져서
보여 주기 싫어!
사천왕사
서둘러 새 절을 지었어.
새절
사신이 도착하자
신라 공항
당 사절단
사천왕사 남쪽에 새로 지은 절로 데려갔는데
당나라 사절단
새절
이건 사천왕사가 아니라면서 아무리 구슬려도 들어가질 않는 거야.
참네… 사천왕사 맞대도!
안 믿어!
새절

조정에서는 그에게 황금 1,000냥을 뇌물로 주면서 황제에게 잘 말해 달라고 부탁했지.
사과상자
뇌물
10000
귀국한 악붕귀는
신라는 이미 천왕사를 세웠고, 또 그 옆에 새로 절을 지어 황제의 만수무강을 빌고 있었습니다.
사실이었군.
뇌물
문무왕은 김인문을 석방시키기 위해 강수*에게 편지를 쓰게 했단다.
청방인문표 (請放仁問表)
고종은 이 글에 큰 감동을 받아 눈물을 흘리며
감동 그 자체군. 흑흑!
인문을 돌려보내 주었지.
정 들었는데… 잘가~
그러나 인문은 돌아오는 길에 그만 배에서 죽고 말았대.
신라
배
즉위한 지 21년(681년)에 문무왕이 돌아가시니
동해 한가운데 커다란 바위 위에 장사 지냈어.
대왕암
유언에 따라
내가 죽으면 동해에 묻으라….

*강수 – 신라 때 유학자, 가야 출신으로 외교문서를 잘 쓴 문장가.

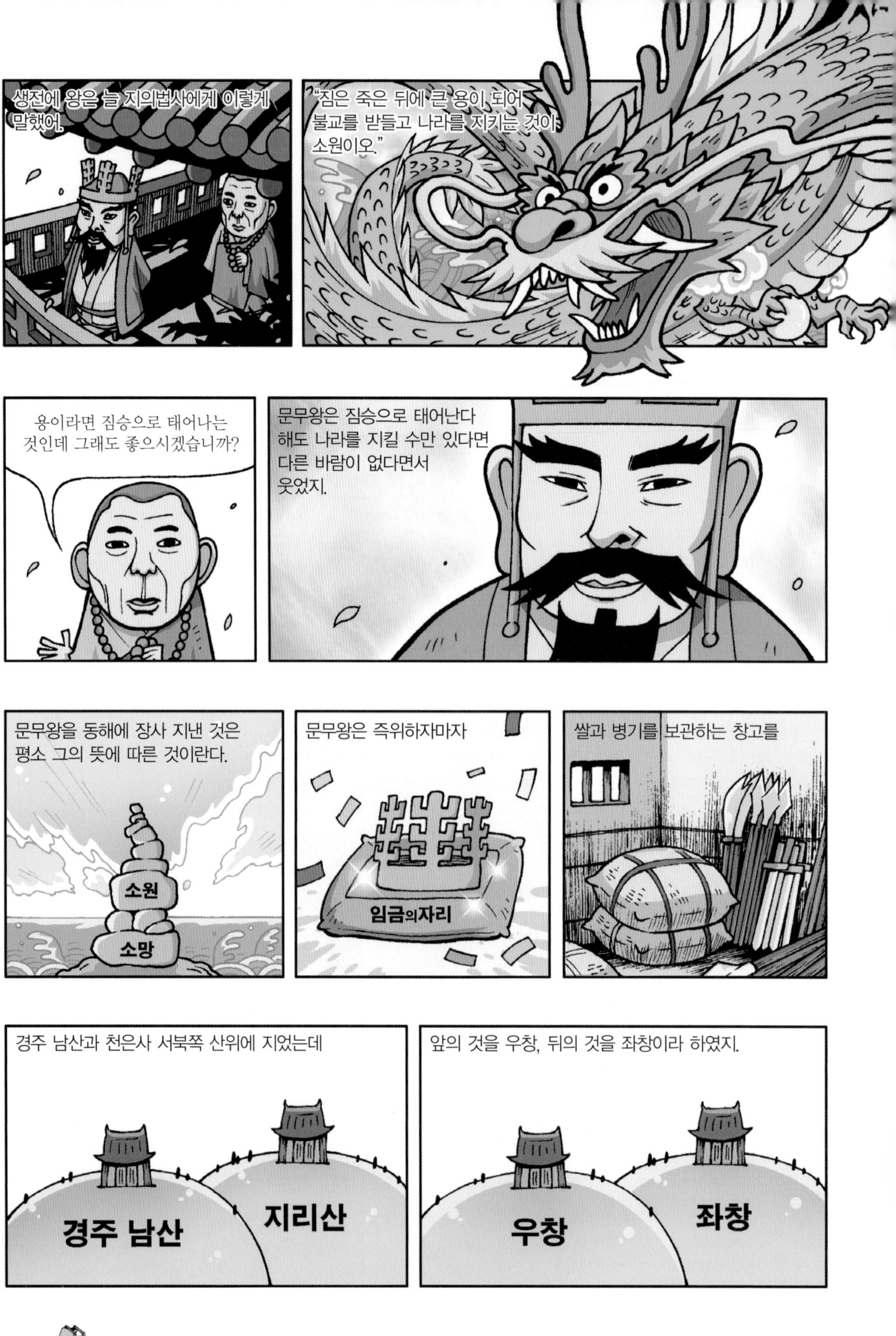

생전에 왕은 늘 지의법사에게 이렇게 말했어.
"짐은 죽은 뒤에 큰 용이 되어 불교를 받들고 나라를 지키는 것이 소원이오."
용이라면 짐승으로 태어나는 것인데 그래도 좋으시겠습니까?
문무왕은 짐승으로 태어난다 해도 나라를 지킬 수만 있다면 다른 바람이 없다면서 웃었지.
문무왕을 동해에 장사 지낸 것은 평소 그의 뜻에 따른 것이란다.
소원
소망
문무왕은 즉위하자마자
임금의자리
쌀과 병기를 보관하는 창고를
경주 남산과 천은사 서북쪽 산위에 지었는데
경주 남산
지리산
앞의 것을 우창, 뒤의 것을 좌창이라 하였지.
우창
좌창

591년에는 남산성을 다시 쌓고
남산성
부산성과
부산성
안북하 강가에 철성도 쌓았어.
철성
그리고 서울에 또 성곽을 쌓으려 하니
의상대사가
의상 쇼
To 문무왕
임금의 정치와 교회가 밝으면
비록 풀 언덕에 금을 그어 놓고 성이라 하여도
백성들이 감히 타고 넘지를 못할 것입니다.
그러나 정치와 교화가 밝지 못하면
비록 만리장성을 쌓는다 해도
재앙을 없앨 수 없을 것입니다.
From 의상
이건 성이야.
와우… 성벽이 너무 높아 타고 넘지 못 하겠는걸.
정치
교화
라고 글을 써서 올렸지.
의상대사가 글을 올렸습니다.
와~
왕이 이 글을 읽고 깊이 깨달은 바가 있어
으흠….
계획을 취소했단다.
취소.

세계에 하나밖에 없는 문무대왕의 수중릉

경주에서 동쪽으로 쭉 내달리다 보면 동해의 푸른 바닷물 저만치에 문무왕이 누워 있는 대왕암이 보이지. 신라의 다른 왕들은 동산만큼이나 거대한 능을 만들고 화려한 금관과 장신구와 함께 궁궐 주변에 묻혀 있지만, 문무왕은 세상의 부귀영화는 원치 않는다며 죽어 미천한 짐승으로 다시 태어나도 나라를 지키겠다고 했어. 불교 사상에서 짐승으로 태어나는 건 지옥에 떨어지는 거나 마찬가지라는데, 그래도 좋다고 했으니 참 가슴을 뻐근하게 하는 호국정신이지? 그의 유언으로 만들어진 수중릉은 전 세계를 찾아도 하나밖에 없는 특별한 무덤이지. 수면 아래에는 거북 모양의 넓적한 돌이 있는데, 이 안에 유골을 안치했을 거라고 추측한단다. 대왕암은 자연석에 동서남북으로 물길을 내어 물이 잔잔하게 유지되도록 만들어졌지.

▲ 문무왕릉

문무왕 법민은 김춘추와 김유신의 여동생 문희 사이에서 태어난 아들이야. 어려서부터 아버지와 외삼촌을 닮아서인지 매우 영리했고, 왕이 되기 전부터 당나라를 끌어들이는 데 매우 큰 역할을 했단다. 아버지가 태종에 즉위한 직후, 김유신과 함께 백제를 멸망시킨 최후의 전투에 직접 참여하여 20년 전 자신의 누이와 가족들이 참혹하게 죽은 일을 설욕해. 아버지 무열왕이 죽은 뒤에는 고구려 내부에서 연개소문의 아들들 사이에 권력싸움이 일어난 것을 기회로 평양성을 공격하여 함락시키기에 이르지. 명실상부하게 삼국을 통일한 주인공은 바로 문무왕이라고 말할 수 있겠지.

하지만 문무왕의 전투는 거기서 끝나지 않았어. 백제와 고구려가 멸망하자, 당나라는 한반도 전체를 집어삼키려는 속셈을 드러내고 웅진과 평양, 계림(경주)에 도독부를 설치해서 자신들의 지배를 받도록 하려고 했지. 당나라를 끌어들였던 그가 이제 당나라를 몰아내기 위해 사활을 건 싸움을 해야만 했어. 이 치열한 전쟁은 675년 매초성(경기도 양주)에서 당나라 육군을 쳐부수고, 676년엔 기벌포(금강 입구)에서 당나라 수군을 크게 이길 때까지 계속되었지. 거의 20년을 전쟁터에서 보내며 괴로움을 견뎌온 문무왕 법민은 결국 고질병에 걸려 56세에 세상을 떠나고 말지.

그가 일구어낸 삼국통일은 고구려, 백제, 신라로 나누어졌던 분열의 시대를 극복하고 하나의 통합된 국가 안에서 우리 민족의 뿌리가 만들어지는 중요한 바탕을 이루게 된단다. 또한 백성들은 그 동안 끊이지 않았던 전쟁의 고통에서 벗어나 모처럼 안정된 삶을 누리게 되었지. 오랜 세월 동안 무기를 만들고 군대를 키우기 위해 쓰였던 재정을 평화적으로 사용할 수 있는 여유가 생겼기 때문에, 불국사와 석굴암으로 대표되는 통일신라 시대의 찬란한 문화를 꽃피울 수 있었던 거야.

▲ 통일신라 시대의 찬란한 문화를 보여주는 유물 금관총 금관.

거센 물결을 잠재우는 신비한 피리, 만파식적
王
31대 신문왕은 돌아가신 아버지 문무왕을 위해
동해 바닷가에 감은사를 지었단다.
이 절의 금당 섬돌 아래
동쪽으로 구멍이 하나 있었다고 해.
이 구멍은 동해의 용이 된 아버지
문무왕이
절에 드나들 수 있도록 하기 위한 것이었지.
허걱!
목이 껴어~!
문무왕을 모신 바위를 대왕암,
이 절 이름을 감은사*,
감은사
HELP ME!!
용이 나타난 곳을 이견대**라고 했어.
이견대
감은사를 세운 이듬해 오월 초하루,
바다를 맡은 관리 파진찬 박숙청이
왕에게 아뢰었어.
파진찬 박숙청 아뢰옵니다.
뭔고?

*감은사 – 은혜에 감사하는 절.

**이견대 – 나라에 큰 이익을 본 곳.

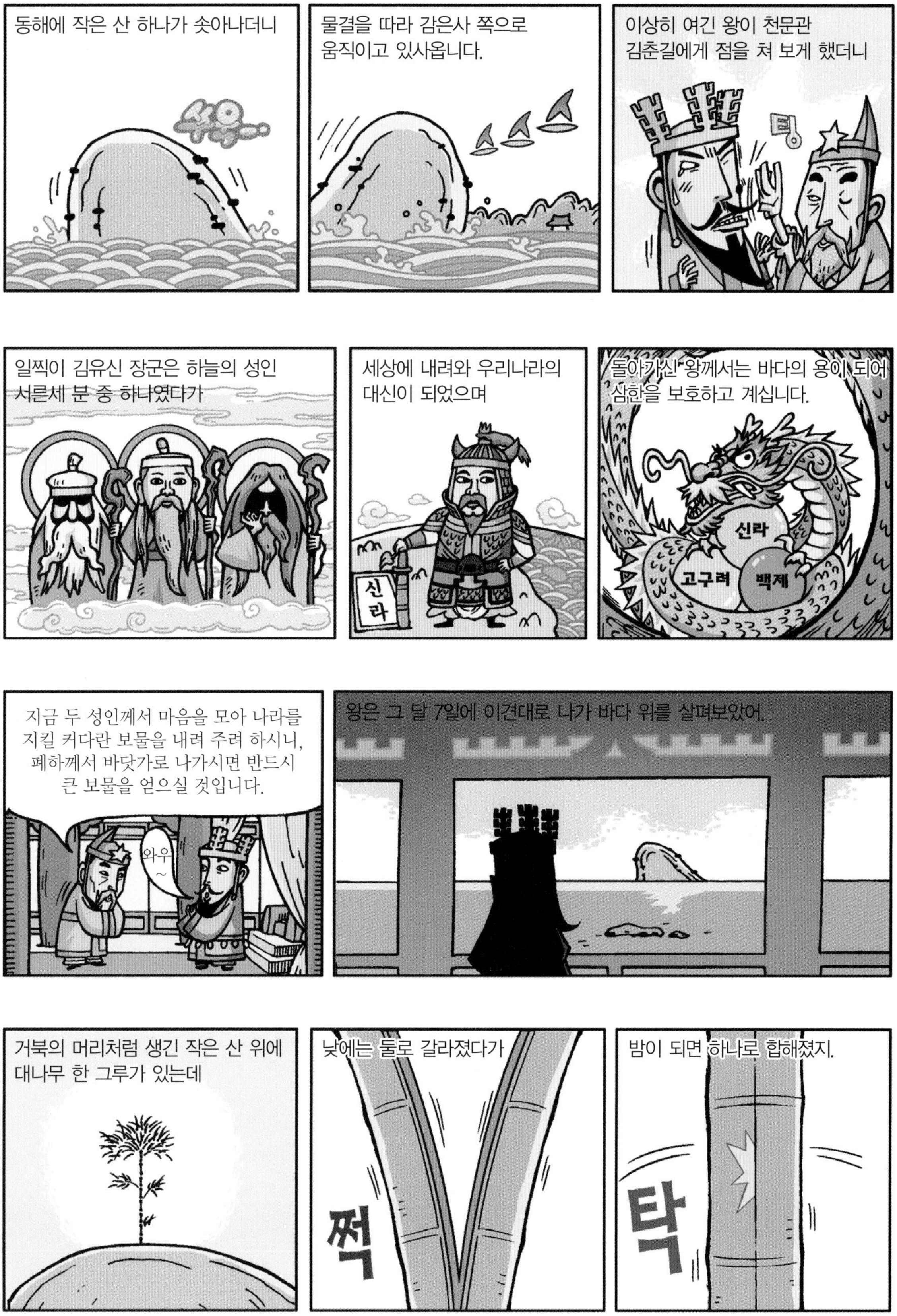

동해에 작은 산 하나가 솟아나더니
쑤웅-
물결을 따라 감은사 쪽으로
움직이고 있사옵니다.
이상히 여긴 왕이 천문관
김춘길에게 점을 쳐 보게 했더니
팅
일찍이 김유신 장군은 하늘의 성인
서른세 분 중 하나였다가
세상에 내려와 우리나라의
대신이 되었으며
신라
돌아가신 왕께서는 바다의 용이 되어
삼한을 보호하고 계십니다.
신라
고구려
백제
지금 두 성인께서 마음을 모아 나라를
지킬 커다란 보물을 내려 주려 하시니,
폐하께서 바닷가로 나가시면 반드시
큰 보물을 얻으실 것입니다.
와우~
왕은 그 달 7일에 이견대로 나가 바다 위를 살펴보았어.
거북의 머리처럼 생긴 작은 산 위에
대나무 한 그루가 있는데
낮에는 둘로 갈라졌다가
쩍
밤이 되면 하나로 합해졌지.
탁

이튿날 오시*에
꼴록
점심 시간이다.
갑자기 대나무가 하나로 합쳐지면서
탁
천지가 흔들리고
비바람이 일며
쿠르르르
사방이 캄캄해지는 것이 아니겠어?
16일이 되어서야 날이 개고 물결이 잔잔해져서
왕이 배를 타고 바다 가운데 산으로 갔지.
저 배 아닌 거 같은데…
왕이 산에 들어가니
용 한 마리가 나와 정중히 맞이하고
오오 오옷!

*오시(午時) – 낮 12시 경.

옥으로 장식된 검은 허리띠를 바치는 거야.
왕이 대나무가 갈라졌다가 합쳐지는 이유가 무엇이냐고 물으니
손바닥도 마주쳐야 소리가 나는 것처럼
따라해 보십쇼.
짝
짝
대나무도 합쳐져야 소리가 납니다.
탁
이것은 훌륭한 임금께서 소리로 천하를 다스릴 좋은 징조입니다.
천하
왕께서 이 대나무를 가지고 가셔서 피리를 만들어 부시면 온 천하가 평화로워질 것입니다.
평화
바다의 큰 용이 되신 문무왕과
다시 하늘의 신이 되신 김유신.

이 두 성인이 마음을 합하여 이 보물을 내리시는 것입니다.
문무왕!
김유신! 마음 합체!
왕은 매우 기뻐하며
와~ 감사~
짝 짝 짝
오색 비단과 금과 옥으로 보답하고
이게 웬 횡재랴?
….
사람을 시켜 대나무를 베어오게 한 뒤
바다에서 나오자
산과 용이 갑자기 사라져 버렸어.
사라졌다.
이튿날 기림사 서쪽 냇가에서 잠시 수레를 멈추고 점심을 먹는데
냠
냠
태자 이공이 소식을 듣고 달려와
이공아닌거 같은데…
옥대를 살펴보더니 감탄하며
오오오 옷!
안 줘!
이 허리띠에 달린 옥 장식들은 모두 진짜 용입니다.
어떻게 아느냐 물으니
옥장식 하나를 떼어 물에 넣어 보십시오.

왕이 왼쪽 두 번째 장식을 떼어
왼쪽 두 번째가 이건가?
뽁
시냇물에 담갔더니
금세 용으로 변해
하늘로 올라가고
시내는 연못(용연)이 되었단다.
용연
궁으로 돌아온 왕은 베어 온 대나무로
피리를 만들어
월성의 천존고*에 간직하였지.
천존고
경주군의 옛이름
월성
그 후 이 피리를 불면
와
피리리
적군이 물러가고
와
병이 다 나았어.
벌떡
병

*천존고 – 나라의 보물을 보관하는 창고.

또 가뭄에는
쨍
앵
비가 오고
장마에는
비를 멈추게 하고
바람을
휘이잉
가라앉히고
파도를 잠재웠대.
쿨~ 쿨~
그래서 이 피리를 '거센 물결을 잠재우는 피리', 즉 '만파식적'이라 하고 국보로 삼았지.
국 보
효소왕 때는 적국의 포로가 되었던 부례랑이 살아 돌아오는 기적을 일으켜서
말갈
신라
만파식적
얜 안상.
난 부례랑
이름을 '만만파파식적*'이라고 고쳐 불렀단다.
콰악-

*만만파파식적(萬萬波波息笛) - 수없이 거센 물결을 가라앉히는 피리.

귀신을 쫓는 부적 속의 얼굴, 처용
49대 헌강왕 때 신라의 영화는 극에 달했어. 서라벌에 초가집은 한 채도 없고
저런 영화 아니거든! 여기서 영화(榮華)란 권력과 부귀를 마음껏 누리는 일이란 뜻이야!
거리에는 노랫소리가 넘쳐나고 사시사철 기후도 좋았지.
그 얼마나 좋은가~ 우리 사는 이곳에~ 아~름다운 강산~♪
이렇듯 나라가 태평을 누리던 어느 날, 헌강왕이 개운포(지금의 울주) 바닷가로 놀러 나갔다.
궁으로 돌아오는 길에 잠시 쉬고 있는데
휴게소
갑자기 구름과 안개가 자욱하더니
환하던 대낮이 금세 캄캄해져 아무 것도 보이지 않았어.
깜빡
깜빡
아무것도 안 보인다.
어찌된 일인가 물으니 일관*이 아뢰었지.
일기예보
오늘의 날씨를 말씀 드리겠습니다.

*일관(日官) – 천문과 기상현상을 살피던 관리.

이는 동해의 용이 조화를 부린 것입니다. 왕께서 용을 위해 좋은 일을 베푸셔야 합니다.
왕은 신하들에게 근처에 용을 위한 절을 지으라고 명했어.
귄
얍!
명령을 내리자마자 구름과 안개가 깨끗이 걷혀서

그곳을 개운포*라고 불렀지.
개운포
동해의 용이 일곱 아들을 거느리고 왕 앞에서 춤을 추며 칭송하고
아하아암~ 정신없다.
재롱잔치
일곱 아들 중 하나를 보내 왕의 정치를 돕게 했는데. 그 이름이 처용이었어.
도와드릴게요.
정치
고마워.

* 개운포(開雲浦) – 구름이 걷힌 포구라는 뜻. 지금의 울주.

왕은 처용에게 아름다운 여자를 아내로 주고 급간 벼슬도 주었지.
급간 벼슬
왕
내 벼슬 어디 간겨?
으메~ 좋은 거.
처용이 집을 비운 어느 날 밤
역신**이
긁적
긁적

** 역신 – 전염병, 특히 천연두를 퍼뜨린다는 신.

처용의 아내를 보고 아름다움에 반해 버렸어.
그래서 사람으로 변해
펑
아내의 방으로 들어갔지.
아내의 방
딱

밤늦도록 놀다가 집에 돌아온 처용은
에헤라 디여~!
뜻밖에도 아내와 역신이 함께 누운 광경을 목격하고
찰칵
찰칵
너무 기가 막혔지만
변기(氣)가 막혔을 땐 뚫어~뻥!

태연하게 춤을 추면서 노래를 불렀대.
아, 원! 투! 원투 뜨리 포!
쿵짝
쿵짝
동경(서라벌, 경주) 달 밝은~ 밤~에~에~에
밤새도록 노닐다가
BAR
호프
소주
노래방
BOX
삼겹살
들어와 자~리를 보~니
다리가 넷이로구나.
4
둘은 내 것이지만~
둘은 내 것! 내 것!
크~ 냄새 죽인다….
둘은 누구의~ 것~인~가~
누구? 누구? 누구의 것?
본래 내 것이지만 빼앗긴 것을 어찌 하~아~리~!
어찌하리! 하리! 하~리~
역신이 이 모습을 보고 넓은 도량에 감동하여
작사, 작곡 처용
아….
처용 앞에 무릎을 꿇었단다.
감동
제가 공의 아내를 사모하여 오늘 밤 죄를 지었습니다. 그런데도 전혀 노여워 하는 기색이 없으니 놀라울 따름입니다.
앞으로는 공의 얼굴을 그린 것만 보아도 그 집에 들어가지 않겠습니다.
정말?

그 때부터 신라에는 처용의 얼굴을 문에 그려 붙여 사악한 귀신을 물리치고
경사스런 일을 맞이하는 풍속이 생겼어.
풍속
헌강왕은 서울*로 돌아온 뒤
서울
Seoul
여기서부터 서울 입니다
*서울 – 신라의 구도 '서라벌' 지금의 경주. '서울'은 '서라벌'에서 나온 말.
곧 영취산 동쪽 기슭의 경치 좋은 곳에다 절을 세우고 망해사라고 했지. 이 절은 신방사라고도 불렀는데 용을 위해 세운 절이야.
망해사
헌강왕이 유람하며 놀 때 여러 신들이 나타나 춤을 추는 일이 많았대.
유람 열차
포석정에서는
남산의 신이 나타나 춤을 추었는데 왕의 눈에만 보여 따라 추니, 그 춤을 '어무상심' 혹은 '어무산신'이라고 불렀단다.
B-boy
아코!
금강령에 올랐을 때는 북악의 신이 나타나 춤을 추었는데, 이를 '옥도검'이라고 했단다.
또 왕이 동례전에서 잔치를 할 때는 지신이 나와서 춤을 추었는데 이를 '지백급간'이라고 했지.
으샤
으샤
잔치국수

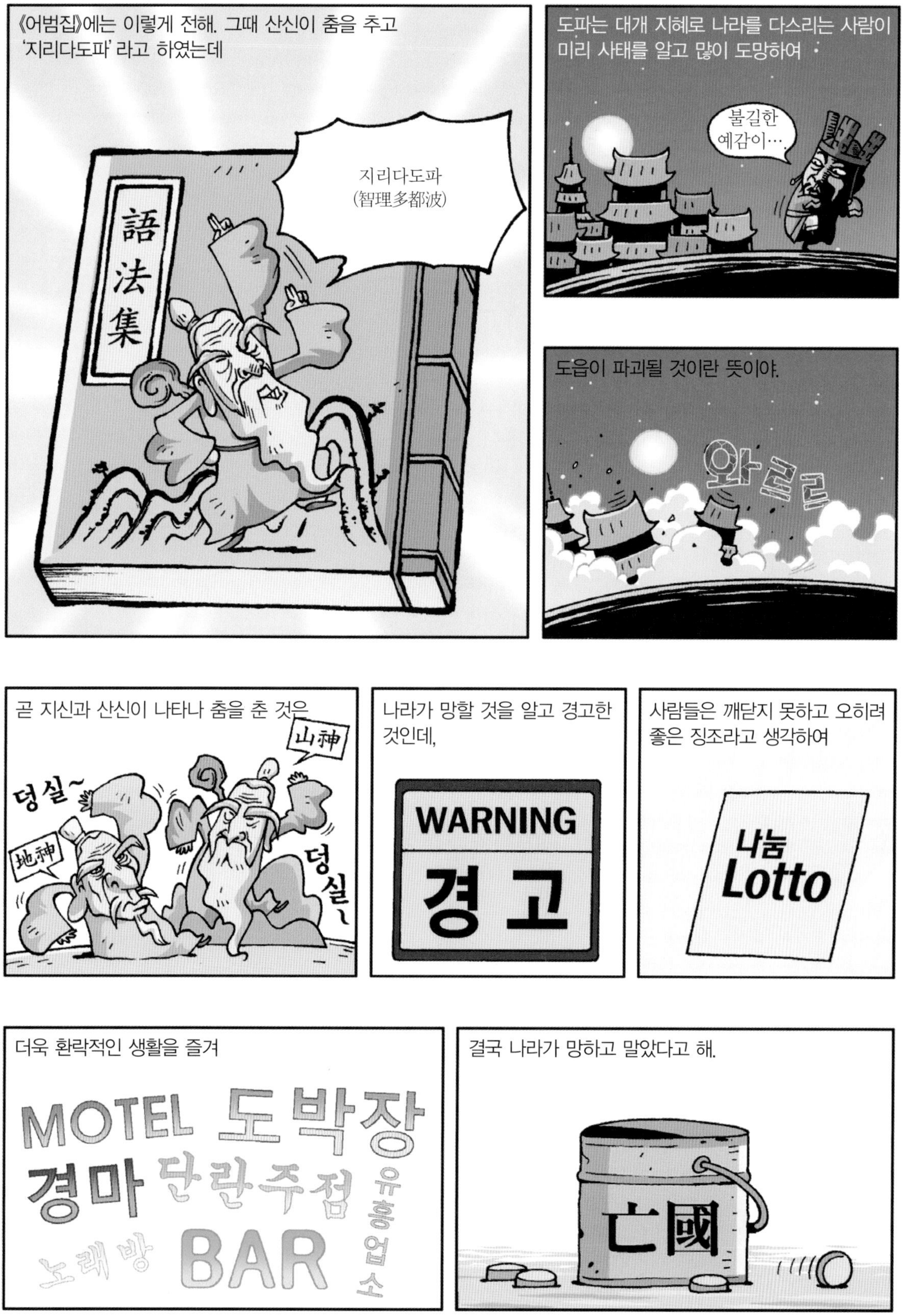
《어범집》에는 이렇게 전해. 그때 산신이 춤을 추고 '지리다도파' 라고 하였는데
語法集
지리다도파 (智理多都波)
도파는 대개 지혜로 나라를 다스리는 사람이 미리 사태를 알고 많이 도망하여
불길한 예감이…
도읍이 파괴될 것이란 뜻이야.
와르르
곧 지신과 산신이 나타나 춤을 춘 것은
山神
덩실~
地神
덩실~
나라가 망할 것을 알고 경고한 것인데,
WARNING
경고
사람들은 깨닫지 못하고 오히려 좋은 징조라고 생각하여
나눔 Lotto
더욱 환락적인 생활을 즐겨
MOTEL 도박장
경마 단란주점 유흥업소
노래방 BAR
결국 나라가 망하고 말았다고 해.
亡國

경주의 감은사지 석탑

신문왕이 아버지 문무왕의 은혜에 감사하는 뜻으로 완성한 절 감은사는 경주에서 동해를 향해 가다가 대왕암이 있는 바닷가에 닿기 바로 전에 위치해 있단다. 지금은 그냥 길가에 있는 절터지만, 당시에는 절 앞 감포까지 동해 바닷물이 들어와서 배를 타고 다녔다고 해. 동해의 용이 된 아버지가 드나들 수 있도록 금당 아래 동쪽에 구멍을 냈다는 얘기가 참 흥미롭지?

감은사가 있던 터에 가 보면 건물은 다 사라졌지만, 나라를 지키는 용이 되겠다고 한 아버지와, 아버지를 위해 절을 짓고 용이 서릴 수 있게 절 바닥에 통로를 만든 아들의 마음이 하나로 어우러져 가슴으로 전해온단다. 그리고 감은사 터에는 동서 양쪽에 이들 부자父子처럼 꼭 닮은 두 탑이 꿋꿋하고 멋진 모습으로 남아 있어 큰 감동을 주지.

▲ 이견대

이견대는 만파식적이 나온 바다 가운데 산을 처음 살펴본 곳인데, 이곳에서 대왕암을 바라보고 있으면 어디선가 용이 나타날 것 같아. 신문왕은 아버지가 잠들어 있는 대왕암에 행차할 때마다 이견대에 올라 손에 잡힐 듯 보이는 바위와 부서시는 파도들을 한없이 바라보지 않았을까?

신문왕은 즉위하던 해 장인 김흠돌이 일으킨 반란을 철저하게 진압하고, 이 사건과 관련된 진골 귀족들을 처단함으로써 왕권을 강화하는 데 힘쓰지. 689년에는 수도를 달구벌(대구)로 옮겨서 경주를 기반으로 한 진골 귀족들의 세력에서 벗어나고자 했지만, 결국 뜻을 못 이루고 말았지. 귀족들은 자신의 녹읍에 속한 백성들을 군인으로 삼고 거기서 거둬들인 세금으로 재물을 쌓아 큰 힘을 가질 수 있었어. 그런데 신문왕은 녹읍 제도를 없애 귀족들이 백성을 괴롭히지 못하게 하고, 관료를 뽑는 제도를 정비하여 국가로부터 월급이나 토지를 받아 생활하게 하는 등, 중앙집권적인 통치제도를 마련했어. 만파식적을 얻었다는 이야기는 이렇게 왕권이 안정되어 백성들도 평화로운 세월을 보냈다는 뜻으로 해석할 수 있지.

▲ 신라 석탑 양식의 전형적인 황금비례를 보여주는 감은사 삼층석탑.

효소왕 때 위엄이 더욱 높아져 '만만파파식적'이 된 그 신령스런 피리는 어떤 모습이었을까? 천존고에 잘 모셔두었다던 만파식적이 언제 어떻게 해서 사라졌는지 알 수 없지만, 그 모습을 짐작케 해주는 유물이 남아 있단다. 에밀레종으로 널리 알려진 성덕대왕 신종에는 독특한 모양의 음관이 달려 있지. 자세히 보면 대나무 피리 모양으로 독특한 문양이 새겨진 관인데, 이 음관이 바로 만파식적의 모양을 본뜬 게 아닌가 짐작해 볼 수 있어. 불교에서 종소리는 곧 진리의 소리로 이해되고, 음관은 본래 종소리를 고르게 하는 역할을 하는 거니까, 동해용이 만파식적을 주면서 소리로 세상을 다스릴 것이라고 한 말이 들어맞는 거지. 더군다나 대나무 피리 모양의 음관을 감싸고 있는 것은 용뉴, 즉 용의 형태를 한 고리란다. 만파식적 이야기가 그대로 신라의 종에 담겨 있는 셈이야.

신라시대 서양의 문화를 엿볼 수 있는 처용

헌강왕대는 신라가 꺼지지 직전의 촛불처럼 마지막 빛을 발하며, 귀족들의 호화와 사치가 극에 달하던 시기였어. 귀족들은 큰 저택을 외국에서 수입한 진귀한 보석으로 꾸미고, 엄청난 수의 노예를 부리면서 재력을 과시했지. 당시 신라의 조선술과 항해술은 아주 높은 수준이었고, 금세공 기술은 특히 뛰어나 다른 나라에서 알아주었단다. 처용이 처음 나타난 개운포는 중국 명주, 양주와 직접 이어지고 멀리 인도와 아랍, 유럽까지 뻗어가는 국제 무역항으로 번영을 누렸어.

《악학궤범》이란 책에는 처용을 그린 그림이 나오는데 완전히 서양 사람의 모습이란다. 또 흥덕왕릉과 괘릉을 지키는 무인석 중에는 아랍인의 형상이 있어서 처용이 바다를 통해 들어온 이방인이었다는 근거가 되지. 《삼국사기》 헌강왕 조에는 "어디서 왔는지 모르는 네 명이 왕의 가마 앞에 나타나 노래하고 춤을 추었다. 그 모양이 해괴하고 옷차림새도 괴이하여 당시 사람들이 '산해의 정령' 이라 하였다."는 구절이 있어. 확실히 처용의 외모는 동양인과는 아주 다르게 보이지. 그때에는 이슬람인들이 해양 실크로드를 따라 중국을 거쳐 신라의 국제항 개운포까지 들어왔고, 그 중에는 신라가 마음에 들어 눌러 산 사람들도 있었을 거야. 그들은 아프리카 등지에서 구한 약초를 가지고 고칠 수 없다고 여긴 병도 치료해 주곤 했지. 처용이 처음 보는 약

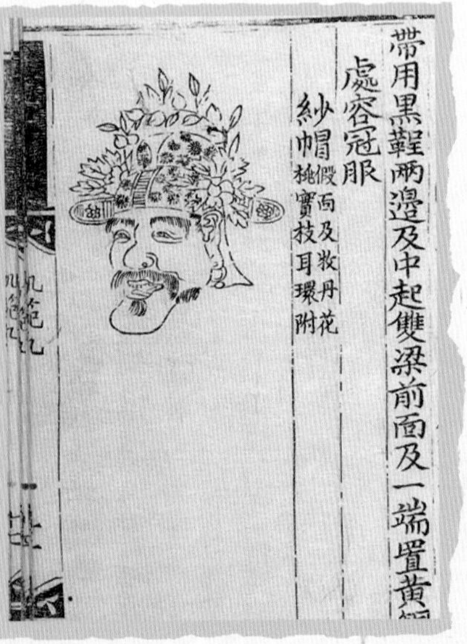

處容冠服
紗帽

▲ 《악학궤범》에 등장하는 처용.

과 방법을 써서 사람들의 병을 고쳐주었다면 당시 신라인들에게는 동해용의 아들처럼 신비한 영웅으로 비쳤을 거야. 이야기 속에서 역신이 처용의 아내를 범하는 장면이 있는데, 고대 이슬람인은 전염병에 걸리는 것을 역신이 인간을 침범하는 것으로 생각했대.

▲ 처용의 생김새를 두고 신라시대 해상무역의 증거로 삼는 경우도 있다. 경주 괘릉의 서역인상.

처용은 샤먼(귀신과 통하는 무당)을 뜻하는 차차웅이 변한 말이란다. 신라 제2대 남해 차차웅은 하늘에 제사지내는 사람이란 의미가 들어 있지. 또 정월 대보름 전날 짚으로 사람 형상을 빚어 액(나쁜 일)막이로 쓰는 인형을 제웅이라고 하는데, 이 제웅과 처용은 한 뿌리에서 나온 말로 발음도 비슷하고 귀신을 쫓는 역할도 같단다.

처용處容의 한자를 보면 '얼굴을 (문에) 붙인다' 는 뜻이야. 처용을 그린 부적을 대문에 붙여 귀신을 물리치고 좋은 일이 생기기를 바랐던 풍습은 오래 전부터 전해오던 첩문민속이었지. 처용랑 망해사 설화는 문에 얼굴을 그려 역신을 쫓는 벽사신 설화가 바탕이 되고, 바다에서 온 사람을 용왕의 아들이라고 하여 신라 사람들이 그를 역신을 쫓는 신으로 모시면서 덧붙여진 이야기라고 할 수 있어.

매일 방탕한 생활에 빠져 있는 처용과 아내의 모습은 헌강왕대 타락한 신라인들의 실상을 비춰주기도 해. 이 두 사람뿐만 아니라 경주 전체가 문란해졌음을 보여주고, 결국 나라가 망하는 지경까지 되었음을 경계하고자 한 이야기라고. 또 동해용이 자기 아들 한 명을 왕에게 딸려보낸 부분은 울산 출신 호족의 아들을 경주로 불러들여 볼모로 삼으려 한 사실을 반영한다는 의견도 있단다.

제8장
새로운 시대를 열어라

서해 신을 구하고 아내를 얻은 거타지
王

52대 진성여왕 때 유모 부(박)호부인과 남편 위홍 등 서너 명이 정치를 마음대로 휘둘러
여보옹~ 정치 받오~
정치
OK~

왕실이 문란하고
www.여왕침소
성인 19

나라의 기강이 흔들렸어.
나라의 기강

각지에서 도적 떼가 극성을 부리고
안 서?!
너 같으면 서겠냐? 바봉!

왕실을 비판하는 다라니(불교식 은어, 주문)가 돌았지.
南無亡國 刹尼那帝 判尼判尼
나무망국 찰리나제 판니판니
蘇判尼 于于三阿干 鳧伊娑婆訶
소판니우우삼아간 부이사바하
왕실에서는 그런 글을 지을 사람이 당시의 대학자 왕거인밖에 없다고 짐작하여
왕 거인?
뭔가 잘못 된 거 같군.
바로 옥에 가두었어.
왕거인이 시를 지어 억울함을 호소했더니
于公慟哭三年旱 鄒衍含悲五月霜
우공통곡삼년한 추연함비오월상
今我失途還似古 皇天無語但蒼蒼
금아실도환사고 황천무어단창창
우공이 통곡하니 삼년이 가물었고 추연이 슬픔을 머금으니 오월에도 서리가 내렸네.
지금의 내 깊은 슬픔은 옛 일과 비슷하지만
황천은 말없이 푸르기만 하도다.
감옥에 벼락이 떨어져
콰앙
살아날 수 있었지.
하늘이 노한겨?
너 빨리 집에 가!
번개 맞아 죽을 뻔 했네.
여왕의 막내아들 아찬 양패가 당나라에 사신으로 갈 때 일이야.
사신
후백제의 해적들이 진도에서 뱃길을 막는다는 말을 듣고
뱃길
특별히 활을 잘 쏘는 병사 50명을 뽑아 데리고 갔지.
50명
일행이 탄 배가 곡도에 닿았을 때 갑자기 풍랑이 심하게 일더니 며칠이 지나도 가라앉지 않았어.
쿠르르
양패는 답답한 마음에 점을 치게 했지.
살살 쳐…
섬에 신령한 연못이 있으니 거기 제사를 지내는 것이 좋겠습니다.
꺼어어!

양패가 연못에 정성껏 제사를 지내자
연못의 물이 한 길이나 치솟았단다.
콰과과
그날 밤 꿈에 한 노인이 나타나서 말하기를,
활 잘 쏘는 사람 하나를 섬 안에 남겨 두면 풍랑이 가라앉을 것이오.
꿈에서 깬 양패는 군사들에게 이 말을 전했지만
내말 뭔 말인 줄 알지?
….
아무도 선뜻 남으려고 하지 않았지.
난 여우 같은 마누라와 토끼 같은 자식이 있어서….
난 애가 자그마치 12명이여.
난 마누라가 둘이여.
궁리 끝에 각자의 이름을 쓴 나뭇조각을 물에 넣고 가라앉는 사람이 남기로 했어.
이름
이름
이름
50명이 자기 이름을 쓴 나무 조각을 물에 넣었더니
거타지의 것만 물속으로 잠기는 거야.
거타지
거타지만 남긴 채 일행이 출발하니
바다는 언제 그랬냐는 듯 잔잔하고
내가 언제 그랬냐~?
잔 잔~
배는 거침없이 잘 나갔단다.
쭉! 쭉! 쭉!

혼자 남은 거타지가 시름에 잠겨 있는데
연못 속에서 한 노인이 나타나 말했어.
하이~
나는 서해의 신이오. 놀라지 말고 내 부탁을 좀 들어주오.
하나도 안 놀랐거든요.
뭔데요?
매일 아침 해뜰 무렵, 하늘에서 중이 한 명 내려와…
다라니 주문을 외우면서 이 연못을 세 바퀴 도는데
다라니… 다라니…
우리 부부와 자식들은 이 주문만 들리면 물 위로 떠오르게 되오.
그때를 노린 중은
우리 자식들을 하나씩 붙잡아
간과 창자를 빼먹어 죽였소.
이제 모두 죽고 우리 부부와 딸 하나만 남았다오.
훌쩍 훌쩍
내일 아침에도 분명 그 놈이 다시 올 것이오. 제발 그대가 활로 그 놈을 없애주시오.
거타지는 활 쏘는 일이라면 자신 있으니 분부대로 하겠다고 대답했지.

이튿날 해가 뜨자
과연 중이 하늘에서 내려와
주문을 외워
다라니~ 다라니~
바다신을 떠오르게 하고
다라니~ 다라니~
간을 빼먹으려 했어.
간
그 순간 거타지는 힘껏 화살을 당겨
척
중을 명중시켰지.
꽥 소리를 지르며 땅에 떨어진 것은 놀랍게도 늙은 여우 한 마리였단다.
고꽥
죽을 위기를 넘긴 노인이 고마워하며 말했어.
땡큐!
그대 덕분에 목숨을 건졌으니 보답으로 내 딸을 주겠소.
거타지는 아름다운 딸을 준 데 감사하며 "진실로 백년해로 하겠습니다."라고 말했어.
백년해로 하겠습니다~
탁
노인은 딸을
탁
아직 안녀

꽃가지로 변하게 한 뒤
거타지의 품속에 넣어 주었지.
그리고 두 마리 용에게 배를 호위하게 하여 당나라까지 무사히 가도록 했어.
당나라 사람들은 신라 사신의 배가 두 용에게 업혀 오는 걸 보고 깜짝 놀라
당나라
황제에게 전했지.
당 황제는 신라 사신이 보통 사람이 아닐 거라 생각하고
보통 사람이 아닐 거야….
극진하게 대접했어.
극진
대접
신하들 중 제일 윗자리에 앉히고
먹으라는 거야 말라는 거야?
돌아갈 때는 금과 비단을 후하게 주었지.
거타지는 신라로 돌아오자마자 품에 넣어 둔 꽃가지를 꺼내
신라
여자로 변하게 한 뒤
펑ㅡ
둘이는 오래오래 행복하게 살았대.
검은 머리가
파뿌리 되었네.

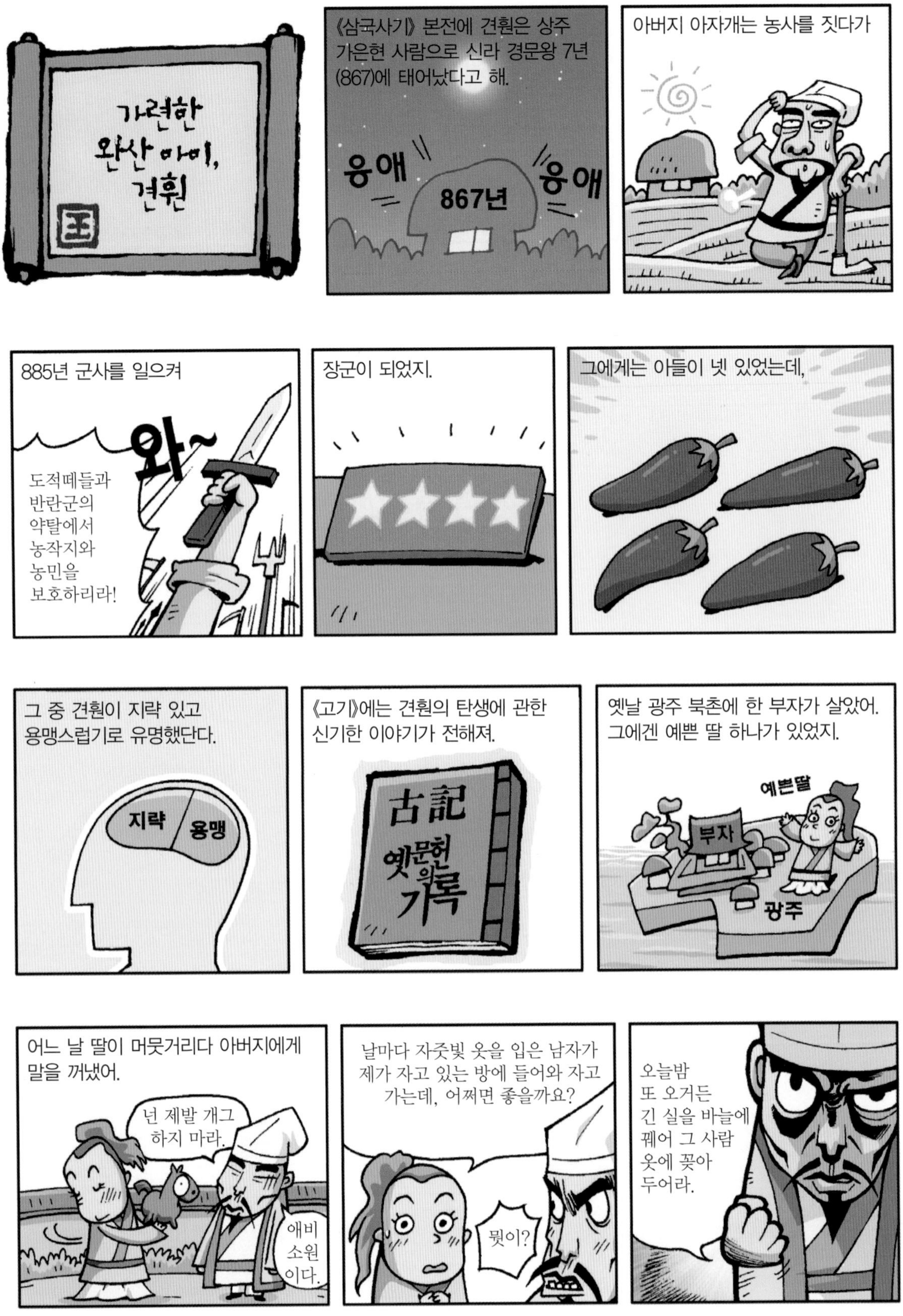

가련한 완산 아이, 견훤
《삼국사기》 본전에 견훤은 상주 가은현 사람으로 신라 경문왕 7년(867)에 태어났다고 해.
응애
867년
응애
아버지 아자개는 농사를 짓다가
885년 군사를 일으켜
와~
도적떼들과 반란군의 약탈에서 농작지와 농민을 보호하리라!
장군이 되었지.
그에게는 아들이 넷 있었는데,
그 중 견훤이 지략 있고 용맹스럽기로 유명했단다.
지략
용맹
《고기》에는 견훤의 탄생에 관한 신기한 이야기가 전해져.
古記
옛문헌의 기록
옛날 광주 북촌에 한 부자가 살았어. 그에겐 예쁜 딸 하나가 있었지.
예쁜딸
부자
광주
어느 날 딸이 머뭇거리다 아버지에게 말을 꺼냈어.
넌 제발 개그 하지 마라.
애비 소원 이다.
날마다 자줏빛 옷을 입은 남자가 제가 자고 있는 방에 들어와 자고 가는데, 어쩌면 좋을까요?
뭣이?
오늘밤 또 오거든 긴 실을 바늘에 꿰어 그 사람 옷에 꽂아 두어라.

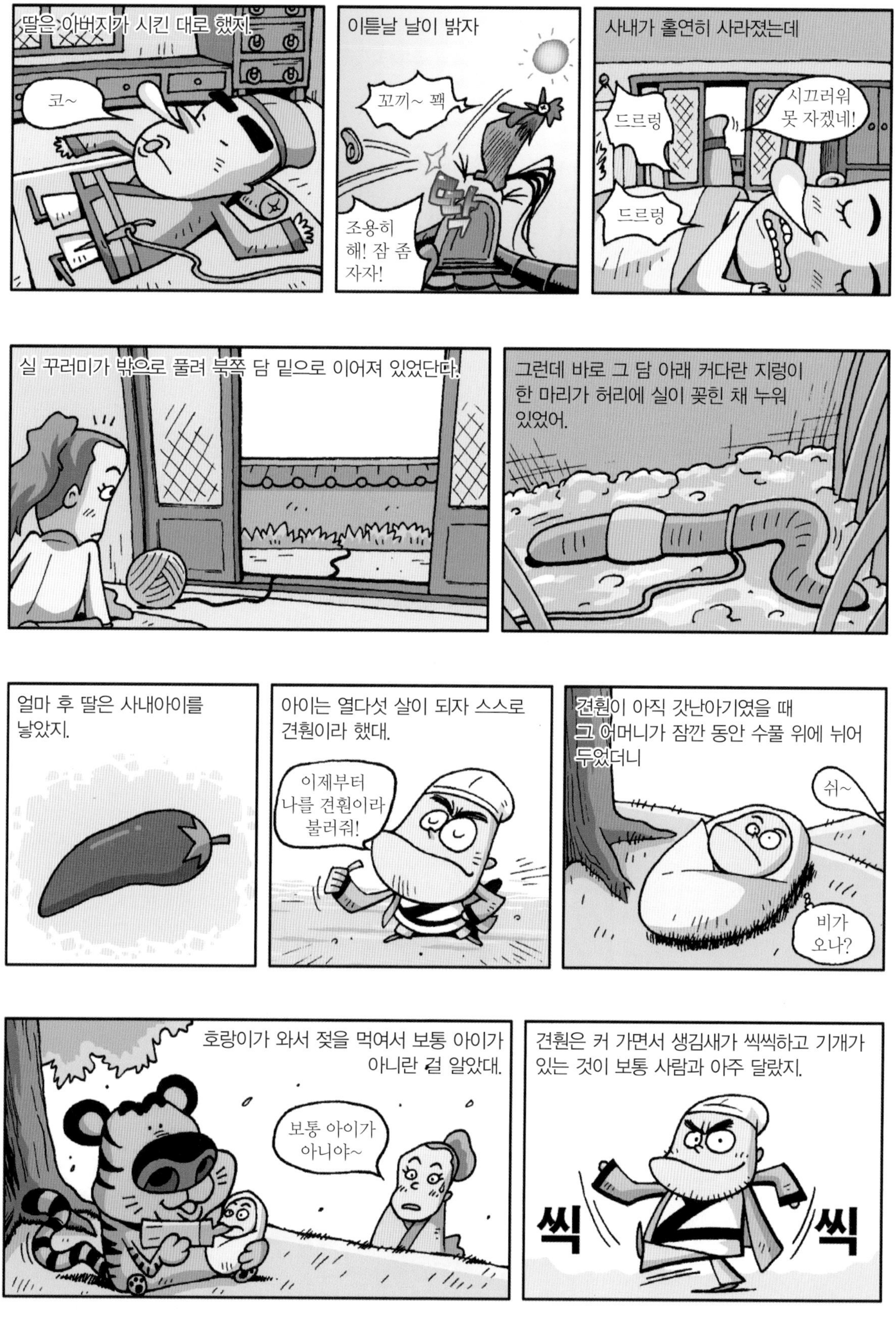
딸은 아버지가 시킨 대로 했지.
코~
이튿날 날이 밝자
꼬끼~ 꽥
조용히 해! 잠 좀 자자!
사내가 홀연히 사라졌는데
드르렁
시끄러워 못 자겠네!
드르렁
실 꾸러미가 밖으로 풀려 북쪽 담 밑으로 이어져 있었단다.
그런데 바로 그 담 아래 커다란 지렁이 한 마리가 허리에 실이 꽂힌 채 누워 있었어.
얼마 후 딸은 사내아이를 낳았지.
아이는 열다섯 살이 되자 스스로 견훤이라 했대.
이제부터 나를 견훤이라 불러줘!
견훤이 아직 갓난아기였을 때 그 어머니가 잠깐 동안 수풀 위에 뉘어 두었더니
쉬~
비가 오나?
호랑이가 와서 젖을 먹여서 보통 아이가 아니란 걸 알았대.
보통 아이가 아니야~
견훤은 커 가면서 생김새가 씩씩하고 기개가 있는 것이 보통 사람과 아주 달랐지.
씩
씩

군인이 되어 서남해의 해안 수비를 맡았는데
항상 창을 베고 잘 만큼 기개가 대단했어.
코~
그 창 아닌 거 알지?
자연히 믿고 따르는 병사들이 많았고
견훤 팬클럽 창단식
곧 비장으로 승진했단다.
견훤
축 승진
진성여왕 6년 나라가 어지럽고 흉년이 겹치면서
어이쿠 빈혈이야
신라
백성들은 거지 떼가 되어 떠돌고
작년에 왔던 각설이가~죽지도 않고 또 왔네~
얼~씨구 씨구 들어간다~
절~씨구 씨구 들어간다~
보태줍쇼~ 눼~
저리 안 가? 썩을!
탕! 탕!
도적이 들끓었지.
도둑질에도 상도덕이 있거늘.
먼저 터는 게 임자요!
그 때 견훤이 신라 왕실에 반기를 들고 일어나니
반
기
썩어 빠진 이 나라 더는 두고만 볼 수 없다!
모여든 백성들이 한 달 만에 5,000명으로 늘었어.
5000
견훤 팬클럽 5000명돌파 기념회
그는 무진주(전남 광주)를 손에 넣은 후,
무진주
북원(충북 충주)의 양길에게 비장 벼슬을 주어 자기편으로 만들었지.
이거 줄게 내 편 해라.
응!
비장
견훤이 완산주(전주)에 왔을 때 백성들이 환영하는 걸 보고
꺄아아~ 오빠~
견훤 환영합니다!

백제가 나라를 세운 지 600여 년 만에, 신라는 당나라를 끌어들여 백제를 멸망시켰다. 이제 다시 나라를 세워 원한을 씻고야 말리라.
드디어 견훤은 나라를 세워 국호를 후백제라 하고 스스로 왕위에 올랐단다.
후 백 제
신라 효공왕 4년(900년) 왕이 된 견훤은 제도와 관직을 만들고 관리들을 임명해
관리
관 직
나라의 틀을 잡아 나갔지.
나라의 틀
후백제
그 무렵 철원을 서울 삼아 활약하던 궁예 무리들은
후고구려
고구려의 부흥을 위하여!
철원
도읍
포악한 궁예를 내쫓고
백성을 괴롭히고 방탕한 당신 아웃!
깨갱~
뻥!
부하
918년에 왕건을 왕으로 추대했단다.
왕건이다!
왕건
왕 위
견훤은 축하한다며 사신과 선물을 보냈지만
왕건 댁이죠? 택배 왔습니다.
삐
918
사신 택배
속으로는 반드시 넘어뜨려야 할 적으로 생각하고 있었어.
928년 겨울 견훤은 3,000명을 이끌고 조문성을 공격했고, 왕건도 정예부대로 맞서니
후백제
TK-3000
조문성
좀처럼 승부가 나질 않았지.
잠깐 쉴까?
그러자.
왕건은 일단 화해를 하자면서 아우 왕신을 인질로 보내. 견훤도 찬성하고 사위 진호를 인질 삼아 보냈단다.
물 물 교 환

12월 들어 견훤은 신라의 거서성 등 20여 성을 빼앗고
뺏어먹는 맛이란….
우아아앙~
20여 성(城)
신라
후당에 사신을 보내니, 후당에서는 그를 백제왕으로 인정하여 작위를 내렸지.
땡큐!
후당
백제의 왕으로 인정함
후백제
이즈음 왕건에게 가 있던 사위 진호가 갑자기 죽자
꽥!
돌연사
견훤은 화가 나서 왕신을 가두고
왕건에게 예전에 주었던 준마를 돌려달라고 요구했어.
내 놔!
퉤 퉤 퉤
에이~ 치사빤스!
다음해 견훤은 군대를 이끌고 서라벌로 쳐들어가
서라, 벌!
?
포석정에 나가 있던 신라왕 앞에서 왕비를 욕보이고
꺄아아악
왕의 친척 동생인 김부를 왕으로 세웠지.
왕
김부
신라왕의 요청을 받은 왕건은
SOS
신라
정예군 5,000명을 이끌고 공산(대구 팔공산) 아래서 견훤과 싸웠지만
왕건
견훤
형제처럼 아끼는 김락과 신숭겸을 잃고 크게 지고 말았단다.
까~아 불고들 있어이!
김락
왕건
왕건은 겨우 몸만 빠져 나오고
들어 오기만 해봐라!
무서운 마누라….
아아… 추워이~

그의 오른팔 격이었던 홍술 태수마저도 견훤을 맞아 싸우다 죽었지.
우하하하
930년 견훤은 안동 공격에 나섰지…
후백제
이겼겠지?
키키키킥
…만 패하고
A~ C!
푹
에효…
이튿날 순주성을 급습하여 손에 넣었어.
목말라!
급습
순주성
탁
계속되는 공방전 속에서
견훤은 왕건에게 편지를 보내지.
엥? 뭐해?
가만 있어 봐. 편지 보냈다잖아.
그대는 내 말머리도 보지 못하고 내 쇠털 하나도 건드리지 못했소. 내 꿈은 평양성 누각에 활을 걸고 대동강 물로 말을 먹이는 것이오. 고려와의 화친을 당부하는 오월국의 뜻을 받들려 하나 그대가 계속 싸우려 할까 조서를 베껴 보내오.
이에 질세라 왕건도 답장을 썼지.
천천히 보내 좀 쉬게.
나는 악한 마음을 먹은 일이 없으며, 오직 임금을 높이고 신라를 위태로움에서 구하려는 생각뿐이오. 그런데 후백제의 왕은 털끝 만한 이익에 눈이 어두워 하늘 같은 은혜를 잊고서 임금을 죽이고 궁궐을 불사르며 온갖 보물을 빼앗고 백성을 짓밟았소. 내가 군사를 일으킨 지 2년 만에 당할 자가 없게 되었소. 하늘이 돕는데 천명이 어디로 돌아가겠는가 한번 생각해 보오.
이렇듯 팽팽한 기싸움으로 맞섰단다.
탁
탁
청기 이겨라!
탁
백기 이겨라!
그 즈음 지혜와 용맹으로 유명한 견훤의 신하 공작이 왕건에게 투항했는데
투항
나 아닌 거 같은데…
견훤은 그 보복으로 공작의 아들딸들을 잡아다 벌겋게 달군 쇠로 다리 힘줄을 끊어버렸지.
썽둥

이런 잔인함 때문에 점점 더 많은 부하들의 마음이 왕건에게 기울게 됐어.
견훤
마음
부하
왕건
934년 고려 장군 유금필이 운주성을 급습해서 웅진 북쪽 30여 성이 항복하고
급습
항복
후백제 30여 성
믿었던 부하들이 속속 귀순하자
날봐 날봐 귀순~
날봐 날봐 귀순~
그 귀순 아니거덩.
마음이 약해진 견훤은 아들들에게 말했지.
아 심장 떨려..
내가 후백제를 세운 지 여러 해가 지났고 군사력은 고려에 비해 갑절이나 많은데도 판세가 불리해지는구나. 하늘이 고려를 택하려나 보다.
지금이라도 왕건에게 귀순하여 몸을 지켜야 하지 않겠느냐?
하지만 신검, 양검, 용검 세 아들은 끝까지 싸우자고 주장했어.
끝까지 싸워요!
!
이들의 배다른 형제 금강은 체구가 우람하고 지혜가 뛰어나서 견훤의 총애를 받았는데
아들~ 알라뷰~
금강에게 왕위를 물려주려 한다며 이찬 능환이 신검을 부추겼지.
그러자 신검은 아버지를 금산사에 가두고
이런 불효막심한 놈!
卍
금산사
금강을 죽이게 했단다.
으아아악!
금강산
쇼를 해라 쇼를 해!
풍운아 견훤이 자식의 배반으로 쫓겨난 것은 935년 3월 이른 봄의 일이야.
견훤은 자신을 지키는 병사들을 술에 취하게 한 다음 후궁과 시녀들을 데리고 도망쳐 왕건에게 투항했어.
후백제
금산사
쉬~
투항
고려

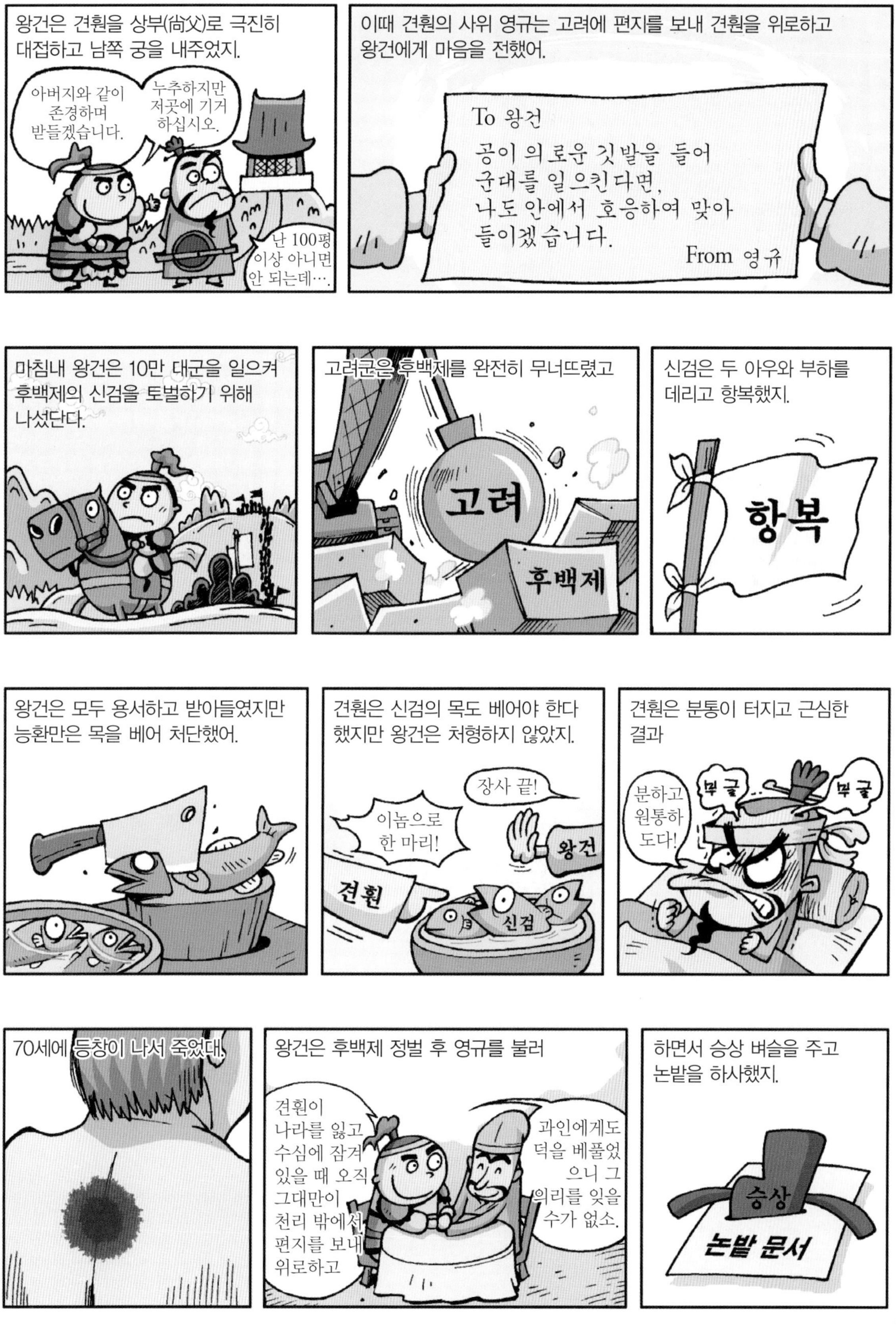
왕건은 견훤을 상부(尙父)로 극진히 대접하고 남쪽 궁을 내주었지.
아버지와 같이 존경하며 받들겠습니다.
누추하지만 저곳에 기거하십시오.
난 100평 이상 아니면 안 되는데….
이때 견훤의 사위 영규는 고려에 편지를 보내 견훤을 위로하고 왕건에게 마음을 전했어.
To 왕건
공이 의로운 깃발을 들어 군대를 일으킨다면, 나도 안에서 호응하여 맞아들이겠습니다.
From 영규
마침내 왕건은 10만 대군을 일으켜 후백제의 신검을 토벌하기 위해 나섰단다.
고려군은 후백제를 완전히 무너뜨렸고
고려
후백제
신검은 두 아우와 부하를 데리고 항복했지.
항복
왕건은 모두 용서하고 받아들였지만 능환만은 목을 베어 처단했어.
견훤은 신검의 목도 베어야 한다 했지만 왕건은 처형하지 않았지.
장사 끝!
이놈으로 한 마리!
왕건
견훤
신검
견훤은 분통이 터지고 근심한 결과
분하고 원통하도다!
뿌글
뿌글
70세에 등창이 나서 죽었대.
왕건은 후백제 정벌 후 영규를 불러
견훤이 나라를 잃고 수심에 잠겨 있을 때 오직 그대만이 천리 밖에서 편지를 보내 위로하고
과인에게도 덕을 베풀었으니 그 의리를 잊을 수가 없소.
하면서 승상 벼슬을 주고 논밭을 하사했지.
승상
논밭 문서

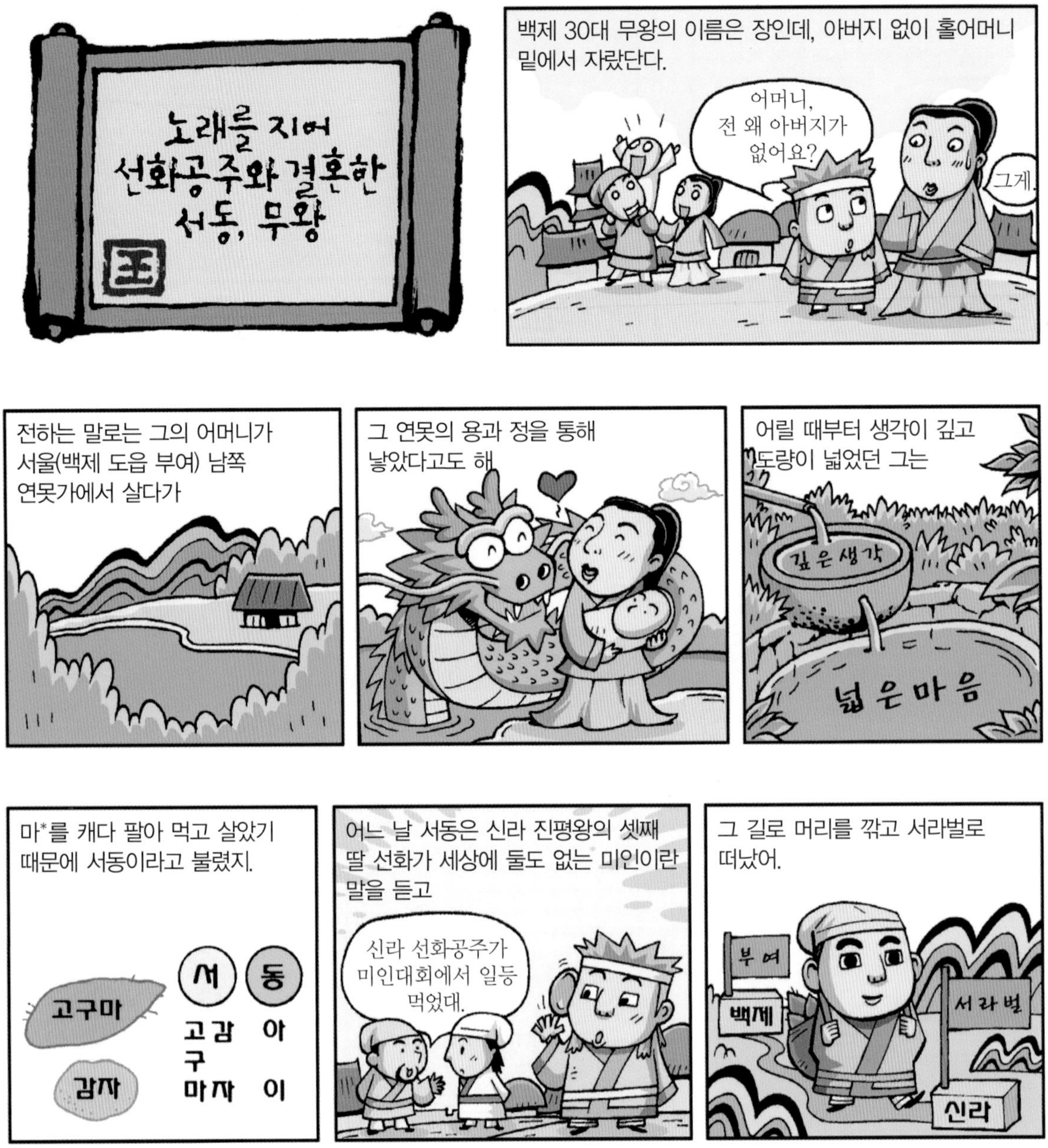
노래를 지어
선화공주와 결혼한
서동, 무왕
王
백제 30대 무왕의 이름은 장인데, 아버지 없이 홀어머니 밑에서 자랐단다.
어머니, 전 왜 아버지가 없어요?
그게.
전하는 말로는 그의 어머니가 서울(백제 도읍 부여) 남쪽 연못가에서 살다가
그 연못의 용과 정을 통해 낳았다고도 해.
어릴 때부터 생각이 깊고 도량이 넓었던 그는
깊은 생각
넓은 마음
마*를 캐다 팔아 먹고 살았기 때문에 서동이라고 불렸지.
고구마
감자
서
동
고구마
감자
아
이
어느 날 서동은 신라 진평왕의 셋째 딸 선화가 세상에 둘도 없는 미인이란 말을 듣고
신라 선화공주가 미인대회에서 일등 먹었대.
그 길로 머리를 깎고 서라벌로 떠났어.
부여
백제
서라벌
신라

*마 – 땅 속에서 캐는 먹을거리.

신라로 간 그는 아이들에게 마를 나누어 주면서 친해진 뒤,
바지를?!
그러지 마!
마!
마!
자기가 지은 노래를 가르쳐주어 부르게 했단다.
선화공주님은
남몰래 짝지어 두고

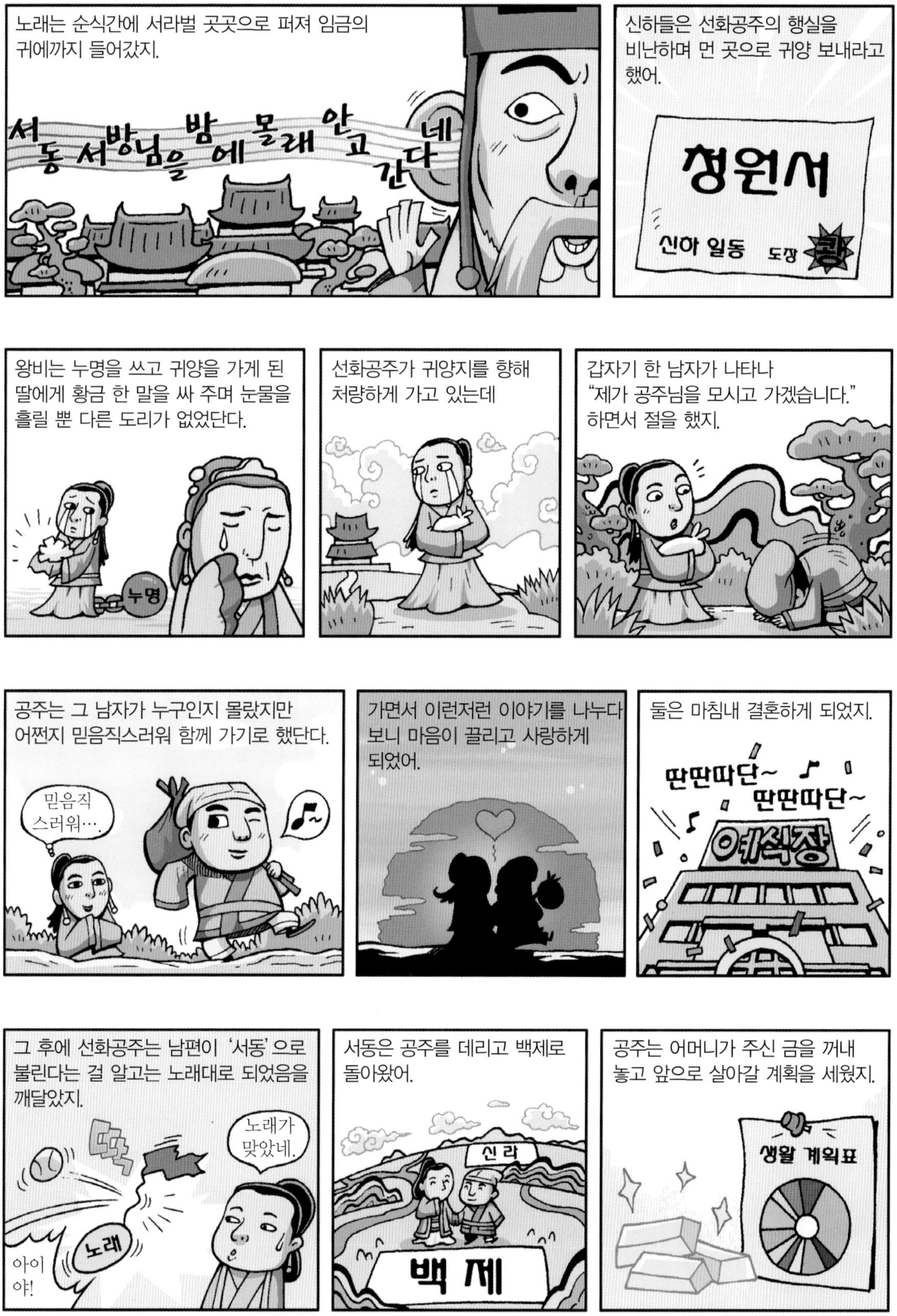
노래는 순식간에 서라벌 곳곳으로 퍼져 임금의 귀에까지 들어갔지.
서동 서방님을 밤에 몰래 안고 간다네
신하들은 선화공주의 행실을 비난하며 먼 곳으로 귀양 보내라고 했어.
청원서
신하 일동
도장
쾅
왕비는 누명을 쓰고 귀양을 가게 된 딸에게 황금 한 말을 싸 주며 눈물을 흘릴 뿐 다른 도리가 없었단다.
누명
선화공주가 귀양지를 향해 처량하게 가고 있는데
갑자기 한 남자가 나타나 "제가 공주님을 모시고 가겠습니다." 하면서 절을 했지.
공주는 그 남자가 누구인지 몰랐지만 어쩐지 믿음직스러워 함께 가기로 했단다.
믿음직 스러워….
가면서 이런저런 이야기를 나누다 보니 마음이 끌리고 사랑하게 되었어.
둘은 마침내 결혼하게 되었지.
딴딴따단~ 딴딴따단~
예식장
그 후에 선화공주는 남편이 '서동'으로 불린다는 걸 알고는 노래대로 되었음을 깨달았지.
딱
노래가 맞았네.
노래
아이야!
서동은 공주를 데리고 백제로 돌아왔어.
신라
백제
공주는 어머니가 주신 금을 꺼내 놓고 앞으로 살아갈 계획을 세웠지.
생활 계획표

서동이 금을 보고 이게 뭐냐고 물으니
황금이라고, 이것만 있으면 평생 아무 걱정 없이 풍족하게 살 수 있다고 했지.
아파트
그러자 서동이 크게 웃으면서 말했어.
크하하하!
내가 어릴 때 마를 캐던 곳에는 이런 것이 흙덩이처럼 쌓여 있소.
그게 황금이었어? 고생 괜히 했네.
공주가 깜짝 놀라
이것은 천하에 다시없는 보물입니다. 정말 금이 있는 곳을 아신다면 우리 부모님께 보내드리면 어떨까요?
옳거니!
두 사람은 함께 금이 있는 곳으로 가서 황금을 모으기 시작했어.
삽시간에 금이 산더미처럼 쌓였지.
이제 신라 궁궐로 보내면 되는데 방법이 없었어.
어떻게 보내지?
택배?
그래서 신통력 있다고 소문난 용화산 사자사의 지명법사를 찾아갔지.
사자사
법사는 신통력으로 공주가 쓴 편지와 금을 하룻밤 사이에 신라 궁중으로 옮겼단다.
신통력
기적 같은 일을 본 진평왕은 서동을 매우 존경하였고
사위가 보냈단 말이지?
늘 편지를 보내 안부를 물었어.
e-mail
안부
장인 진평

이 일이 있고부터 서동의 이름은 널리 퍼지고
서동
사람들의 마음을 얻어 마침내 왕위에 올랐지.
백제 제30대
무왕 취임식
왕이 된 서동이 왕비와 함께 사자사로 가는 길에 용화산 아래 큰 못가에 이르렀는데

갑자기 미륵삼존*이 연못에서 나타났어. 둘은 놀라 수레를 멈추고 절을 했지.
이도끼가 니 도끼냐으~
뭔가 이상하다 …
아니면 이 도끼?
왕비가 왕에게 "여기에 큰 절을 세우는 것이 저의 소원입니다." 하니 왕이 허락했지.
절을 세우려는데 연못을 메울 일이 문제였어.
어쩐다 ….

*미륵삼존 – 가운데 미륵불과 이를 모시는 두 보살을 합한 명칭.

다시 지명법사에게 의논하니
의논
신통력으로 산을 무너뜨려서 하룻밤 새 큰 못을 평평한 땅으로 만들었지.
신통력
쿵
이곳에 미륵불상 셋을 모시고

탑, 회전(법회를 여는 건물), 낭무를 세 곳에 세워 미륵사라 했단다.
미륵사를 세울 때 진평왕은 신라에서 유명한 기술자를 보내 도왔대.
신라 기술자
백제
지금도 미륵사 터엔 무너진 탑*이 남아서 옛 일을 전하고 있지.

*미륵사지 석탑

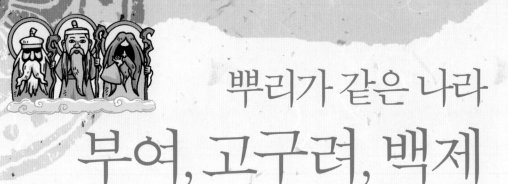

뿌리가 같은 나라
부여, 고구려, 백제

정말 오랜만에 백제 이야기가 나왔구나. 추모왕(주몽)은 고구려를 세우고, 그 아들들은 또 백제를 세웠다니 참 놀랍지. 부여에서 온 유리 왕자에게 위협을 느껴 자신들이 자란 고구려를 뒤로 하고 새로운 땅을 찾아 나선 건 아버지 추모왕이 대소 왕자를 피해 졸본으로 와서 고구려를 세운 일을 되풀이한 듯 똑같아.

추모왕에게 활쏘기를 가르치고 나라를 세우기 위한 여러 준비를 도와준 어머니 유화부인이 있었다면, 비류와 온조에게는 소서노라는 훌륭한 어머니가 계셨지. 소서노는 졸본부여왕의 딸로, 추모왕이 고구려를 세울 때도 많은 재물로 힘이 돼 주었고, 새로운 나라를 일으키려는 두 아들을 격려하며 든든한 지원자 역할을 했단다. 여기에 그 이름이 나오지는 않지만, 소서노는 고구려와 백제, 두 나라의 건국에 큰 공을 세운 위대한 여성이었다고 할 수 있지.

▲ 백제의 우수한 문화를 보여주는 유물. 백제 금동대향로.

그런데 비류와 온조는 실제 형제가 아니라 북쪽 고구려에서 내려온 두 부족의 우두머리였다는 의견도 있어. 한강 남쪽에는 수백 년에 걸쳐 여러 부족들이 자리 잡았고, 그들은 점차로 연맹을 맺어 세력을 키워갔지. 형으로 표현된 비류 쪽이 주도권을 잡았다가, 비류가 죽은 후엔 온조가 연맹의 주도권을 장악했다는 거야. 형제로 묘사된 것은 연맹 간의 강한 결속력을 비유하는 이야기란 설명이지. 백제는 처음엔 힘이 약해 마한의 왕에게 조공을 바쳤지만, 비류의 세력을 흡수하고 마한의 작은 나라들을 정복하면서 충청·전라도 일대에 걸친 왕국으로 발전해 나갔단다.

▲ 백제 무덤양식을 잘 보여주고 있는 무령왕릉.

중요한 것은 부여와 고구려, 백제가 모두 하나의 계통으로 볼 수 있는 나라들이란 거야. 고구려와 백제가 같은 뿌리에서 나왔음을 알려주는 유적이 있어. 서울과 남한강 북한강 일대에 분포하는 백제의 고분은 돌로 거대하게 쌓아올린 적석총으로, 고구려 수도였던 국내성(중국 길림성 집안시)에서 볼 수 있는 피라미드 형태의 무덤과 거의 같단다. 문화에 따라 큰 차이를 보이며 또 쉽게 변하지 않는 게 무덤양식이라고 할 때, 두 나라의 무덤이 유사하다는 것은 백제가 고구려와 같은 문화적 토대 위에 시작되었음을 말해주지. 백제의 왕족들은 자신들이 부여를 세운 해모수의 후손이라는 생각을 가지고 있어서 성姓도 부여씨라고 했단다.

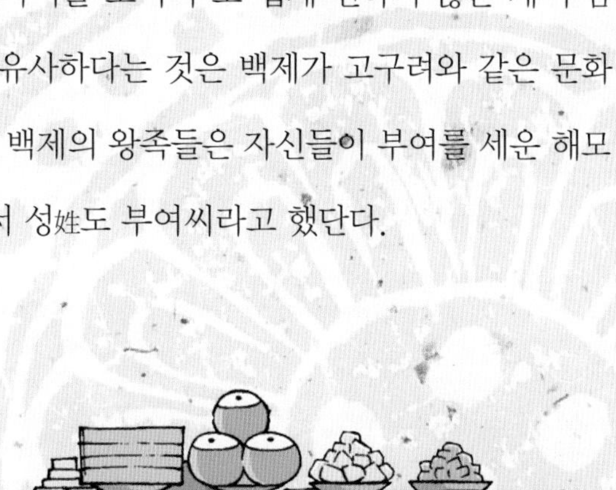

《삼국유사》에 나타난 신라 후기의 부패

신라 후기에 들어서면서 혜공왕 이후로 진골 귀족들 사이에 왕좌를 차지하기 위한 다툼이 계속되어 제 명에 죽은 왕이 거의 없을 정도가 되었지. 자연히 왕이나 왕을 도와주는 시중 세력은 약화되고 진골 귀족을 대표하는 상대등이 득세하는 결과를 가져왔어. 중앙의 정치가 혼란해진 사이에 지방에서는 호족들이 일어나 자신들의 세력을 키워나갔지. 최치원 등 6두품 지식인들은 나라의 질서를 세우기 위해 유교 정치 이념을 제시하고 우수한 인재 등용을 위해 과거제도를 실시하자고 건의하지만 받아들여지지 않았어. 이 이야기 속의 왕거인도 인재를 알아주지 않고 오히려 핍박했던 상황에서 희생양이 된 사람이야. 진골 귀족들 때문에 제대로 뜻을 펴지 못한 6두품 출신들은 결국 신라에 대항하는 호족들에게 정치의 바탕이 되는 이념을 제공하여 힘을 실어주게 되지.

▲ 안압지는 통일신라 말기 대표적 연회장소였다.

진성여왕 시기는 신라 하대의 혼란이 극에 달해 수습하기 어려운 지경에 이르렀단다. 진성여왕이 여자라서 무능했거나 도덕적으로 타락해서 정치가 문란해졌다고 보긴 어렵고, 그 시대를 이끌어갈 위치에 있었던 진골 귀족들이 자신들의 특권을 유지하고 향락을 즐기는 데만 골몰했기 때문에 백성들의 생활은 점점 고달파질 수밖에 없었던 거지. 나라는 어지럽고 천재지변까지 잇따르니 전국 각지에서 백성들이 반란을 일으키고, 반란의 두목 중에는 궁예나 견훤처럼 호족으로 성장하는 이도 생겼단다.

▲ 신라 후기에는 방탕과 사치가 극에 달했다. 당시의 금 세공기술을 잘 보여주는 금관.

거타지 이야기를 살펴보자. 배를 함께 타고 가던 무리가 거센 풍랑을 만나는 상황에서, 제비를 뽑아 희생제물이 될 사람을 결정하는 줄거리가 어디선가 들어본 것 같지 않아? 《성서》에 나오는 요나 이야기와 참 비슷하지? 죽을 거라고 생각했던 사람이 결국 살아남아서 나머지 사람들까지 구해 준다는 내용까지 말이야. 이야기 속에서 서해 신의 자식들을 하나씩 잡아서 간과 창자를 빼먹고 죽여 버리는 가짜 중의 실체는 늙은 여우였지. 거타지가 화살 한 방으로 쏘아 맞힌 그 늙은 여우는 너무나 오랫동안 썩어문드러진 당시 신라 사회의 모습이고, 진골 귀족들이고 세상의 온갖 모순과 허위가 아니었을까? 사실 거타지 이야기는 고려를 세우는 왕건의 할아버지 작제건 설화와 너무도 닮아 있단다. 서해 신이 거타지의 품 속에 넣어준 꽃가지가 다시 여자로 변해 둘 사이에 아들을 낳았다면 바로 왕건의 아버지 용건이 태어났겠지. 그렇다면 이 이야기는 신라가 역사의 저편으로 사라져간 뒤에 등장할 새로운 시대를 예고하는 것이라고 볼 수 있을 거야.

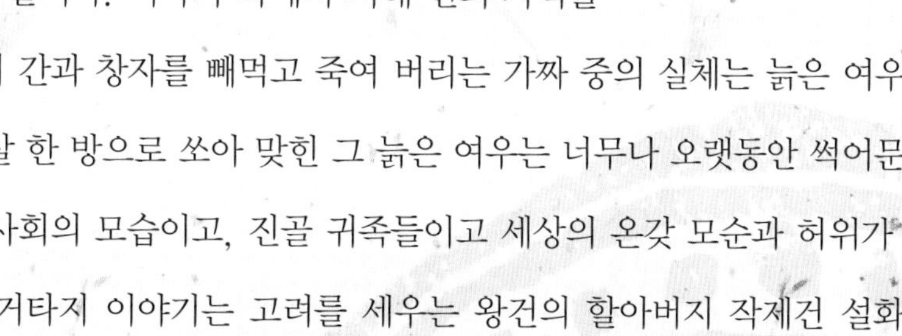
1

후삼국 시대의 영웅 견훤

신라 말기의 혼란이 극에 달했던 진성여왕 시기를 거쳐 효공왕 대에 이르면 신라 정부에 불만을 가진 사람들이 세력을 이뤄 나라를 세우기에 이르지. 견훤은 900년에 완산주에서 백제를 다시 일으킨다는 명분으로 후백제를 세우고, 바로 다음 해 궁예는 고구려의 부흥을 내걸고 후고구려를 건국했어. 궁예가 쫓겨난 다음에 왕이 된 왕건은 나라 이름을 다시 고려로 바꾸지. 이제 신라와 후백제, 후고구려가 존재하는 후삼국시대로 접어든 거야.

밤에 손님처럼 오는 이상한 남자 이야기는 야래자夜來子 설화라고 해서 여러 곳에 전해지는데, 여기서 그 밤손님의 정체가 지렁이였다는 게 흥미롭지. 지렁이는 보기엔 징그러울지 몰라도 땅을 비옥하게 하는 이로운 동물이지. 농사를 짓는 사람들에게 지렁이는 소중한 땅을 지켜주는 고마운 존재로 생각되었을 거야. 견훤이 지렁이의 아들로 표현된 것은 그의 아버지가 농민 출신이었고 걸출한 면이 있는 사람이었다는 뜻이 아닐까? 서동이 용의 아들이었다고 한 데 비해 지렁이라고 했으니 용, 즉 왕보다는 신분이 좀 낮았다는 의미도 되고.

▲ 견훤이 갇혀 있었다는 금산사 미륵전.

호랑이의 기개로 천하를 호령했던 견훤, 그는 신라왕을 굴복시키고 왕건에게 쓰라린 패배를 안겨주지만, 아들 신검에게 배반당해 금산사에 갇히는 처지가 되었어. 그때 이런 노래가 유행했다지.

▲ 견훤산성

가련한 완산 아이는
아비 잃고 눈물을 흘리네.

견훤은 백제를 다시 일으키려는 큰 뜻을 품었지만, 결국 말년을 왕건에게 의지해 지내다 비참한 최후를 맞이해. 파란만장했던 그의 삶을 이렇게 마감했으니 안 됐다는 말이 나올 법하지.

일연 스님은 앞의 이야기에 덧붙여 다음과 같이 평했단다.

“신라는 운수가 다해 도道가 땅에 떨어졌다. 하늘도 더 이상 돕지 않고 백성들은 의지할 곳을 잃으니 도적들이 고슴도치 털처럼 일어났다. 그 중 세력이 가장 컸던 자는 궁예와 견훤이다. 궁예는 본래 신라의 왕자였는데, 제 나라에 원한을 품고 조상의 영정에 칼질까지 했으니 그 못된 성품을 알 만하다. 또 견훤은 신라의 백성으로 관직에 나가 신라의 녹을 먹었으면서도 반란할 마음을 품고 서울을 침범해서 군신을 짐승 잡듯 죽이는 만행을 저지른 자다. 그 때문에 궁예는 자기 부하들에게 버림받았고, 견훤은 자기 아들에게서 화를 입었다. 이 모두는 스스로 자초한 것인데 누구를 원망하겠는가? 이런 흉악한 인간이 어떻게 고려 태조와 겨룰 수 있었겠는가?”

신라의 궁궐을 무력으로 짓밟은 견훤보다, 신라를 돕겠다는 입장에서 후덕한 인품으로 사람들을 감화시킨 왕건이 더 높은 점수를 받았지. 신라의 마지막 왕이었던 경순왕도 견훤은 사나운 승냥이나 호랑이 같은데, 왕건은 꼭 부모와 같다고 추켜세웠어.

▲ 태조 왕건은 뛰어난 외교적 수완을 발휘, 후삼국을 통일하였다.

이런 평가는 이 책을 쓴 일연 스님이 고려 사람이고, 그 고려를 세운 사람이 왕건이었다는 점도 영향을 받았을 거야. 어쨌든 경순왕은 견훤이 아닌 왕건을 선택했고, 스스로 나라를 고려에 넘겨주며 항복했지. 이렇게 해서 천 년을 이어온 신라의 역사가 막을 내리게 된단다.

3부

불교를 뿌리내린 사람들

제9장 절마다 종소리 서울에 울려나네

새벽종이 울렸네~
뎅 하고 울렸네~

안개 속으로 온 손님들

고구려 17대 소수림왕 2년(372년)에 중국 전진의 왕 부견이 승려 순도를 보내 불경과 불상을 전했단다.
저의 임금께서 전하라 했다해.
오~
공짜요?

2년 뒤 동진에서 승려 아도가 불교를 전파하기 위해 왔어.
아
도오~

왕은 이듬해 초문사*란 절을 세워 순도에게 관리하게 하고,
잘 좀 관리해 주시오.
알았다 해.
초문사

또 이불란사**를 세워 아도를 머물게 했지.
이불란사

백제는 15대 침류왕이 즉위한 해(384년)에 중국 진나라에서 마라난타란 승려가 찾아왔어.
똑 똑
누구세요?

*초문사(肖門寺) – 우리나라 최초의 절. 《해동고승전(海東高僧傳)》에는 성문사(省門寺)가 옳다고 하였음.
**이불란사(伊弗蘭寺) – 초문사와 더불어 우리나라 최초의 절. 국내성 근처에 있었을 것으로 추정.

그를 통해 불교의 진리를 접한 침류왕은 이 새로운 사상에 깊이 빠져 들었지.
아… 좋다….
불교의진리
이듬해 새 도읍지 한산주에 절을 세우고, 열 사람을 뽑아 입문시켰단다.
입문
그리고 신라에는 눌지왕 때 고구려 수도승 묵호자가 경북 선산 지방을 찾아 왔대.
그곳에 살던 모례가 이상한 행색을 한 묵호자를 보고
좀 씻고 다니지…
원래 살색이야.
앙~
자기 집 안에 지하 굴을 파고 그 속에 머물게 했단다.
왕의 딸이 병이 들어 위독할 때 묵호자가 향을 피우며 정성껏 기도하자
공주의 병이 씻은 듯 나았대.
야호~
나한테 무슨 일 있었어?
왕이 큰 상을 내리려 했지만
大 상
묵호자의 종적을 알 수 없었다고 해.
못 찾겠다 꾀꼬리~
21대 소지왕 때는 아도화상이 제자 세 사람과 신라에 들어와 다시 모례의 집을 찾았지.
아도오~
아도는 이 집에 몇 년간 머물면서 사람들에게 불교의 가르침을 전하다가,
불교방송
어느 날 갑자기 마치 잠자는 것처럼 운명했단다.
커어 어어~

그의 제자 셋이 남아 교리를 전파하니 점차로 불교를 따르는 사람들이 생기게 되었대.
불교방송
요즘 불교 방송이 인기라며?
정말 재미 있는 걸~
오늘부터 불교방송 청취다.
엄청 재미있대.
아도화상의 비문에는 이렇게 적혀 있어.
중국 위나라 사람 아굴마가 고구려에 사신으로 왔다가 고도녕이란 여인과 정을 통해 낳은 아기가 아도임.
다섯 살에 어머니가 절로 보내
절로 가!
정말요?
스님이 되었어.
열다섯 살에 공부하러 중국으로 갔는데, 거기서 아버지 아굴마를 만났대.
아부이!
아부이!
아부이!
아도!
아도!
아도!
유학
현창화상의 제자로 4년간 불교 공부에 온 힘을 쏟다가
불경
고구려로 돌아왔지. 그 때 어머니가 말했어.
앞으로 3000달이 지나면 신라에 거룩한 임금이 나서 불교를 크게 일으킬 게다.
신라 서울에는 일곱 군데의 절터가 있는데, 모두 부처님 시대의 절터로 부처님의 가르침이 길이 흐를 자리지.
佛
그러니 스님은 당장 신라로 떠나 불교를 널리 전하도록 하오.
아도가 어머니 말씀을 따라 신라로 간 때는 미추왕 2년(263년)이란다.
고구려→신라
신라

대궐에 나가 불교를 전했더니 처음 들어보는 사람들이 싫어해서
재미 하나도 없구먼!
불교방송
죽이려고까지 들었어.
KILL
고래서 모례라는 사람 집에 숨어 지냈지.
모례 HOUSE
혹시 수상한 사람 못 봤소?
전혀.
헉
익!
이듬해 성국 공주가 병이 난 걸
아도가 기도를 드려서 깨어나게 했어.
레드~ 썬!
벌떡
딱!
왕이 보답할 마음으로 소원이 뭐냐니까
천경림에 사찰 하나만 지어 주세요.
이렇게 해서 세운 절이 흥륜사인데
흥륜사
아도가 이 절에서 설법할 때면 하늘 꽃이 뚝뚝 떨어지곤 했단다.
아, 아, 마이크 시험중.
설법
미추왕이 세상을 떠나자 아도를 해칠 음모를 꾸미는 사람들이 있었어.
음모
위험을 느낀 아도는 모례의 집으로 갔지.
줄행랑
모례 HOUSE
모례가 안전하게 숨을 곳을 마련하려고 하자 아도는 그럴 필요 없다며 고개를 저었어.
그리고 모례의 집 옆에 무덤을 파고

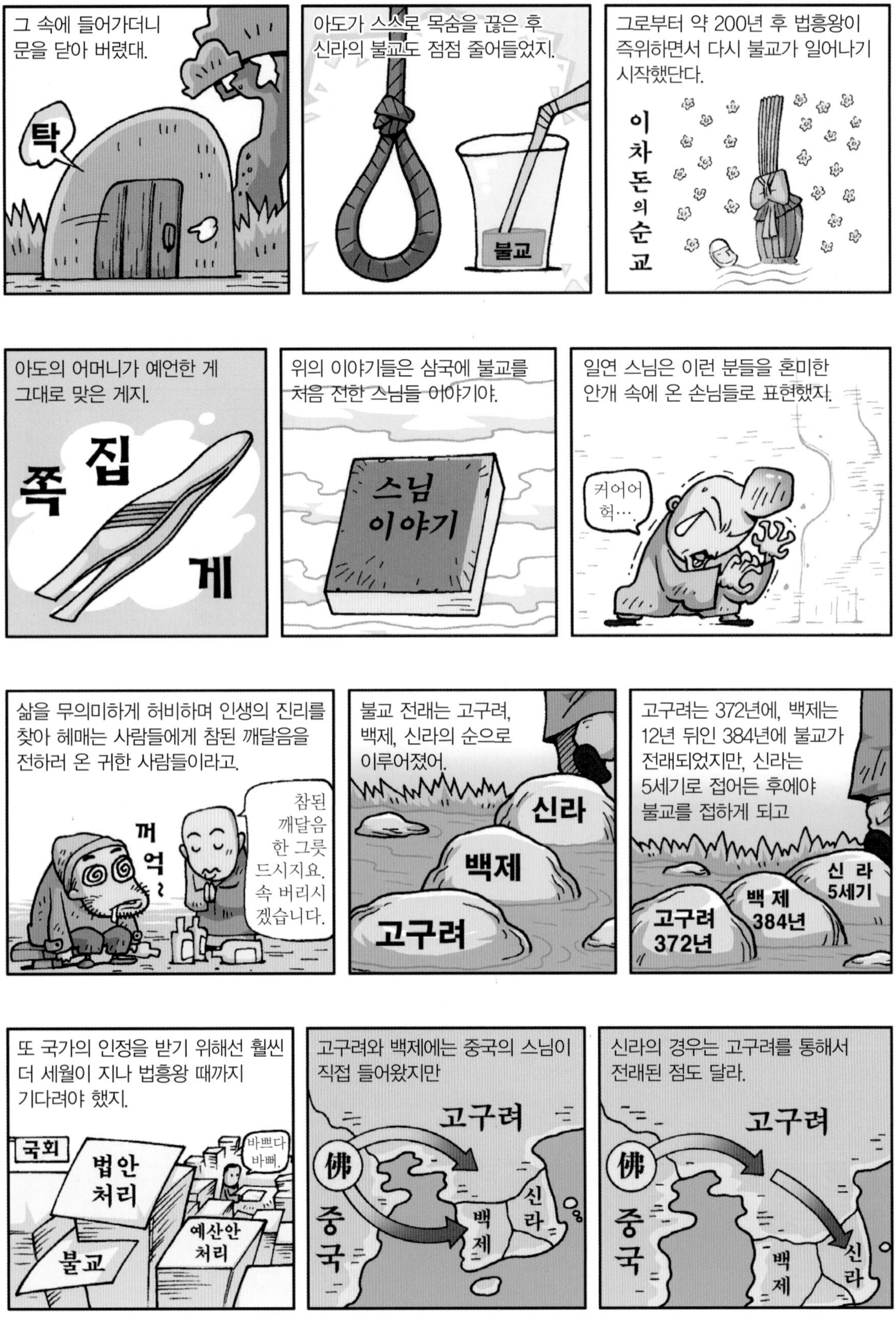
그 속에 들어가더니
문을 닫아 버렸대.
탁
아도가 스스로 목숨을 끊은 후
신라의 불교도 점점 줄어들었지.
불교
그로부터 약 200년 후 법흥왕이
즉위하면서 다시 불교가 일어나기
시작했단다.
이차돈의 순교
아도의 어머니가 예언한 게
그대로 맞은 게지.
족집게
위의 이야기들은 삼국에 불교를
처음 전한 스님들 이야기야.
스님 이야기
일연 스님은 이런 분들을 혼미한
안개 속에 온 손님들로 표현했지.
커어어 헉…
삶을 무의미하게 허비하며 인생의 진리를
찾아 헤매는 사람들에게 참된 깨달음을
전하러 온 귀한 사람들이라고.
꺼억~
참된 깨달음 한 그릇 드시지요. 속 버리시겠습니다.
불교 전래는 고구려,
백제, 신라의 순으로
이루어졌어.
신라
백제
고구려
고구려는 372년에, 백제는
12년 뒤인 384년에 불교가
전래되었지만, 신라는
5세기로 접어든 후에야
불교를 접하게 되고
신라 5세기
백제 384년
고구려 372년
또 국가의 인정을 받기 위해선 훨씬
더 세월이 지나 법흥왕 때까지
기다려야 했지.
국회
법안 처리
바쁘다 바빠.
예산안 처리
불교
고구려와 백제에는 중국의 스님이
직접 들어왔지만
고구려
佛
중국
백제
신라
신라의 경우는 고구려를 통해서
전래된 점도 달라.
고구려
佛
중국
백제
신라

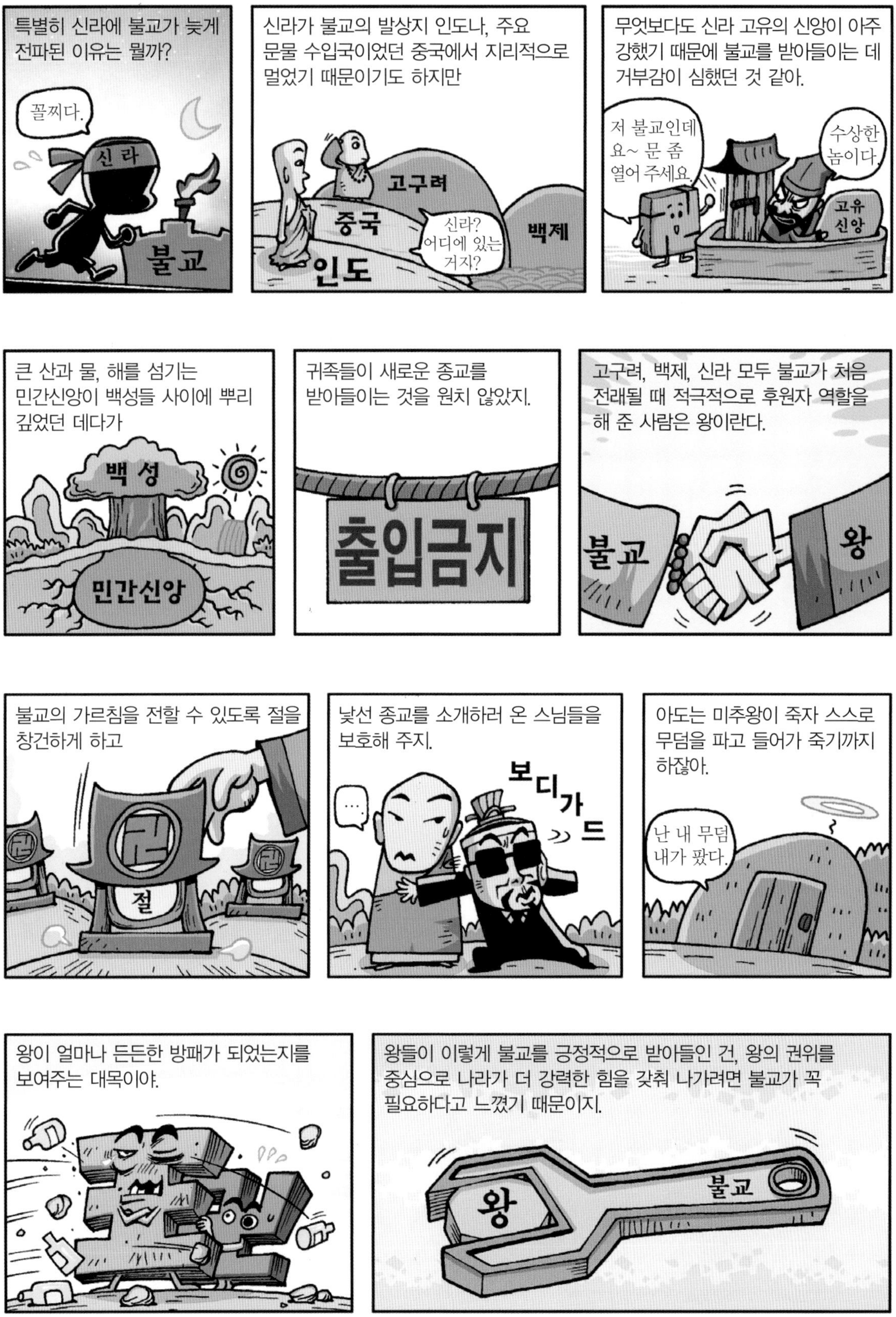
특별히 신라에 불교가 늦게 전파된 이유는 뭘까?
꼴찌다.
신라
불교
신라가 불교의 발상지 인도나, 주요 문물 수입국이었던 중국에서 지리적으로 멀었기 때문이기도 하지만
고구려
중국
인도
신라? 어디에 있는 거지?
백제
무엇보다도 신라 고유의 신앙이 아주 강했기 때문에 불교를 받아들이는 데 거부감이 심했던 것 같아.
저 불교인데요~ 문 좀 열어 주세요.
수상한 놈이다.
고유 신앙
큰 산과 물, 해를 섬기는 민간신앙이 백성들 사이에 뿌리 깊었던 데다가
백성
민간신앙
귀족들이 새로운 종교를 받아들이는 것을 원치 않았지.
출입금지
고구려, 백제, 신라 모두 불교가 처음 전래될 때 적극적으로 후원자 역할을 해 준 사람은 왕이란다.
불교
왕
불교의 가르침을 전할 수 있도록 절을 창건하게 하고
절
낯선 종교를 소개하러 온 스님들을 보호해 주지.
…
보디가드
아도는 미추왕이 죽자 스스로 무덤을 파고 들어가 죽기까지 하잖아.
난 내 무덤 내가 팠다.
왕이 얼마나 든든한 방패가 되었는지를 보여주는 대목이야.
왕들이 이렇게 불교를 긍정적으로 받아들인 건, 왕의 권위를 중심으로 나라가 더 강력한 힘을 갖춰 나가려면 불교가 꼭 필요하다고 느꼈기 때문이지.
왕
불교

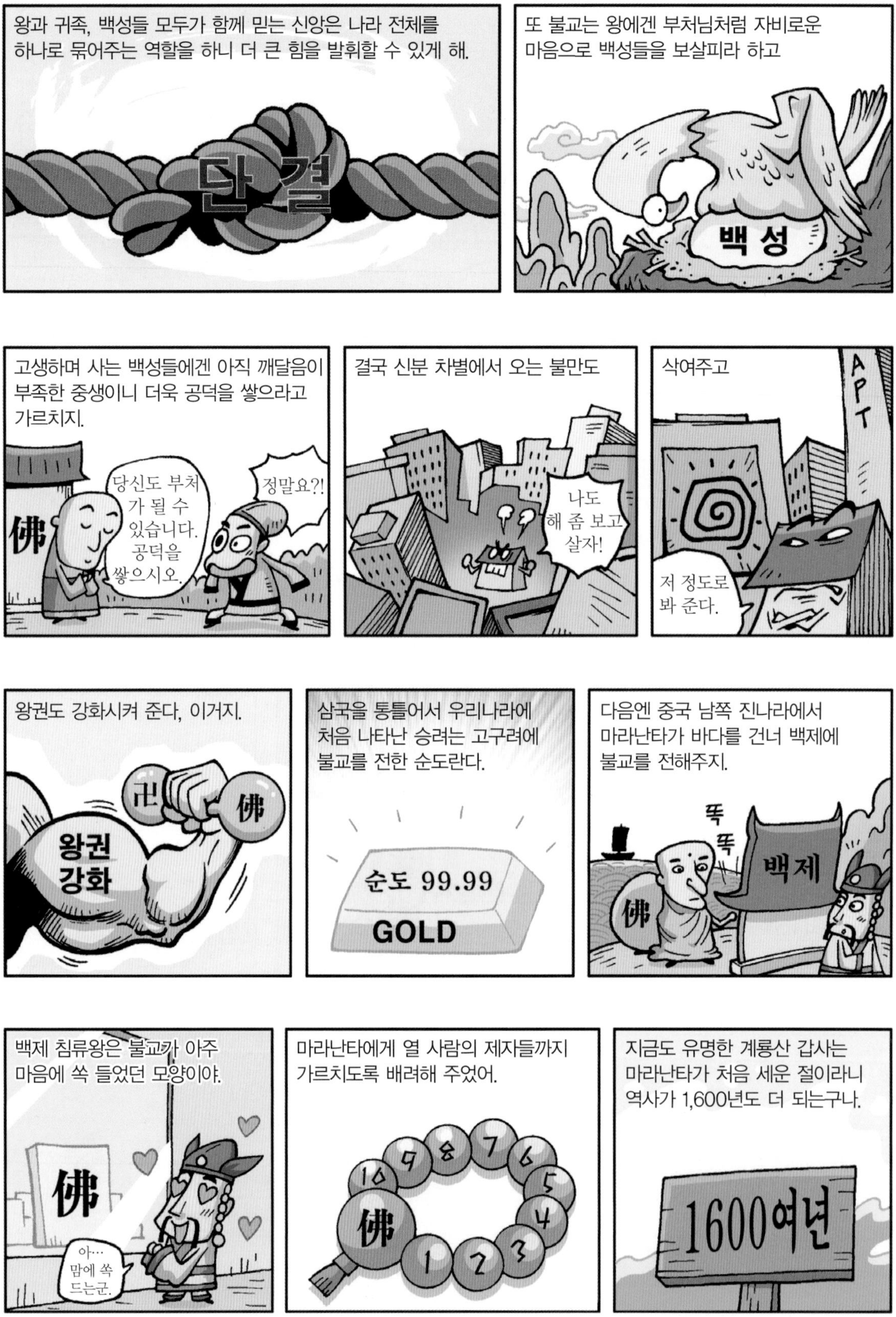
왕과 귀족, 백성들 모두가 함께 믿는 신앙은 나라 전체를 하나로 묶어주는 역할을 하니 더 큰 힘을 발휘할 수 있게 해.
단결
또 불교는 왕에겐 부처님처럼 자비로운 마음으로 백성들을 보살피라 하고
백성
고생하며 사는 백성들에겐 아직 깨달음이 부족한 중생이니 더욱 공덕을 쌓으라고 가르치지.
佛
당신도 부처가 될 수 있습니다. 공덕을 쌓으시오.
정말요?!
결국 신분 차별에서 오는 불만도
나도 해 좀 보고 살자!
삭여주고
APT
저 정도로 봐 준다.
왕권도 강화시켜 준다, 이거지.
권
佛
왕권 강화
삼국을 통틀어서 우리나라에 처음 나타난 승려는 고구려에 불교를 전한 순도란다.
순도 99.99
GOLD
다음엔 중국 남쪽 진나라에서 마라난타가 바다를 건너 백제에 불교를 전해주지.
똑
똑
백제
佛
백제 침류왕은 불교가 아주 마음에 쏙 들었던 모양이야.
佛
아… 맘에 쏙 드는군.
마라난타에게 열 사람의 제자들까지 가르치도록 배려해 주었어.
佛
지금도 유명한 계룡산 갑사는 마라난타가 처음 세운 절이라니 역사가 1,600년도 더 되는구나.
1600여년

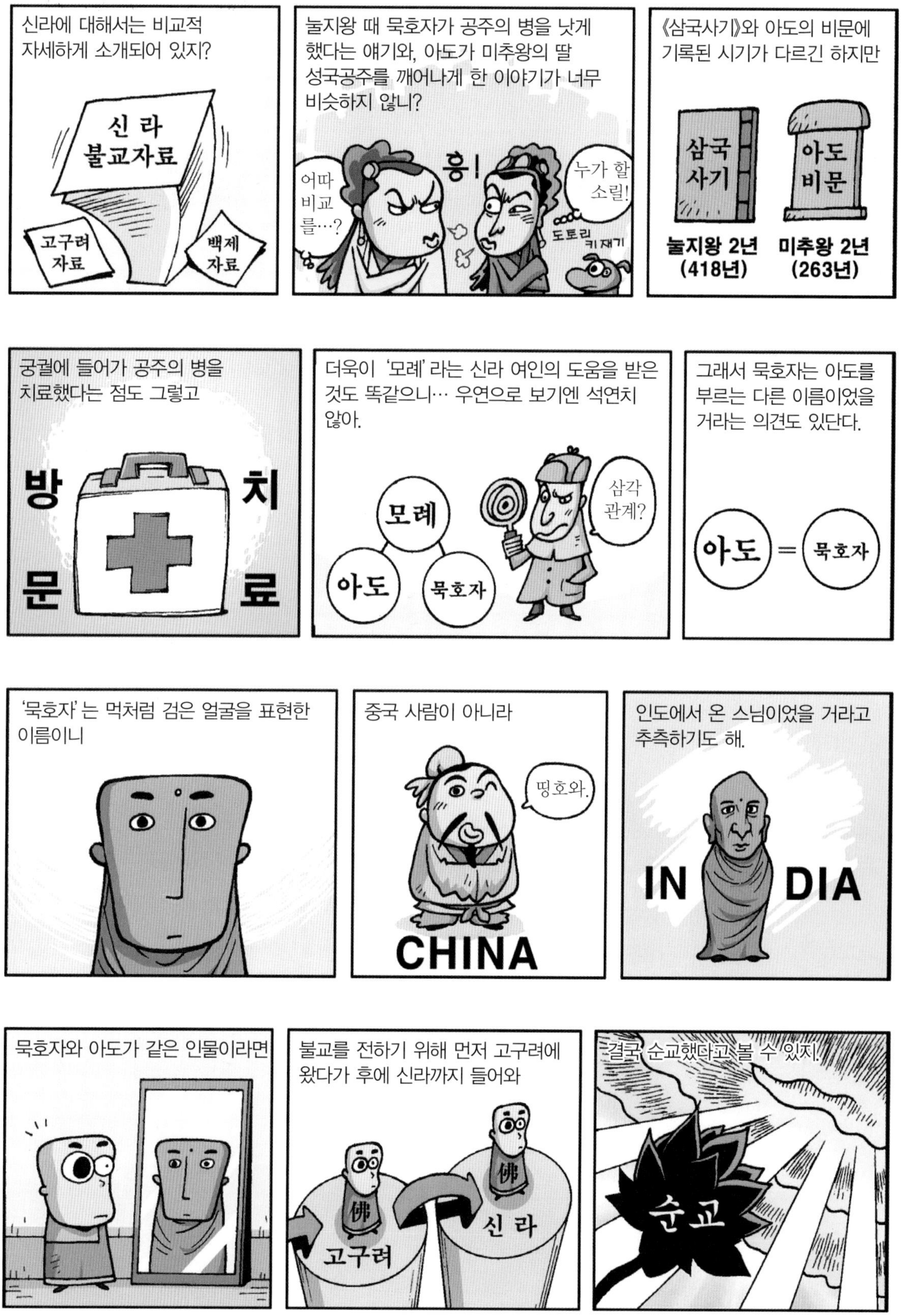
신라에 대해서는 비교적
자세하게 소개되어 있지?
신 라
불교자료
고구려
자료
백제
자료
눌지왕 때 묵호자가 공주의 병을 낫게 했다는 얘기와, 아도가 미추왕의 딸 성국공주를 깨어나게 한 이야기가 너무 비슷하지 않니?
어따
비교
를…?
흥!
누가 할
소릴!
도토리
키재기
《삼국사기》와 아도의 비문에
기록된 시기가 다르긴 하지만
삼국
사기
아도
비문
눌지왕 2년
(418년)
미추왕 2년
(263년)
궁궐에 들어가 공주의 병을
치료했다는 점도 그렇고
방
치
문
료
더욱이 '모례'라는 신라 여인의 도움을 받은 것도 똑같으니… 우연으로 보기엔 석연치 않아.
모례
아도
묵호자
삼각
관계?
그래서 묵호자는 아도를
부르는 다른 이름이었을
거라는 의견도 있단다.
아도
=
묵호자
'묵호자'는 먹처럼 검은 얼굴을 표현한
이름이니
중국 사람이 아니라
띵호와.
CHINA
인도에서 온 스님이었을 거라고
추측하기도 해.
IN
DIA
묵호자와 아도가 같은 인물이라면
불교를 전하기 위해 먼저 고구려에
왔다가 후에 신라까지 들어와
佛
佛
고구려
신 라
결국 순교했다고 볼 수 있지.
순교

하늘 꽃과 흰 젖의 기적, 이차돈

신라 법흥왕 14년(527)에 있었던 일이야. 불교를 열심히 믿었던 법흥왕이 신하들에게 말했지.
나는 오래 전부터 부처님의 가르침을 따르려고 애써 왔소.
왕이 되고 나서는 모든 백성들을 위해 절을 짓는 게 소원인데
그대들 생각은 어떻소?
신하들은 절을 지을 돈으로 성을 쌓고 무기를 만드는 게 낫다며 강하게 반대했어.
법흥왕은 그 돈으로 무기를 만들라!
NO!
법흥왕은 그 돈으로 성을 쌓으라!
모처럼 마음먹은 일이 반대에 부딪히자 왕은 크게 실망했지.
다 미워잉~
이차돈은 이때 나이 스물둘로 청렴결백한 하급관리였는데
뇌물
청탁
청렴결백
왕이 생각하는 바를 알아채고 슬며시 말했어.
나라를 위해 목숨을 바치는 것은 신하의 절개이고, 임금을 위해 죽는 것은 백성된 자의 도리라 했습니다. 제가 대왕의 뜻을 이룰 수 있는 방법을 아뢰고자 합니다.
그래, 말해 보거라.
이제 대왕의 뜻을 잘못 전했다면서 신의 목을 베시면, 누구도 감히 대왕의 명령을 어기지 못할 것입니다.
네 생각이 참으로 갸륵하다만 어떻게 죄 없는 사람을 죽이겠느냐? 오히려 죄가 될 일이다.
가장 버리기 힘든 것은 제 목숨입니다. 하지만 신(臣)이 저녁에 죽고 나서 아침에 큰 가르침에 이루어진다면

부처님 세상이 환하게 밝아 오고 대왕께서 길이 편안하실 것이니, 더 이상 바랄 것이 없습니다.
봉황의 새끼는 어려서도 하늘을 찌를 큰 뜻이 있고 기러기나 고니의 새끼는 날 때부터 파도를 끊을 기세가 있다더니, 바로 너를 두고 한 말이구나. 진실로 보살과 같은 선비의 행실이로다.
왕은 이차돈의 뜻에 따라 시퍼런 칼을 든 병사들을 사방에 세우고 끔찍한 형틀을 갖다 놓은 다음
신하들을 죄다 불러들였지.
집합 끝!
그대들이 절을 지으려 한다는 소문을 냈는가?
다짜고짜 물으니 신하들이 자신들은 그런 일이 없다고 맹세했겠지.
맹세!
그러자 왕은 미리 짜놓은 대로
계획
이차돈을 불러 꾸짖었어.
내가 한 말을 잘못 전해서 임금과 신하 사이를 어지럽히고 왕명을 욕되게 하였으니, 네 죄를 네가 알렷다?
왕은 화가 잔뜩 나서 당장 목을 베라고 명령했지.
신하들은 어찌할 바를 몰라 정신이 없는데
그래도 그렇지, 처형은 좀….
성격 까칠하군.
이차돈은 담담하게 하늘에 기도했어.

임금님이 불교를 일으키려고 하시니 제가 목숨을 던져 얽힌 인연들을 버릴 때 하늘은 두루 사람들에게 징표를 보여 주소서.
형리가 칼을 내리치는 순간
붕
이차돈의 목에서는 붉은 피 대신 흰 젖이 한 길이나 치솟았어.
촤악-
밝게 비추던 저녁 햇살은
순식간에 빛을 잃고 사방이 캄캄해졌지.
누구냐? 불끈게!
꺄아~ 어디다 손을!
땅이 흔들리는데 문득 꽃비가 내리기 시작했고
샘물은 갑자기 말라 물고기가 날뛰고
나무는 벼락을 맞은 것처럼 두 동강이 나 버렸대.
쩍
왕은 슬픔에 겨워 눈물로 옷자락을 적시고 친구들도 부모가 죽은 듯이 통곡을 멈추지 않았지.
꺼이~ 꺼이~
우아아앙-
이차돈의 시신은 경주 금강산 서쪽 고개에 정중히 모셔졌는데
소금강산
이차돈의 묘

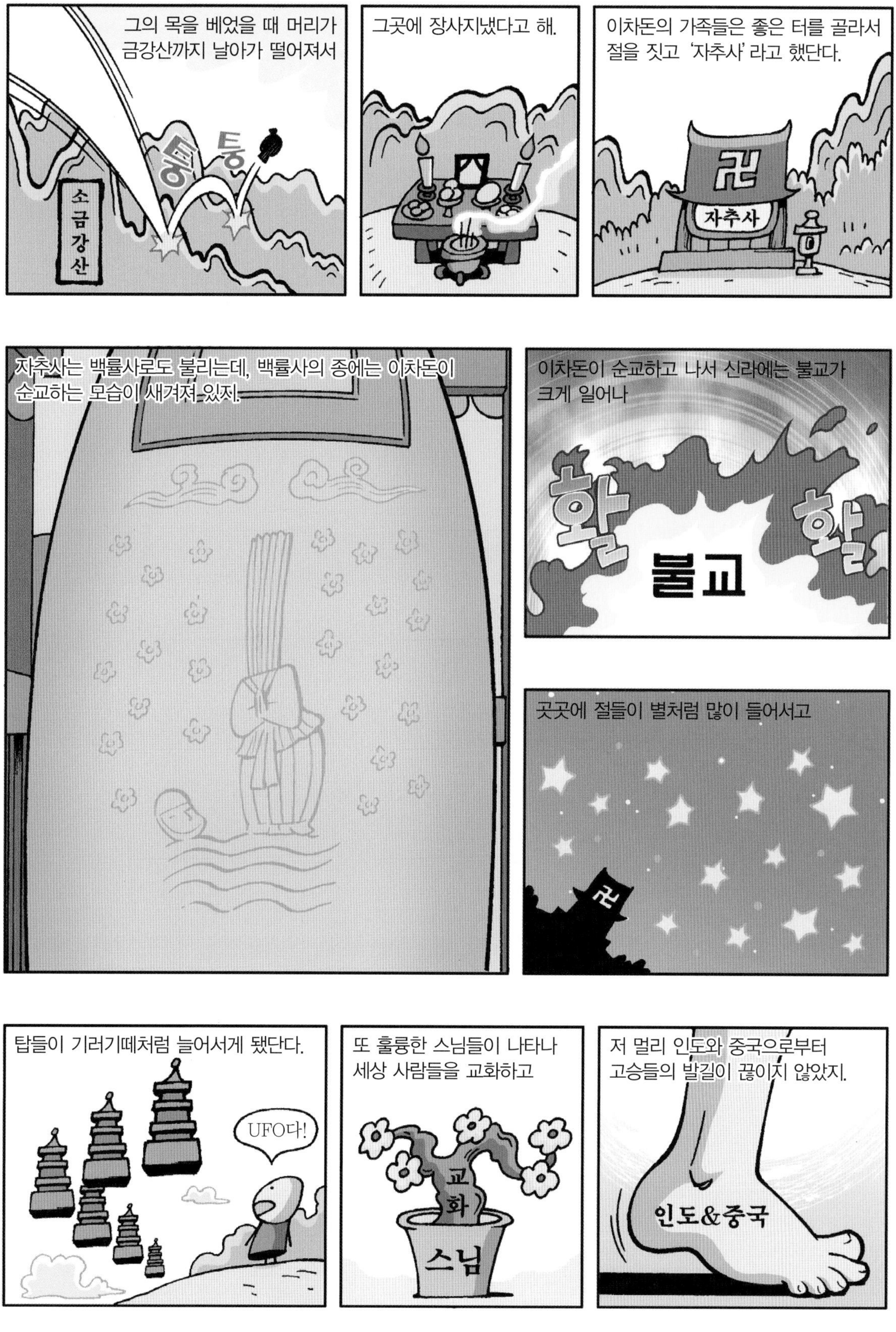
그의 목을 베었을 때 머리가
금강산까지 날아가 떨어져서
통
통
소금강산
그곳에 장사지냈다고 해.
이차돈의 가족들은 좋은 터를 골라서
절을 짓고 '자추사' 라고 했단다.
卍
자추사
자추사는 백률사로도 불리는데, 백률사의 종에는 이차돈이
순교하는 모습이 새겨져 있지.
이차돈이 순교하고 나서 신라에는 불교가
크게 일어나
활
활
불교
곳곳에 절들이 별처럼 많이 들어서고
卍
탑들이 기러기떼처럼 늘어서게 됐단다.
UFO다!
또 훌륭한 스님들이 나타나
세상 사람들을 교화하고
교화
스님
저 멀리 인도와 중국으로부터
고승들의 발길이 끊이지 않았지.
인도&중국

불교로 삼국 통일의 힘을 키운 신라

신라 안에서 불교는 왕과 백성들 사이에 이미 퍼져 있었지만 신라를 대표하는 공식적인 종교로 인정받기까지는 어려움이 많았어. 법흥왕 자신도 불교 신자였지만, 이를 진흥시키려 하자 귀족들의 반대에 부딪치게 되지. 왕의 힘이 귀족들을 완전히 누를 만큼 강하지 못했던 거야.

법흥왕이 어떻게 하면 귀족들의 반대를 물리치고 불교를 공인할 수 있을까 고민하고 있을 때, 이차돈이 조용히 찾아와서 왕의 뜻을 이루는 데 자신을 제물로 써 달라고 하지. 이차돈은 그 때 겨우 22세의 젊은이로 사인舍人, 즉 관청의 아주 낮은 직책을 맡고 있었어.

▲ 이차돈

나라와 임금을 위해 선뜻 자기 목숨을 내놓겠다고 말하는 이차돈에게, 법흥왕은 이렇게 말해. 작은 새 한 마리가 죽어가는 것도 그냥 볼 수 없어 제 살을 베어 먹이는 게 부처의 자비심인데, 어찌 아무 잘못 없는 너를 죽일 수 있겠느냐고. 하지만 이차돈은 자기 목숨을 바치는 일이 쉽지 않은 일이지만, 자신이 희생하여 큰 가르침이 이루어지고 부처님의 날이 선다면 죽어도 여한이 없을 거라면서 뜻을 굽히지 않았지.

경주의 국립박물관에 가면 이차돈의 목이 떨어질 때 흰

젖이 분수처럼 솟구치고 하늘에서 꽃비가 내리는 광경을 새긴 백률사 종을 볼 수 있단다. 그의 목에서 보통 사람과 같은 붉은 피가 아니라 흰 젖이 솟아나왔다는 건, 젊은 생명을 바쳐 순교한 그의 뜻이 너무나도 순결하고 고귀했다는 의미지. 그가 죽기 전에 올린 간절한 기도에 하늘도 감동했는지 꽃비를 내리는 기적을 보여줬어. 이차돈의 순교는 신라에서 불교가 확실하게 인정받고 퍼져나가는 결정적인 계기가 됐단다. 얼마나 빠른 속도로 절이 많이 들어섰던지 마치 하늘의 별 같았다고 했잖아.

▲ 이차돈의 순교 모습이 양각된 백률사 종

초기의 신라 불교는 고유 신앙과 비슷하게 현실에서 삶의 행복을 추구하고 신령스러움을 강조하는 경향이 강했지. 왕실은 왕을 받들고 나라를 지키는 이념으로, 백성들은 현세에서 즐거움과 만족을 느끼는 가르침으로 불교의 도움을 크게 받았어.

귀족들 역시도 자신들이 누리는 복락과 특권이 전생에 많은 공덕을 쌓았기 때문이라고 합리화했지. 불교를 공인함으로써 신라는 계급 간의 갈등을 없애고 왕을 중심으로 나라 전체가 하나로 아우러져 강력한 힘을 발휘할 수 있게 되었어.

신라는 세 나라 중에 가장 늦게 불교가 전해지고 공인과정도 순탄치 않았지만, 이차돈의 값진 희생 위에 강력한 왕권을 갖추게 되고 마침내 삼국 통일의 위업을 달성했지. 일연 스님은 아도와 법흥왕, 이차돈을 묶어 세 분 성인聖人이라고 하면서, 그 공을 높이 평가했단다. 또 역사책에는 기록되지 않았지만, 법흥왕과 진흥왕 모두 왕위를 버리고 끝내 승려가 되었다는 얘기도 덧붙이고 있어.

제10장 부처님 모실 인연 우리나라가 제일이라

세상의 중심, 황룡사 장륙존상과 9층탑

옛날 인도 대향화국 아육왕은 부처님보다 100년 늦게 태어난 사람이란다.
응애!
백년후

그는 직접 부처님께 공양하지 못한 것을 한탄하다가
백 년 늦게 태어난 것이 한스럽도다.

불상을 만들기로 작정했지.
그래, 결심 했어.
불상을 만드는 거야.

금과 쇠를 녹여 불상을 만들려 했지만 세 번이나 실패하고 말았어.
실패 1
실패 2
실패 3

그러자 태자가 여러 나라의 힘을 모아 공덕을 쌓아야 이룰 수 있는 일이라고 얘기해.
오호~

왕은 불상을 만들려고 했던 금과 쇠를 배에 싣고, 그간의 사연을 편지에 적어 보냈지.
너무 무거워~!
꼬로로록
쿵!
배는 망망대해를 타고 크고 작은 몇 만의 마을과 나라를 돌아다녔지만, 그 어디에서도 불상을 만들 수 없었대.
No
No
No
당시 신라 진흥왕은 엄청난 공을 들인 황룡사를 드디어 완공했는데, 짓기 시작한 지 17년 만의 일이야.
17년
卍
황룡사
완공
그때 이상한 배 한 척이 사포(울주 곡포)에 닿았다고 해서, 관리를 보내 살펴보게 했더니
아육왕이 보낸 편지가 있겠지.
편지
To 아무나 보시오…
인도 아육왕은 황금 7만 푼과
누런 쇠 5만 7000근을 모아
석가 삼불상을 만들려 하였으나
뜻을 못 이루고 배에 실어 보내니,
부디 인연 있는 땅에 이르러 장륙존상에
존귀한 모습으로 이루어지이다.
여기 견본으로 부처 하나와 보살상 둘을
실어 보내노라.
From 인도 아육왕
진흥왕은 사포 근처 좋은 땅에 동축사란 절을 세우고
卍
동축사
배에 있던 세 불상을 모셨어.
卍
황금과 쇠는 서울로 실어와
황금
쇠
경주행
문잉림에서 불상을 만들었는데, 단 한 번의 실패도 없이 바로 성공했단다.
베스트셀러
卍
성공 신화
신라 문화사
이렇게 해서 완성된 장륙존상*과 두 보살상은 황룡사에 모시게 되었지.
어서 옵셔~!
卍
황룡사
이제 황룡사 9층탑에 얽힌 이야기를 할게.

＊장륙존상 – 진흥왕 35년(574년)에 완성된 약 4.5m 높이의 대형 불상. 황룡사 9층목탑과 함께 신라 국보의 하나.

유명한 스님 자장이 중국 태화지 연못가를 지날 때 신령스러운 사람이 나타나 물었단다.
그대의 나라에는 어떤 어려움이 있소?
네?
네, 북으로 말갈, 남으로 왜국과 접해 있으며, 고구려, 백제 두 나라가 번갈아 침입하니 백성들이 고통을 받고 있습니다.
지금 그대의 나라는 여왕을 모시고 있어 위엄이 없으므로 이웃나라들이 넘보는 것이오. 그대는 빨리 고국으로 돌아가 나라의 힘이 되도록 하시오.
어떻게 하면 되겠습니까?
맨 입으로?
황룡사 호법룡은 나의 맏아들인데 신의 명령을 받아 절을 지키고 있소.
卍
황룡사
본국으로 돌아가면 절 안에 9층탑을 세우도록 하오. 그리하면 이웃 나라들이 모두 항복하고 동방의 아홉 나라가 공물을 바칠 것이며 나라가 길이 평안하리라.
말을 마친 신령은 자장에게 옥을 바치고 이내 사라졌대.
마술?
펑
자장은 선덕여왕 12년에 당 황제가 하사한 불경과 불상, 가사(스님의 옷) 등을 가지고 돌아와
佛經
황룡사 9층탑 건립을 건의했지.
9층탑 건립
건의함
선덕여왕은 신하들의 의견을 따라 백제의 장인 아비지를 데려와
신라공항
초청장
공사를 시작했어.
경 황룡사 9층목탑 신축공사 기공식 축
그런데 첫 번째 절 기둥을 세우기로 한 날, 아비지는 자기 나라인 백제가 멸망하는 꿈을 꾸고
멸 백제 망

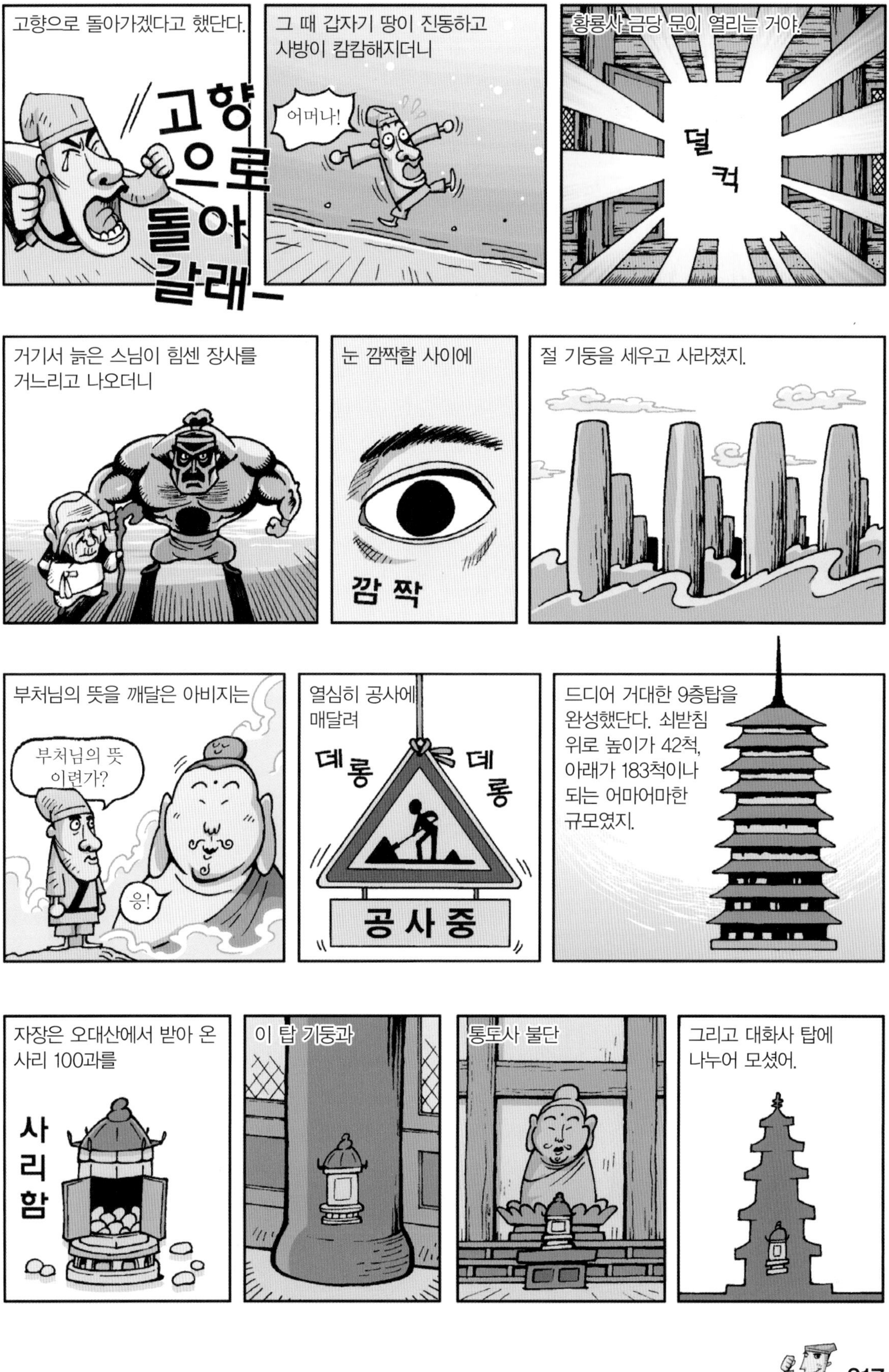
고향으로 돌아가겠다고 했단다.
고향으로 돌아 갈래~
그 때 갑자기 땅이 진동하고
사방이 캄캄해지더니
어머나!
황룡사 금당 문이 열리는 거야.
덜컥
거기서 늙은 스님이 힘센 장사를
거느리고 나오더니
눈 깜짝할 사이에
깜 짝
절 기둥을 세우고 사라졌지.
부처님의 뜻을 깨달은 아비지는
부처님의 뜻
이련가?
응!
열심히 공사에
매달려
데롱 데롱
공사중
드디어 거대한 9층탑을
완성했단다. 쇠받침
위로 높이가 42척,
아래가 183척이나
되는 어마어마한
규모였지.
자장은 오대산에서 받아 온
사리 100과를
사리함
이 탑 기둥과
통도사 불단
그리고 대화사 탑에
나누어 모셨어.

장륙존상은 앉은키가 육척이나 되는 거대한 불상인데
내 키는 4.8m 정도야.
1238년 몽골 침입 때 없어져서 그 모습을 볼 수 없는 게 안타깝구나.
몽골 침입
황룡사가 있던 터에 가면 지금은 받침돌만 남아 있는데, 그 받침돌만 봐도 얼마나 웅장한 불상이었을지 가늠해 볼 수 있어.
신발 크기로 봐서 거인일 거라고 짐작되는군…
이야기 속에 나오는 아육왕은 3세기에 인도를 통일한 마우리아 왕조의 세 번째 왕이란다.
인도통일
그는 살아 있는 동안 탑을 8만 기도 넘게 세우는 등
어마어마한 걸.
굉장하군.
8 만 기
전 세계에 불교를 전파하는 데 힘쓴 사람이지.
불교전파의 공이 크므로 이 상장을 수여함.
나부처
상장
아육왕
신라의 수많은 절들 가운데 황룡사는 아주 특별한 의미를 지닌 절이었어.
황룡사 9층목탑 특별우대권
《삼국유사》 속에도 이 황룡사와 관련된 이야기가 세 가지나 나오지.
삼국유사
Story 1
Story 2
Story 3
황룡사 STORY
절이 세워질 때부터 아주 신비한 일이 있었단다. 진흥왕이 월성 동쪽에 새 궁궐을 지으려고 했는데
저 곳에다 궁궐을 지어야겠군.
누런 용[黃龍]이 그 자리에 나타난 거야.
빼꼼
그래서 궁궐 대신 절을 짓게 됐어. 절 이름은 당연히 황룡사지.
卍
황룡사
신라 사람들은 아주 옛날부터 용을 섬겨왔어.
나를 믿느뇨?
믿~사옵니다!

용은 땅과 물, 하늘을 자유로이 오갈 수 있는 존재잖아. 큰 바다에는 용이 살고 있어서 파도나 홍수로 사람들을 벌한다고 생각했어.
지금도 바닷가 마을에는 용왕당이 있어서 용왕께 제사지내는 풍습이 남아 있단다. 배를 타고 나갈 때 안전하게 지켜달라고 기도하는 거야.
용왕제
또 용은 비를 내리게 하는 신으로 농사짓는 사람들에게도 숭배 받았지.
용님 땡큐!
고유 신앙에서 중요하게 섬겨지던 용은 불교가 들어온 다음엔 나라와 불법을 지켜주는 신성한 존재로 성격이 달라진단다.
나라야! 불법아! 내가 지켜 줄게!
용이 나타난 자리에
절을 지은 것은 용왕을 떠받들던 고유 신앙을 불교 안으로 다 끌어안았다는 말이 되지.
용녀 이리와, 응~
누가 보면 어쩌려고? 아잉~ 몰라! 몰라!
고유신앙
자장법사가 중국 오대산에 가서 공부할 때 문수보살이 나타나서 이런 말을 했단다.
황룡사는 석가불과 가섭불*이 설법하시던 곳이다. 천축국(인도) 무우왕(아육왕)이 보낸 쇠가 1300년이나 지난 후 너희 나라에 닿아서 불상으로 이루어졌으니 부처님의 거룩한 인연이 그렇게 시킨 것이다.
이 이야기를 통해 당시 신라 사람들이 황룡사 장륙존상을 얼마나 대단하게 여겼는지 알 수 있지.

*가섭불 – 석가가 태어나기 전 세상의 부처님

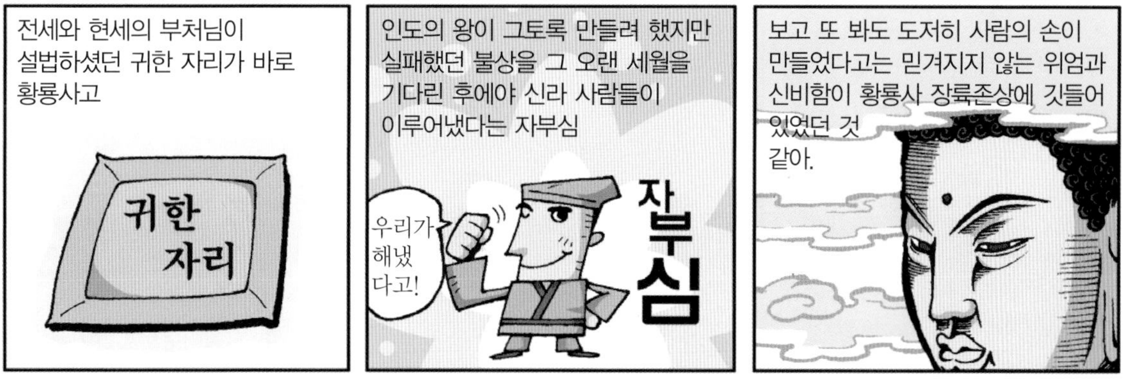

전세와 현세의 부처님이 설법하셨던 귀한 자리가 바로 황룡사고
귀한 자리
인도의 왕이 그토록 만들려 했지만 실패했던 불상을 그 오랜 세월을 기다린 후에야 신라 사람들이 이루어냈다는 자부심
우리가 해냈다고!
자부심
보고 또 봐도 도저히 사람의 손이 만들었다고는 믿겨지지 않는 위엄과 신비함이 황룡사 장륙존상에 깃들어 있었던 것 같아.

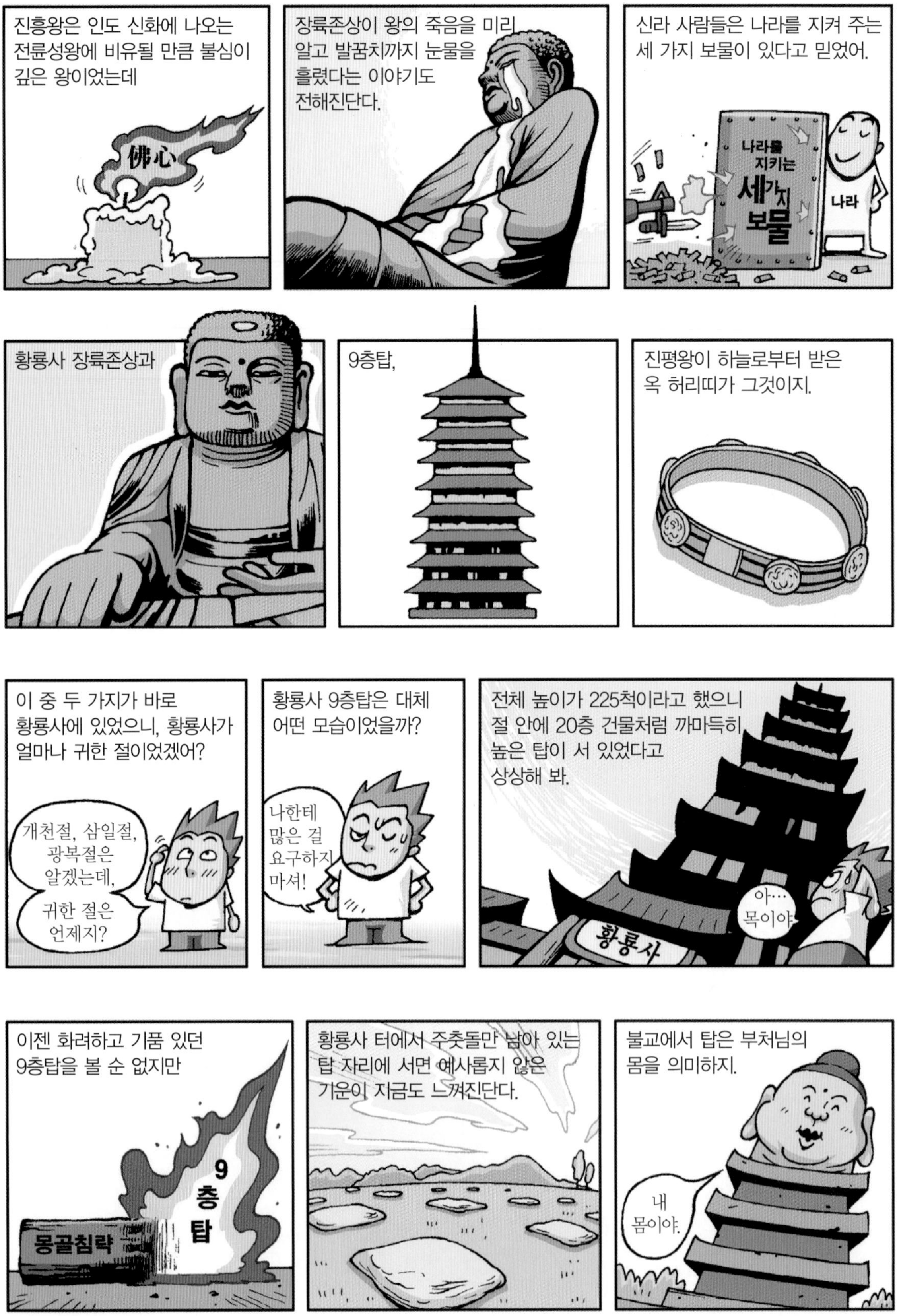

진흥왕은 인도 신화에 나오는 전륜성왕에 비유될 만큼 불심이 깊은 왕이었는데
佛心
장륙존상이 왕의 죽음을 미리 알고 발꿈치까지 눈물을 흘렸다는 이야기도 전해진단다.
신라 사람들은 나라를 지켜 주는 세 가지 보물이 있다고 믿었어.
나라를 지키는 세가지 보물
나라
황룡사 장륙존상과
9층탑,
진평왕이 하늘로부터 받은 옥 허리띠가 그것이지.
이 중 두 가지가 바로 황룡사에 있었으니, 황룡사가 얼마나 귀한 절이었겠어?
개천절, 삼일절, 광복절은 알겠는데,
귀한 절은 언제지?
황룡사 9층탑은 대체 어떤 모습이었을까?
나한테 많은 걸 요구하지 마셔!
전체 높이가 225척이라고 했으니 절 안에 20층 건물처럼 까마득히 높은 탑이 서 있었다고 상상해 봐.
아… 목이야.
황룡사
이젠 화려하고 기품 있던 9층탑을 볼 순 없지만
몽골침략
9층탑
황룡사 터에서 주춧돌만 남아 있는 탑 자리에 서면 예사롭지 않은 기운이 지금도 느껴진단다.
불교에서 탑은 부처님의 몸을 의미하지.
내 몸이야.

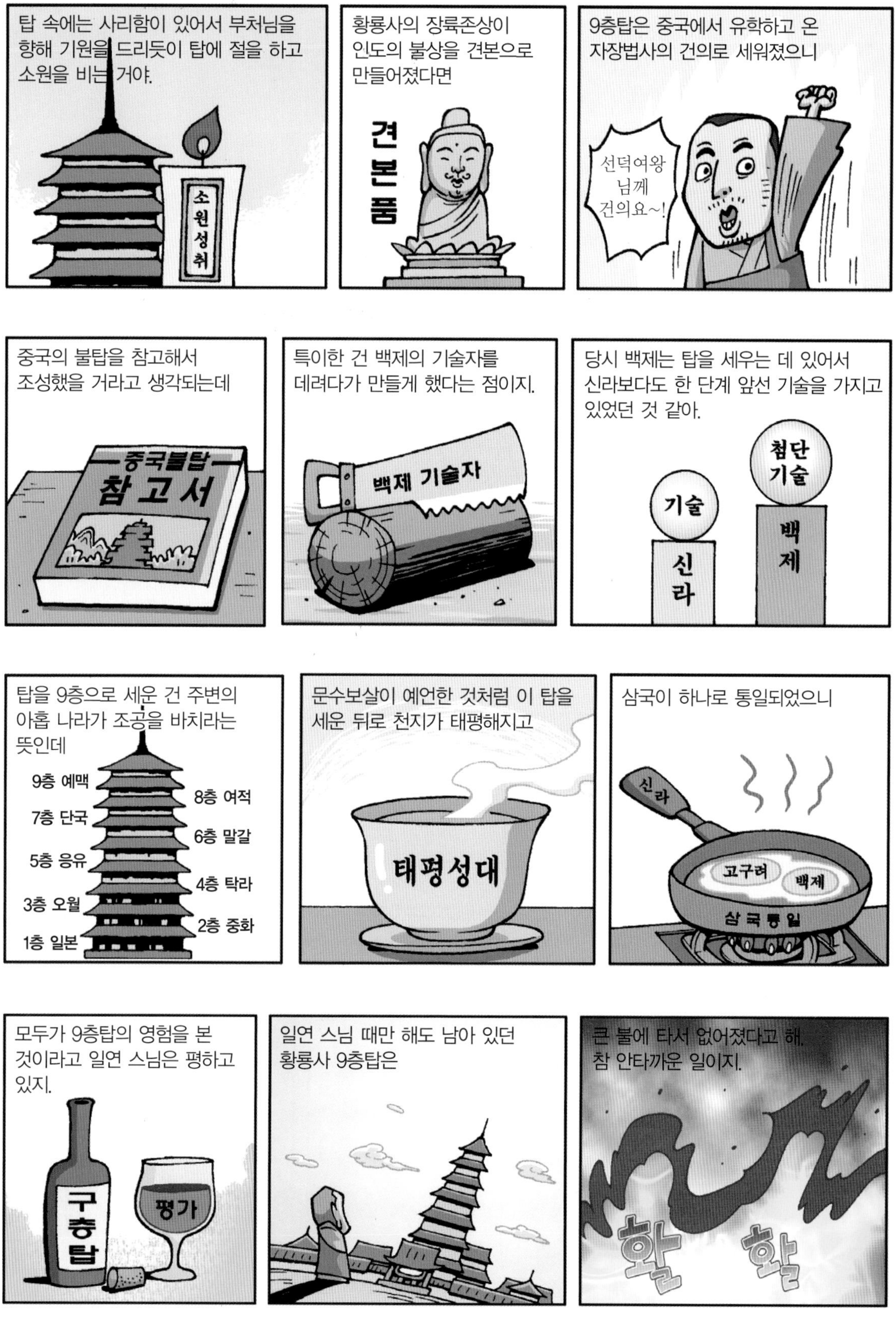
탑 속에는 사리함이 있어서 부처님을 향해 기원을 드리듯이 탑에 절을 하고 소원을 비는 거야.
소원성취
황룡사의 장륙존상이 인도의 불상을 견본으로 만들어졌다면
견본품
9층탑은 중국에서 유학하고 온 자장법사의 건의로 세워졌으니
선덕여왕 님께 건의요~!
중국의 불탑을 참고해서 조성했을 거라고 생각되는데
중국불탑 참고서
특이한 건 백제의 기술자를 데려다가 만들게 했다는 점이지.
백제 기술자
당시 백제는 탑을 세우는 데 있어서 신라보다도 한 단계 앞선 기술을 가지고 있었던 것 같아.
기술
신라
첨단 기술
백제
탑을 9층으로 세운 건 주변의 아홉 나라가 조공을 바치라는 뜻인데
9층 예맥
8층 여적
7층 단국
6층 말갈
5층 응유
4층 탁라
3층 오월
2층 중화
1층 일본
문수보살이 예언한 것처럼 이 탑을 세운 뒤로 천지가 태평해지고
태평성대
삼국이 하나로 통일되었으니
신라
고구려
백제
삼국통일
모두가 9층탑의 영험을 본 것이라고 일연 스님은 평하고 있지.
구층탑
평가
일연 스님 때만 해도 남아 있던 황룡사 9층탑은
큰 불에 타서 없어졌다고 해. 참 안타까운 일이지.
활 활

제11장
부처님 날이 다시 하늘 한가운데 걸려 있네
부처님오신날
바다 건너 중국 땅, 구름 헤치고 불교를 배워 온 원광
중국 《속고승전》에 전하는 이야기란다.
續高僧傳
저자 도선
당나라
황룡사 승려 원광은 성이 박씨로 진한 사람인데
고조선 이후
고구려
옥저
동예
마한
진한
변한
유서 깊은 가문에서 태어나
유서 깊은 가문의 족보
도교와 유학, 철학과 역사 등 여러 분야를 두루 익히고
꺼어어억~
도교
철학
유학
역사
글 솜씨도 뛰어나
글솜씨

삼국에 이름이 자자했대.
원광 글 전시회
신라
백제
고구려
하지만 스스로 우물 안 개구리가 아닌가 하여
개골
보다 넓은 세상으로 나가 지식과 견문을 넓히고자 중국 유학을 결심했지.
넓다.
중국
나이 스물다섯에 금릉(남경)에 이르렀고
남경
학문을 장려하는 진나라에서 공부하다가
진나라 학원
불법을 접하고 승려가 되기로 결심했어.
佛法
그래, 결심 했어.
전국의 절을 순례하며 깨달음을 구하고자 노력했고
깨달음을 구할 수 있을까요?
응.
참선을 계속하면서
참선
불법을 전했다고 해.
불법
스님은 개그 하지 마세요….
불법 주차
수십 년 만에 귀국하니
신라 공항
고국 공기가 맑군.
진평왕은 원광을 성인처럼 떠받들고
聖人
가마를 탄 채 대궐에 들어오도록 배려해 주었어.
대궐

또 중요한 일이 있을 때마다
원광 스님에게 자문을 구하기도 했지.
자문을 구하러 왔습니다.
자. 문을 받으십시오.
그게 웃겨?
황룡사에서 99세에 입적*하니
왕자의 예로 장례를 치렀단다.
상여(喪輿)
왕자의 예

*입적 – 스님이 돌아가심

원광은 원래 성격이 욕심이
없고
돌이다. 피해가자. 걸려 넘어질라.
항상 웃음을 띠며 노여워하는 빛이
없었대.
화 안 내세요?
화는 무슨…
으헉…
나이가 들어서는 수레를 타고 대궐에
출입하였는데
대궐
당시 누구도 덕행으로나 의리로나
그를 따라가지 못했고
따라 잡을 수 있을까?
난 포기
덕행 · 의리
문장은 온 나라가
떠받들 정도로
훌륭했단다.
글
훌륭하군.
여든이 다 되어 입적하였는데
그 부도**가 삼기산 금곡사에 있지.
《삼국유사》 의해편에는 불교의
역사를 말하는 데 있어서 빼놓을 수
없는 뚜렷한 발자취를 남긴
큰 스님들 이야기가 실려 있어.
누구냐? 책 밟고 간 사람이!
삼국유사
의해편

**부도(浮屠/浮圖) – 고승(高僧)의 사리를 안치한 탑.

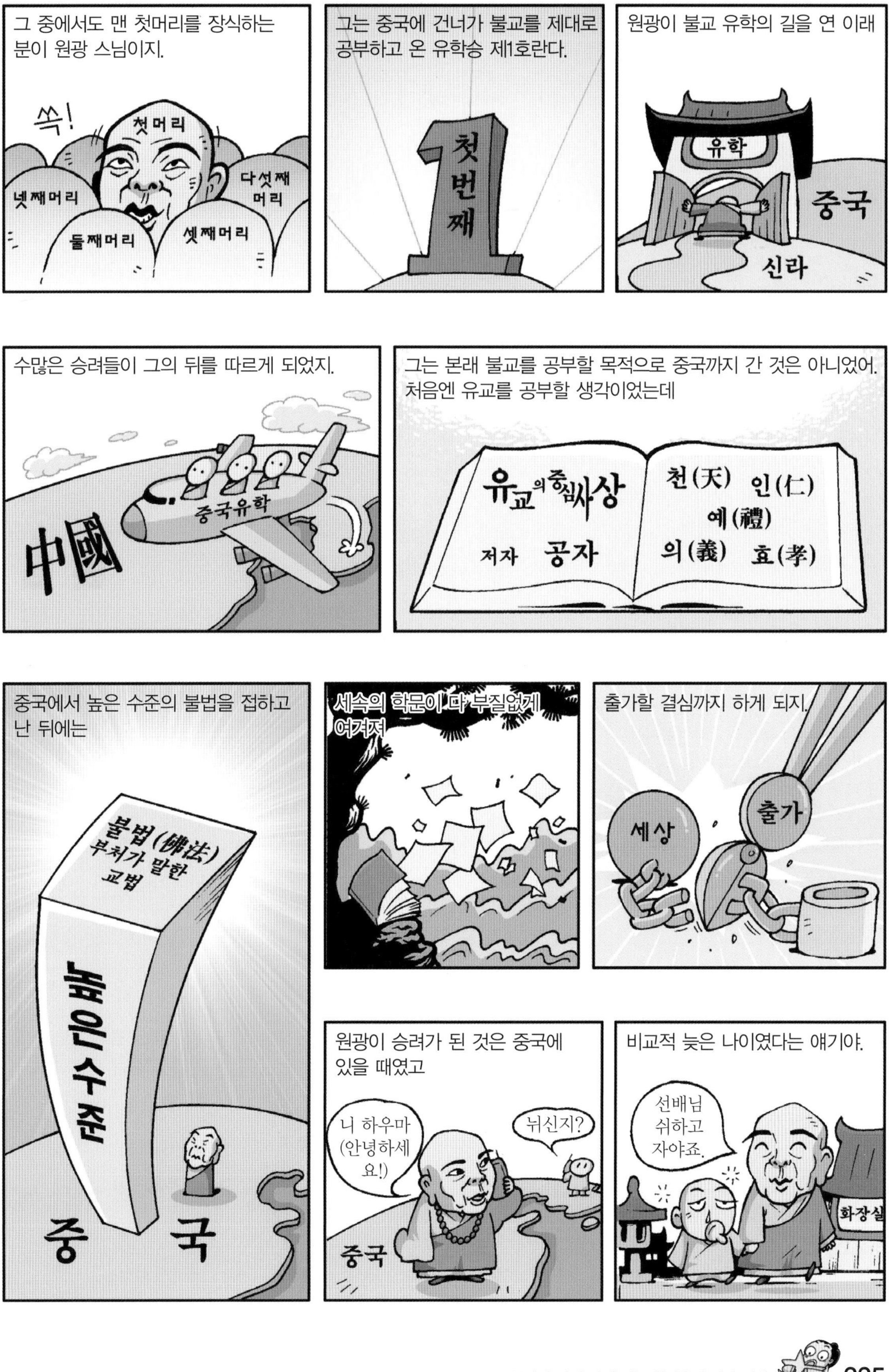

그 중에서도 맨 첫머리를 장식하는 분이 원광 스님이지.
쏙!
첫머리
넷째머리
다섯째 머리
둘째머리
셋째머리
그는 중국에 건너가 불교를 제대로 공부하고 온 유학승 제1호란다.
1 첫번째
원광이 불교 유학의 길을 연 이래
유학
중국
신라
수많은 승려들이 그의 뒤를 따르게 되었지.
중국유학
中國
그는 본래 불교를 공부할 목적으로 중국까지 간 것은 아니었어.
처음엔 유교를 공부할 생각이었는데
유교의 중심사상
저자 공자
천(天) 인(仁)
예(禮)
의(義) 효(孝)
중국에서 높은 수준의 불법을 접하고 난 뒤에는
불법(佛法) 부처가 말한 교법
높은 수준
중국
세속의 학문이 다 부질없게 여겨져
출가할 결심까지 하게 되지.
세상
출가
원광이 승려가 된 것은 중국에 있을 때였고
니 하우마 (안녕하세요!)
뉘신지?
중국
비교적 늦은 나이였다는 얘기야.
선배님 쉬하고 자야죠.
화장실

화랑의 세속 오계를 만든 원광 스님

▲ 금곡사지 원광대사부도탑

화랑의 세속 오계는 원광 스님이 만들었어. 원광은 이미 속세를 떠난 스님의 몸이었지만, 보통 사람들이 세상을 살면서 불도를 실천할 수 있는 방법에도 관심을 가졌어. 실제로 원광 스님은 민중들과 함께 부처님의 깨달음을 구하고자 해서, 자신을 부르는 곳이면 어디든 달려가 불법을 전파했다고 해.

원광 스님은 불교에서 지켜야 할 열 가지 계율 중에서 일반인들이 반드시 지켜야 할 다섯 가지 계명을 말했는데, 첫째는 임금을 충성으로 섬기고, 둘째 부모에게 효도를 다하며, 셋째 친구를 사귈 때는 믿음으로 하고, 넷째 싸움터에 나가서는 물러서지 않으며, 다섯째는 산 것을 죽일 때는 가려서 하는 것이었어.

원광 스님이 제시한 세속오계 중에서 특히 '임전무퇴臨戰無退'는 용맹한 화랑정신을 대표하며, 삼국통일의 밑거름이 되었지. 불교의 이념이 나라사랑이나 왕에 대한 충성심을 끌어안으면서 호국불교의 성격을 띠게 된 것도 알 수 있어.

마지막 계율은 '살생유택殺生有擇'이라고 하는데, 불교에서는 생명이 있는 것을 죽이는 것은 죄업을 쌓는 일이라고 해서 살생을 하지 않으려고 의식적으로 노력하지. 스님들은 길을 걸을 때도 지팡이로 땅을 울려서 작은 벌레들이 발에 밟히지 않고 피할 수 있게 한다잖아.

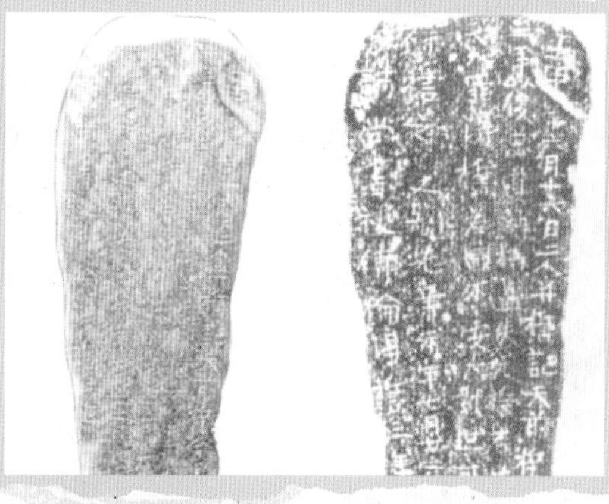

▲ 화랑들이 수련의 맹세를 새긴 임신서기석

당시에는 남자들이 사냥을 나가서 들짐승 산짐승을 잡는 일이 흔했지. 누가 더 많이 잡았는지 시합을 하기도 했고, 그러니 불쌍하게 죽는 동물들이 아주 많았을 거야. 스님은 이것을 경계해서 '살생유택'을 강조했겠지.

그런데 이 계율은 오늘날에도 유효한 것 같구나. 육식을 지나치게 즐기는 사람들 때문에 소나 돼지, 닭 같은 동물들이 너무도 안쓰러운 환경 속에서 사육되고, 매일 헤아리기도 어려울 만큼 엄청난 수의 가축들이 도살장에서 죽어가고 있잖아. 또 건강에 이롭다면 무엇이든 가리지 않고 먹는 사람들이 있어서 산 속에서 평화롭게 살아야 할 야생동물들이 수난을 당하고 있지. 다시 한 번 생각해 볼 일이야.

▲ 원광대사가 귀산과 취항 두 화랑에게 '세속오계'를 내렸다고 전해지는 청도 운문사

부처의 깨달음을 새벽처럼 밝게 한 원효

원효 스님이 출가하기 전 세속에서의 성은 설 씨였어.
순창(淳昌) 설(薛)씨
시조 : 설거백(薛居伯)
세속 TV전광판
그의 부모는 압량군 남쪽에 있던 마을 불지촌에 살았는데
불지촌
압량군

어머니가 율곡(밤나무 골짜기)을 지나다 갑자기 진통이 오는 바람에
나올 거 같아~!
큰 거? 작은 거?
남편이 근처 사라수 나뭇가지에 옷을 걸어 가리고 아이를 낳았단다.
끄어어억!
응애~ 응애~
원효는 스님이 되고 나서
자기 집을 절로 만들고 초개사라고 했어.
卍
초개사
리모델링 (REMODELING)
또 자신이 태어난 사라수 옆에도 절을 짓고 사라사라고 이름 붙였단다.
卍
사라사
왜 반말이야? 안 사!
원효의 어릴 적 이름은 서당인데
서당
하늘 천 따지~
집에서는 신당이라고 불렀대.
신당아~ 밥 묵자~
예~
어머니가 원효를 가질 때 유성이 품안으로 들어오는 꿈을 꾸었고
어이쿠!
아기를 낳을 때는 오색구름이 땅을 뒤덮었다고 해.
응애
응애

태어나면서부터 영리하여
스승 없이 혼자서 공부했는데
독학
그의 남다른 면을 보여주는
두 가지 이야기가 전해진단다.
STORY 1
STORY 2
원효의 이름이 신라에 널리 알려졌을 때야.
원효가 미친 사람처럼 거리를 쏘다니며
큰 소리로 이런 노래를 불렀지.
내가 미쳤어~
정말 미쳤어~
그런 거 같군.
누가 내게 자루 빠진 도끼를 빌려 주려나 내가 하늘을 떠받칠 기둥을 찍으리라~♪
사람들은 이 노래가 무슨 말인지
몰랐지만
요즘 노래는 못 알아듣겠단 말이야.
가요
왕(태종무열왕)만은 속뜻을
알아챘단다.
내 눈은 못 속여.
속뜻
원효
원효대사가 귀한 부인을 얻어 훌륭한 아들을 낳고자 하는구나. 그 분의 자식이라면 나라를 위해 귀한 인재가 될 게 틀림없어.
왕의 머릿속에는 남편을 잃고
혼자가 된 요석공주가 스쳐
지나갔지.
원효가 노래 속에서 찾는
여인이 바로 요석공주라 여기고
원효를 찾아 요석궁으로
안내하라고 시켰지.
친절히 모시겠습니다
안내 도우미
원효는 자기를 찾는 관리들이
저만치 보이자
원효 스님~
일부러 문천교 다리 밑으로 빠졌어.
일부러 빠지셨죠? 다 알아요 뭐.
요석궁으로 모실게요.
문천교
어이쿠!
옷을 말린다는 핑계로 자연스레
요석궁에 머물게 되었고…
옷이 마를 때까지 잠시 묵어 가겠소.
오늘이 3일째인데….
요석궁

이렇게 해서 요석공주는 아들을 낳게 되는데
응애
응애
그 아이가 바로 설총이야.
통일신라시대의 학자

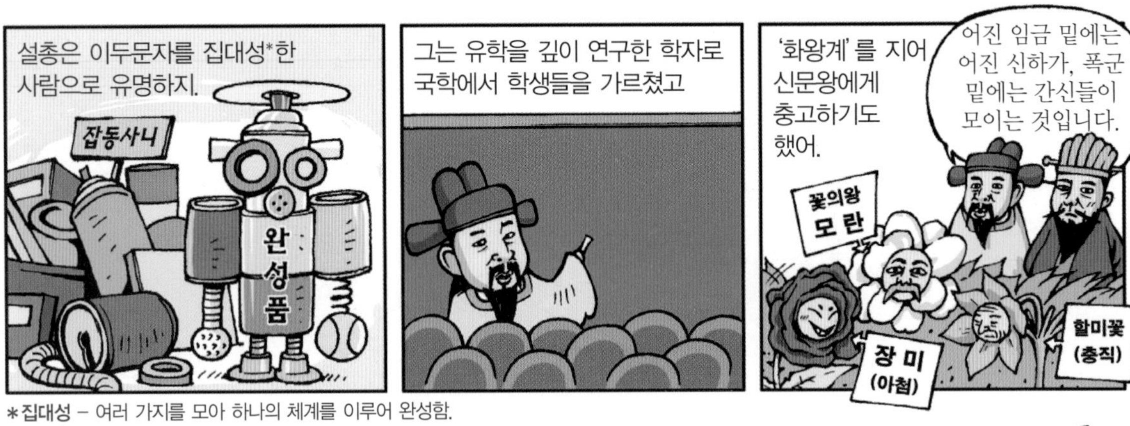

설총은 이두문자를 집대성*한 사람으로 유명하지.
잡동사니
완성품
그는 유학을 깊이 연구한 학자로 국학에서 학생들을 가르쳤고
'화왕계'를 지어 신문왕에게 충고하기도 했어.
어진 임금 밑에는 어진 신하가, 폭군 밑에는 간신들이 모이는 것입니다.
꽃의왕 모란
장미 (아첨)
할미꽃 (충직)

*집대성 – 여러 가지를 모아 하나의 체계를 이루어 완성함.

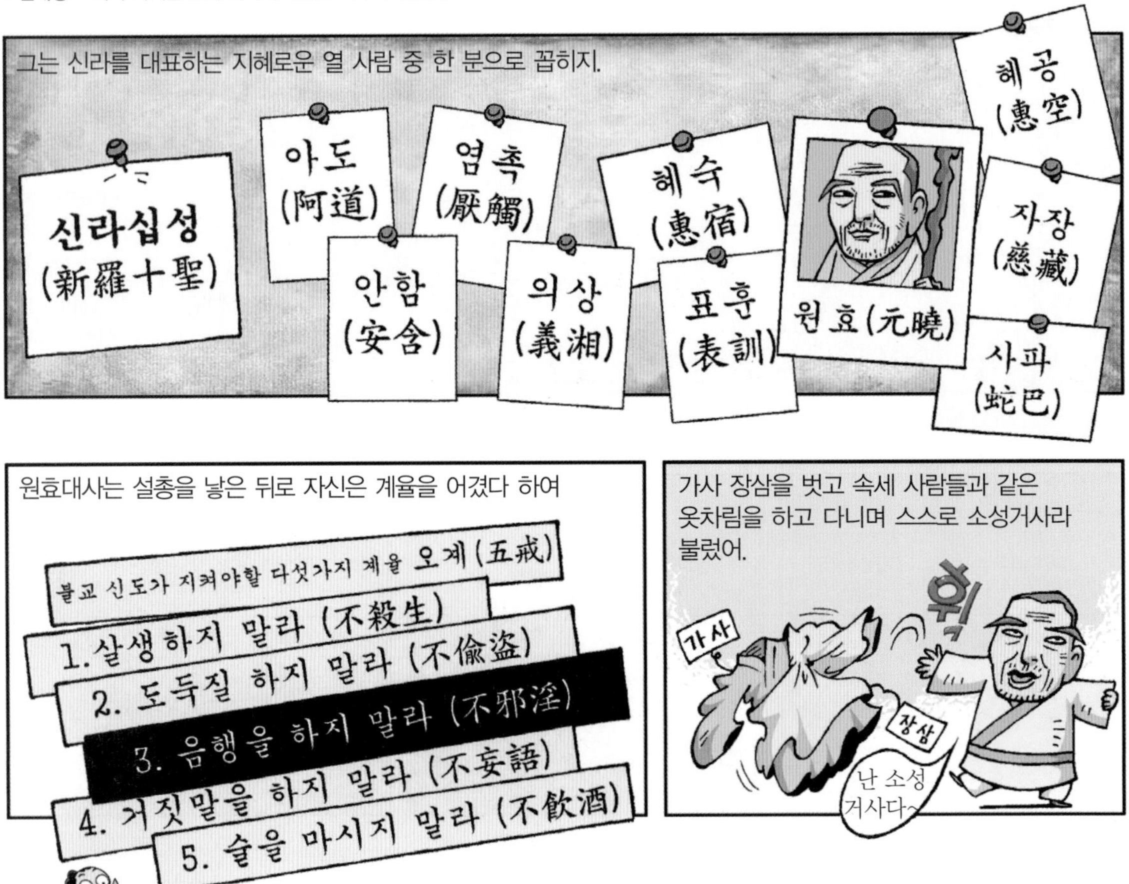

그는 신라를 대표하는 지혜로운 열 사람 중 한 분으로 꼽히지.
신라십성(新羅十聖)
아도(阿道)
염촉(厭觸)
안함(安含)
의상(義湘)
혜숙(惠宿)
표훈(表訓)
원효(元曉)
혜공(惠空)
자장(慈藏)
사파(蛇巴)
원효대사는 설총을 낳은 뒤로 자신은 계율을 어겼다 하여
불교 신도가 지켜야할 다섯가지 계율 오계(五戒)
1. 살생하지 말라 (不殺生)
2. 도둑질 하지 말라 (不偸盜)
3. 음행을 하지 말라 (不邪淫)
4. 거짓말을 하지 말라 (不妄語)
5. 술을 마시지 말라 (不飮酒)
가사 장삼을 벗고 속세 사람들과 같은 옷차림을 하고 다니며 스스로 소성거사라 불렀어.
가사
장삼
휙
난 소성 거사다~

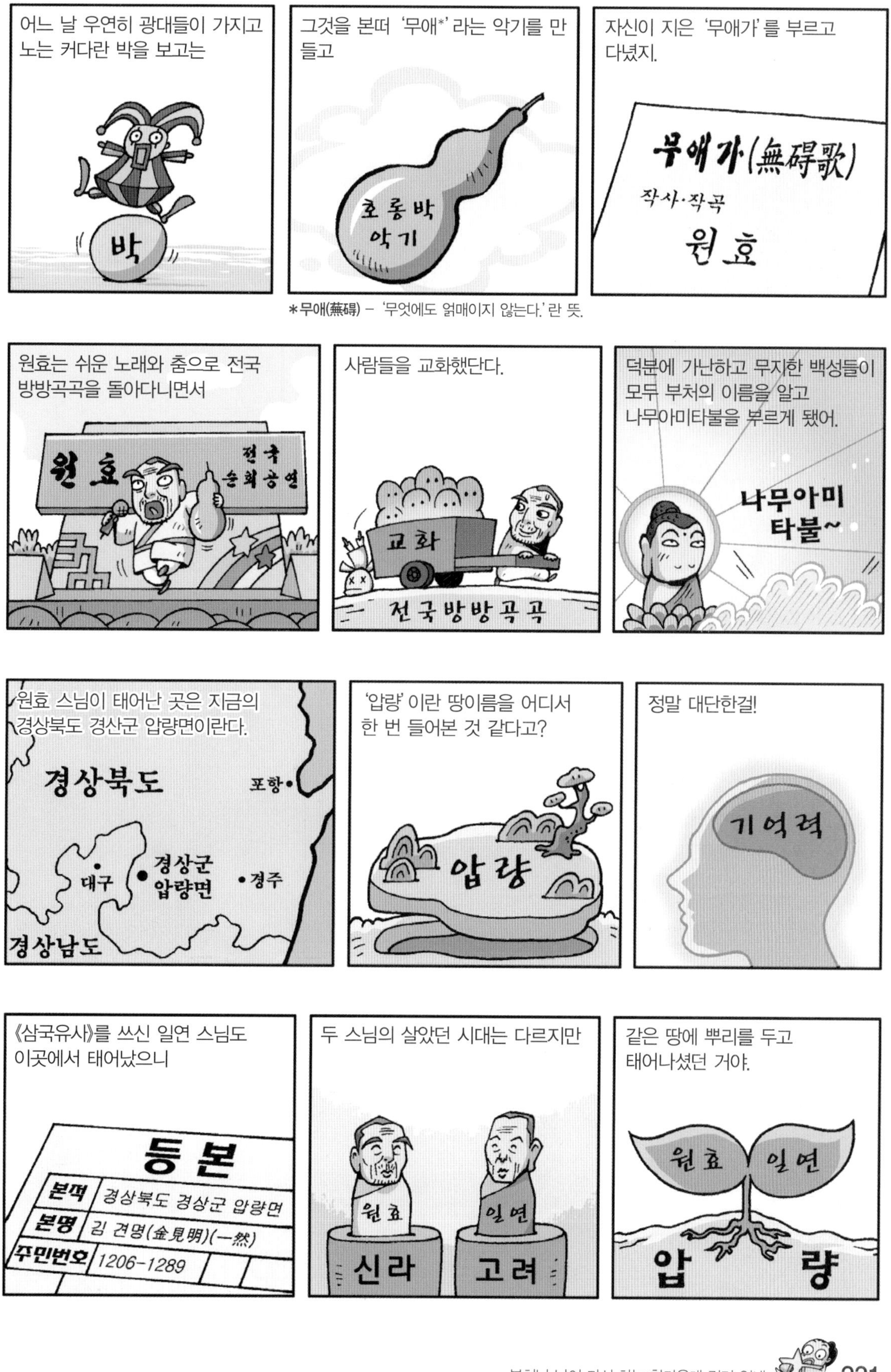
어느 날 우연히 광대들이 가지고 노는 커다란 박을 보고는
박
그것을 본떠 '무애*' 라는 악기를 만들고
호롱박 악기
자신이 지은 '무애가'를 부르고 다녔지.
무애가(無碍歌)
작사·작곡
원효
원효는 쉬운 노래와 춤으로 전국 방방곡곡을 돌아다니면서
원효 전국 순회공연
사람들을 교화했단다.
교화
전국방방곡곡
덕분에 가난하고 무지한 백성들이 모두 부처의 이름을 알고 나무아미타불을 부르게 됐어.
나무아미타불~
원효 스님이 태어난 곳은 지금의 경상북도 경산군 압량면이란다.
경상북도
포항
대구
경상군 압량면
경주
경상남도
'압량'이란 땅이름을 어디서 한 번 들어본 것 같다고?
압량
정말 대단한걸!
기억력
《삼국유사》를 쓰신 일연 스님도 이곳에서 태어났으니
등본
본적 경상북도 경상군 압량면
본명 김 견명(金見明)(一然)
주민번호 1206-1289
두 스님의 살았던 시대는 다르지만
원효
일연
신라
고려
같은 땅에 뿌리를 두고 태어나셨던 거야.
원효
일연
압
량

*무애(無碍) – '무엇에도 얽매이지 않는다.'란 뜻.

일연 스님이 원효 스님에게 각별한 애정이 있었으리라고 짐작되지 않니?
애 정
자신의 고향에서 그토록 큰 스님이 나왔다는 사실이 자랑스럽기도 했을 테고 말야.
자랑
스러
운
원효의 어머니는 나무 아래서 갑자기 아이를 낳게 되었어.
힘 줘~
끄어어~
아버지가 옷을 나무에 걸어 임시 장막을 만들긴 했지만
아무 준비도 없이 참 당황스러웠겠지.
나안~ 당황스러울 뿐이고!
원효는 따뜻한 방이 아닌
너무 더워.
불가마
!
!
골짜기의 거친 맨땅 위에서
맨땅에 헤딩
사라수란 나무는 석가모니가 수행하다가
깨달음을 얻고 열반에 든 나무이기도 하지.
도와주는 이 하나 없는 외딴 곳에서 생을 시작하게 되었어.
삶
석가모니가 생을 마친 나무 아래서 원효가 태어났다는 사실 자체가 그가 보통사람과는 다르다는 걸 말해주고 있어.

우리나라에 화엄의 뿌리를 심은 의상

의상법사는 김(金)씨 성을 가졌는데, 29세에 서울(경주) 황복사에서 머리를 깎고 스님이 되었지.
허전하군.
황복사
원효와 함께 중국 유학을 떠나 요동에 이르렀을 때, 국경을 지키던 고구려 병사들에게 잡혀
손 들엇!

첩자라 의심을 받게 되었단다.
감옥으로 따라와~
수십 일 넘게 감옥살이를 하다
콩밥
겨우 풀려나 돌아왔어.
난 이제 유학 안 가.
넌?
난 포기하지 않아.
650년에 마침 귀국하는 당나라 사신의 배가 있어 함께 갈 수 있는 기회가 생겼대.
당나라
중국 양주에 도착한 의상은 유명한 스님 지엄을 찾아 종남산으로 갔단다.
남산이다.
여긴 서울 남산이거든.
그런데 지엄은 전날 이상한 꿈을 꾸었어.
A Strange Dream
큰 나무가 해동(한반도)에서 자라나 중국 전체를 뒤덮고, 울창한 나무 꼭대기에 깃든 봉황의 보금자리에서 휘황한 광채가 나와 천지를 밝히는 거야.
China

신기해서 올라가보니 오색영롱한 여의주 하나가 있었지.
이 꿈은 틀림없이 귀한 손님이 올 징조라, 절 안팎을 깨끗이 하고 기다리는데
님은 언제 오시려나?
바로 그 때 의상이 찾아왔지.
이렇게 해서 의상은 지엄의 제자가 되어 화엄종의 세계를 배워 나갔단다.
안 보이는데요?
깨끗한 불심이 될 때 부처님을 볼 수 있느니라.
불심
지엄은 뛰어난 자질을 지닌 의상이 제자가 된 것을 기뻐하며 새로운 이치를 가르쳤어.
새로운 이치
의상은 쪽빛이 그 본색을 뛰어 넘는 것처럼 스승이 가르쳐 준 데서 더 나아가 깊은 뜻을 찾아내는 수준이 되었지.
찾았다! 네 잎 클로버!
난 다섯 잎 클로버!
이 때 신라의 재상 김흠순(김인문이라고도 기록)이 당나라 감옥에 갇혀 있었어.
당나라 교도소
흠순은 몰래 의상에게 사람을 보내 당나라가 신라를 치려 한다는 소식을 알리라고 했지.
백배
당
감독관
긴급 전갈
의상은 즉시 신라로 돌아와서 흠순이 갇힌 일과 당나라가 쳐들어 오려는 상황을 알렸어.
나 나온 그때의 의상대사가 아닌데? 혹시 당나라 첩자?
?
조정의 명을 받은 명랑대사는
명

하늘에 기도를 드려서
風
浪
이 위기를 무사히 넘겼대.
중국의 지엄이 꾼 꿈은 이튿날 찾아올 의상이 얼마나 크게 될 인물인지를 상징하고 있어.
크게 될 인물
의상은 우리나라에서 출발했지만 중국 전체를 다 뒤덮을 만큼 높은 경지에 이르고
높은 경지
China
그가 밝히는 진리의 빛은 온 세상을 밝히리라는 암시지.
진리의 빛
봉황은 가장 존귀하고 깨끗한 상상 속의 새야.
아무리 굶주려도 좁쌀을 먹지 않고
체면이 있지….
~꼬르륵…
좁쌀
어진 마음이 있어서 왕실에서는 이 봉황을 즐겨 썼단다.
청 와 대
여의주는 용이 하늘로 오르는 데 꼭 필요한 구슬이지.
여의주가 있어야 승천하는데!
여의주
스승 지엄의 눈에 의상은 봉황이나 용처럼 큰 뜻을 이룰 만한 특별한 제자로 보였던 거야.
특별한 제 자
지 엄
그도 그럴 것이 보통 중국으로 유학을 간다면 스물 전후 젊은이들이 대부분이었는데, 의상은 거의 서른 살에 스님이 되었고
아저씨, 효도 관광은 저쪽인데요.
중국 유학
여권
나도 유학 가는 거거든.

중국으로 가려던 첫 시도는
감옥살이를 하다 돌아오는 것으로
실패했지.
출소
두부

그가 다시 기회를 얻어 중국으로
건너갔을 때는 37세로
625년
신라
661년
당나라

이 땅에서 공부를
할 만큼 해서 이미
높은 수준에 도달해
있었으리라 짐작돼.
높은 수준
공부

그가 지은 《법계서도인》은
불교 교리 중에서도 아주 어렵고
방대하다는 화엄사상의 근본정신과
깨달음의 과정을 딱 210자로
요약해서 적은 그림 시란다.

정사각형 안에 늘어선 글씨를
한가운데 '법(法)' 자에서 시작하여
7자씩 돌아가며 읽으면
무한한 깨달음을 나타내는
'불(佛)' 자에 이르게 되지.

전체를 '회(回)' 자 형태로
도안한 것은 진리의 수레바퀴가
항상 돌고 돈다는 뜻이래.

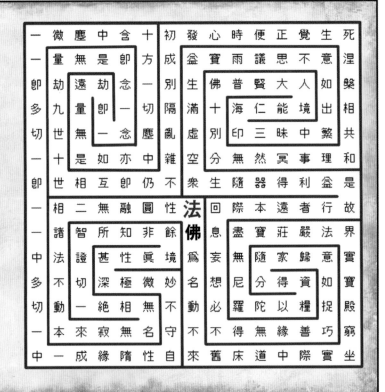

一	微	塵	中	含	十	初	發	心	時	便	正	覺	生	死
一	量	無	是	卽	方	成	益	寶	雨	議	思	不	意	涅
卽	劫	遠	劫	念	一	別	生	佛	普	賢	大	人	如	槃
多	九	量	卽	一	切	隔	滿	十	海	仁	能	境	出	相
切	世	無	一	念	塵	亂	虛	別	印	三	昧	中	繁	共
一	十	是	如	亦	中	雜	空	分	無	然	冥	事	理	和
卽	世	相	互	卽	仍	不	衆	生	隨	器	得	利	益	是
一	相	二	無	融	圓	性	法	回	際	本	遠	者	行	故
一	諸	智	所	知	非	餘	佛	息	盡	寶	莊	嚴	法	界
中	法	證	甚	性	眞	境	爲	妄	無	隨	家	歸	意	實
多	不	切	深	極	微	妙	名	想	尼	分	得	資	如	寶
切	動	一	絶	相	無	不	動	必	羅	陀	以	糧	捉	殿
一	本	來	寂	無	名	守	不	不	得	無	緣	善	巧	窮
中	一	成	緣	隋	性	自	來	舊	床	道	中	際	實	坐

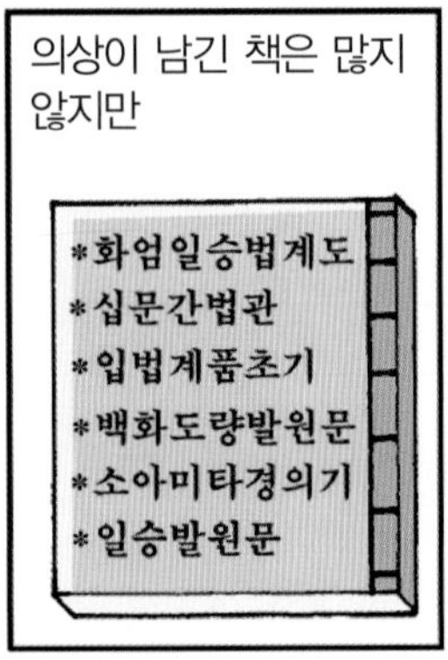
의상이 남긴 책은 많지
않지만
*화엄일승법계도
*십문간법관
*입법계품초기
*백화도량발원문
*소아미타경의기
*일승발원문

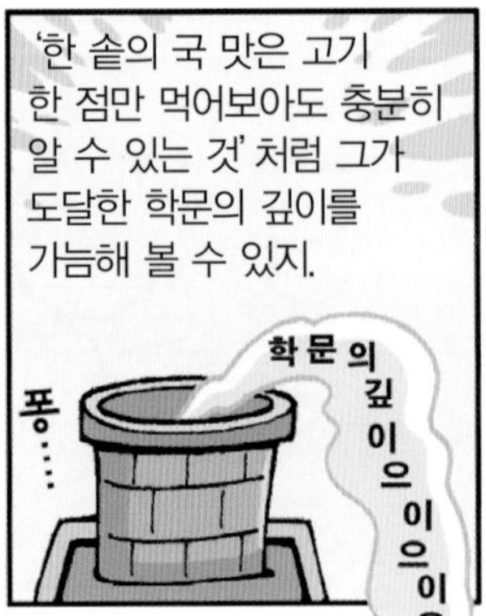
'한 솥의 국 맛은 고기
한 점만 먹어보아도 충분히
알 수 있는 것' 처럼 그가
도달한 학문의 깊이를
가늠해 볼 수 있지.
퐁……
학문의 깊이으이으이으

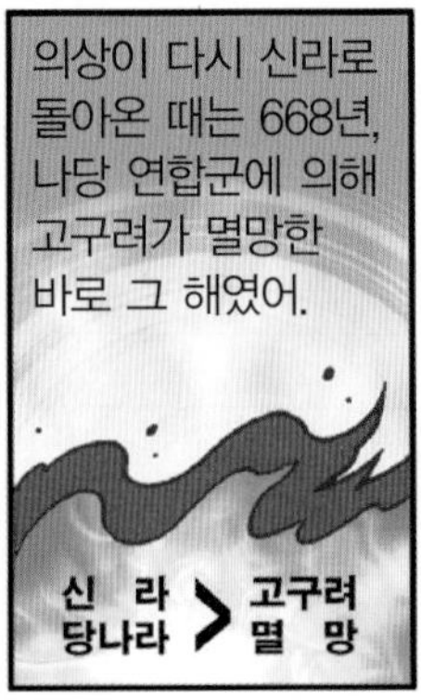
의상이 다시 신라로
돌아온 때는 668년,
나당 연합군에 의해
고구려가 멸망한
바로 그 해였어.
신 라 당나라 > 고구려 멸 망

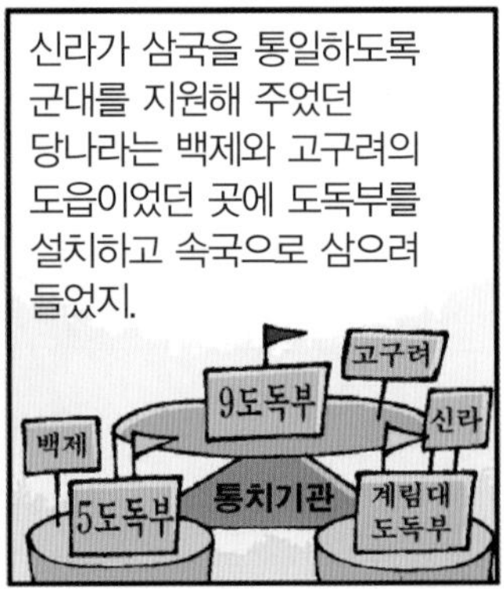
신라가 삼국을 통일하도록
군대를 지원해 주었던
당나라는 백제와 고구려의
도읍이었던 곳에 도독부를
설치하고 속국으로 삼으려
들었지.
고구려
9도독부
신라
백제
5도독부
통치기관
계림대 도독부

신라가 이에 반대하니 아예
신라까지 정벌하려는
속셈을 드러낸 거야.
감히 우리 일을 반대해?
아….
그래서 사신으로 파견한
김흠순을 감옥에 가둬 두고
있었단다.
김흠순은 유명한 장군
김유신의 동생이었어.
이분이 나의 형님이시지! 바로 김유신!
흠순은 당나라에 있으면서
감지한 위험 징후를 의상을 통해
고국에 알리게 하고
신라
당나라
의상
김흠순
신라는 이에 대비해 당나라의
침입을 막아낼 수 있었지.
의상이 귀국한 뒤 가르침을 전한 절
가운데는 태백산 부석사, 가야 해인사,
금정 범어사, 지리산 화엄사 등 이름만
들어도 알 만한 사찰들이 많아.
화엄종
부석사
해인사
범어사
화엄사
그가 길러낸 제자들도 모두
우리나라의 불교를 이끈 훌륭한
분들이었지.
표훈
오진
범체
지통
진정
도융
도신
법융
양원
상원
진장
능인
의적
3000명의 제자
의상이 황복사에 머물 때 제자들과
함께 탑돌이를 하는데, 항상 허공을
딛고 올라가 돌았기 때문에
매일 보는 거라 이제 놀랍지도 않네.
그 탑에 돌사다리를 놓지
않았다고 해.
그리고 "세상 사람들이 이걸 보면
이상하게 생각할 테니 세상에는
가르칠 수 없다."고 말했대.
쉿!
공부만 잘한 게 아니라 신통력도
대단한 스님이었던 모양이야.
신
통
력
의상은 문무왕 16년(676)
태백산으로 들어가 부석사를 세우고,
《화엄경》의 가르침을 전파했단다.
불교방송
부석사

부석사에는 재미있는 이야기가 전해 오지. 의상이 중국에서 공부할 때 선묘라는 아가씨가 의상의 풍모에 반해 사랑하게 되었어.
아…
….
이미 스님의 몸이었던 의상이 선묘의 인간적인 사랑을 받아들이지 않자
LOVE
NO
선묘는 자신도 불법에 귀의하려고 마음먹지.
佛法
의상은 귀국 길에 등주에 있던 선묘의 집을 찾아갔는데, 선묘가 열심히 손을 모아 예불하는 뒷모습만 보고
발길을 돌렸단다.
나앙자… 부디 행복하시오.
뒤늦게 이 일을 알게 된 선묘가 부두로 달려갔지만 배는 이미 떠난 뒤였지.
그러자 선묘는 바다에 몸을 던졌는데
퐁..
순식간에 용이 되었다고 해.
펑
이 용은 의상이 탄 배를 호위해서 신라까지 무사히 오도록 했지.
신라
의상이 문무왕의 명으로 태백산에 절을 세우려 하는데, 한 무리가 나타나 방해를 했단다.
자릿세 더! 맞고 줄래? 그냥 줄래?
한무리
그때 갑자기 천둥이 치고 비가 오더니
용 모양을 한 커다란 바위가 훼방꾼들 머리 위로 휙휙 도는 거야.
뭐, 뭐냐?
아고… 어지러워.

겁을 먹은 그 사람들이 도망을 갔지. 의상은 이것이 죽어서 용이 된 선묘 아가씨가 돕는 거라고 생각했어.
그래서 바위가 떨어지면서 생긴 우물을 선묘정이라 하고
선묘정
절 이름은 뜬 돌이 나쁜 무리를 몰아내 지은 절이라는 뜻에서 부석사라고 했단다.
浮石寺
뜰부 돌석 절사
용이 되어서도 의상을 도우려 한 선묘가 깃들었다는 이 우물은 불과 몇십 년 전만 해도 남아 있었다고 해.
폐정*
의상은 늘 고생하는 백성들을 가여워하면서, 왕이 상을 내리려 하니 이렇게 편지를 썼지.
왕이 덕을 쌓으면 흙더미나 풀로 경계를 삼는다 해도 백성들이 밟지 않겠으나, 덕을 쌓지 못하면 만리장성도 무슨 소용이겠습니까?

*폐정(廢井) - 우물을 쓰지 않고 버려 둠.

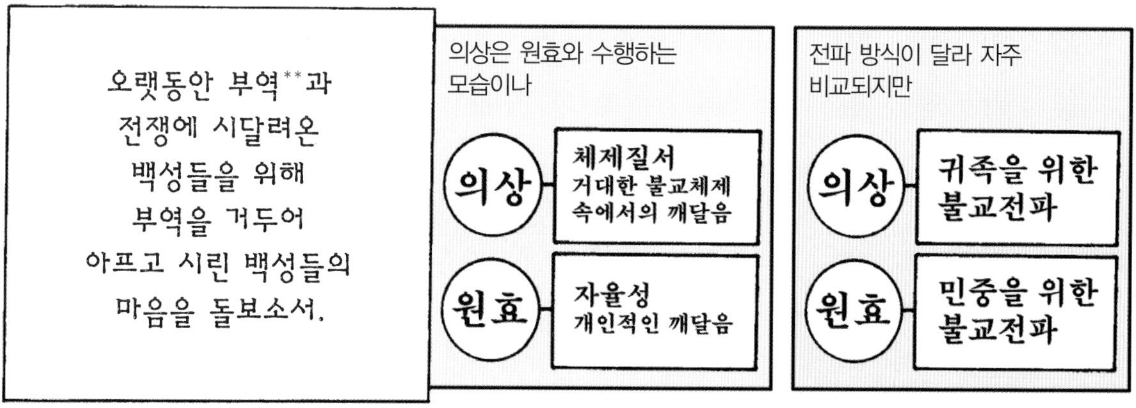
오랫동안 부역**과 전쟁에 시달려온 백성들을 위해 부역을 거두어 아프고 시린 백성들의 마음을 돌보소서.
의상은 원효와 수행하는 모습이나
의상
체제질서 거대한 불교체제 속에서의 깨달음
원효
자율성 개인적인 깨달음
전파 방식이 달라 자주 비교되지만
의상
귀족을 위한 불교전파
원효
민중을 위한 불교전파

**부역(賦役) - 국가나 공공 단체가 특정한 공익 사업을 위하여 보수없이 국민에게 의무적으로 책임을 지우는 노역.

백성들을 사랑하는 마음으로 불교의 진리를 더 많은 이들에게 전하려 애쓴 점에 있어선 차이가 없었어.
백성을 위하는 마음
일연 스님은 의상대사를 '화엄을 캐내어 고국에 심으니, 종남산과 태백산이 똑같이 봄빛이구나.' 하면서 찬미했단다.

원효(元曉)

불교의 대중화에 앞장 선 원효 대사

'원효' 하면 무엇보다도 해골 물을 마시고 깨달음을 얻은 스님으로 유명하지. 원효는 의상 스님과 두 번이나 중국 유학길에 오르는데, 첫 번째 시도는 고구려 국경에서 첩자로 오인 받아 잡히는 바람에 고생만 하다 돌아오는 것으로 끝났어.

그리고 10년 뒤 다시 떠났을 때 캄캄한 동굴 속에서 잠을 자다 심한 갈증에 잠이 깼지. 마침 손에 물이 든 바가지가 잡혀서 아주 달게 마셨거든. 그런데 다음날 날이 밝고 보니 전날 그렇게 달게 마신 물이 해골 썩은 물이었던 거야. 그때 갑자기 눈앞을 가리던 비늘이 벗겨지고 밝은 빛이 환히 쏟아지는 듯 깨달음이 왔단다.

'이 더러운 물이 어제는 어째서 그렇게 시원하게 느껴졌을까? 내 마음에서 썩은 물이라고 꺼림이 없었기 때문이다. 사람은 마음먹기에 따라 행복하기도 하고 괴롭기도 하다. 아, 세상 모든 일은 마음먹기에 달렸구나!'

▲ 원효대사 영정

이런 생각에 이른 원효는 함께 중국으로 가자는 의상에게 고개를 내저으며, 진리가 어찌 당나라에만 있겠느냐고 하지.

원효는 결국 의상과 헤어져 혼자 서라벌로 돌아왔어. 그리고 만물의 차별은 자신의 마음으로부터 비롯된다는 깨달음을 바탕으로 어리석어 보이는 중생들과 숭고한 부처가 다르지 않다고 여겼단다. 원효는 천하고 무지한 백성들도 모두가 부처와 같은 깨끗한 마음을 가지고 있는데, 다만 그 마음을 깨닫지 못하고 있을 뿐이라고 생각했어.

끊임없이 노력하면 누구나 부처가 될 수 있다고 믿은 그는, 백성들과 거리낌 없이 어울리면서 불교의 진리를 쉽게 전파하는 데 온 힘을 쏟았지. 교리를 깊게 이해하지 못해도 '나무아미타불 관세음보살' 만 외우면 다 구제받는다고 외치고 다녔단다.

신라에 들어온 초기 불교는 글을 모르는 백성들이 그 뜻을 이해하기엔 너무 어렵기만 했어. 하지만 원효는 왕과 귀족들만이 누렸던 종교적인 평안과 깨달음을 백성들 속으로 스며들게 하는 데 전 생애를 다 바쳤지. 그는 또 《화엄경》과 《금강삼매경》에 대한 해설을 쓰기도 했는데, 인도나 중국과 다른 우리만의 생각과 색깔이 묻어나는 사상이 담겨 있어.

남들이 자신을 업신여기든 말든, 광대처럼 길거리에서 노래를 부르면서 천하고 무식하다고 여겨진 백성들을 부처님의 제자로 만든 원효. 그는 깊은 산속 절의 울타리안에 머물러 있던 불교를 백성들이 부대끼는 삶터 곳곳으로 끌어내 아름답게 피어나도록 했지. '원효' 란 법명은 자신이 붙인 이름인데, '해가 돋는 새벽' 을 뜻하는 우리말이란다. 새벽에 비치는 한 줄기 햇살이 이 땅을 처음 밝히듯이 그는 부처님의 날을 처음으로 빛나게 한 새벽 같은 사람이었어.

낙산사와 신라의 고승 의상과 원효

일연 스님은 낙산사에 특별한 애정이 있었던지 유명한 의상과 원효뿐만 아니라, 범일 스님과 조신의 꿈 이야기까지 많은 이야기를 소개하고 있어. 의상과 원효는 신라를 대표하는 큰 스님들로 다음에 또 얘기하겠지만 서로 개성이 아주 달랐던 분들이야.

관음을 만나기 위해 목욕재계하고 1주일 동안 정성을 드려 수정 염주와 여의주를 얻고, 다시 감사하는 마음으로 예불을 하여 결국 관음보살을 만나게 되는 의상. 딱 성실 노력파 모범생의 모습이지. 반면에 원효 스님은 관음보살을 만나려고 낙산사에 오려면 진지한 자세로 딴 데는 눈길도 주지 말아야 할 것을, 쓸데없이 여인들과 장난을 치질 않나 관음보살이 변신한 여인들인데 전혀 눈치도 못 채고… 결국 풍랑 때문에 관음보살이 있다는 굴 근처에 가보지도 못하고 말았지.

결과만 놓고 보면 낙제생인 셈이야. 하지만 원효도 관음보살을 만나긴 했잖아. 그것도 두 번씩이나. 실수 연발 허점투성이 원효 스님이 한 치도 어그러짐이 없는 의상 스님보다 더 인간적으로 느껴지는 건 왜일까?

참, '그만두라' 면서 원효 스님을 놀렸던 파랑새가 앉아 있었던 소나무, 관음송은 지금도 그 자리를 지키고 서 있단다.

▲ 김홍도 낙산사

4부

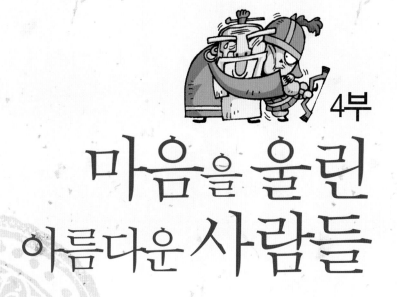

마음을 울린
아름다운 사람들

제12장 곧은 마음이 시키는 대로 부처님을 모셔라

사랑의 약속을 죽음으로 지킨 호랑이 처녀

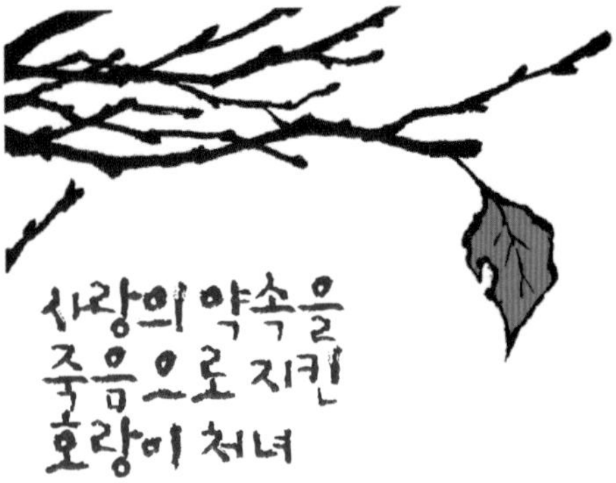

신라에는 해마다 2월 초여드레부터 보름까지 서울의 남녀들이 흥륜사에 모여 탑을 도는 풍속이 있었대.

원성왕 때 김현이란 총각이 혼자 밤늦도록 탑돌이를 하며 기도하는데

한 처녀가 염불을 하면서 따라 도는 거야.

아름다운 처녀의 자태에 김현은 금세 마음을 빼앗겼지.

둘이는 서로의 마음이 같음을 알고 깊은 연분을 맺게 되었어.
그리곤 따라오지 말라고 하는 처녀를 집까지 쫓아갔지.
이 양반 왜 자꾸 쫓아와!
나앙자~!
서산 기슭에 오두막 한 채가 있는데.
낭자~
따라 오지 마!
?
집에 있던 할머니가 김현을 보고 깜짝 놀라 누구냐고 물었어.
이 썩을 놈은 뉘기여?
할머니 입 험하시다. 하!하!하!
처녀가 지금까지 있었던 일을 사실대로 털어 놓으니, 할머니는 한숨을 쉬면서 말했단다.
피유~
이미 엎질러진 물이니 할 수 없구나. 네 오빠들이 오기 전에 저 남자를 잘 숨겨라.
?
김현을 깊숙한 곳에 숨겼는데
잠시 후 사납게 생긴 호랑이 세 마리가 으르렁대며 들어오는 거야.
으르렁~!
집에서 사람냄새가 나는군. 배고픈 참인데 마침 잘 됐다.
쿵! 쿵!
할머니는 버럭 화를 내며 무슨 냄새가 난다고 그러냐면서 야단을 쳤지.
버럭
나 먹을 것도 없는데..
바로 그때 하늘에서 꾸짖는 소리가 들렸단다.
너희가 많은 생명을 해치고도 뉘우치는 마음이 없으니, 이제 한 놈을 죽여 벌을 주겠다.

이 소리를 들은 호랑이들이 무서워 벌벌 떠는데
벌
벌
곁에서 조용히 있던 처녀가 말했어.
오빠들이 이곳을 떠나서 앞으로 다시는 나쁜 짓을 안 한다고 약속한다면,
!!
제가 그 벌을 대신 받겠습니다.
정말?
세 호랑이는 그저 죽지 않게 된 것이 기뻐서 뒤도 돌아보지 않고 달아나 버렸지.
이야호~
처녀는 김현이 숨어 있던 곳으로 와서 말했어.
탕탕
얍!
처음에 저희 집에 못 오시게 한 것은 이런 모습을 보일까 부끄러워서였습니다.
퓽~
이제 모든 걸 아셨으니 무엇을 더 숨기겠습니까?
아이 드러..
제가 비록 사람은 아니지만 하룻밤을 함께 했으니 부부의 인연만큼 귀합니다.
허억!
하지만 저는 하늘의 벌을 받게 된 오빠들의 죄를 대신 감당하려고 마음먹었습니다.
후~
그러니 이왕 죽을 목숨이라면 차라리 도련님의 손에 죽는 게 낫겠습니다.
내일 제가 마을에 내려가 사람들을 해치며 한바탕 소란을 피우겠습니다. 그러면 임금께서 높은 벼슬과 상을 걸고 저를 잡으라고 할 것이니, 그 때 저를 쫓아 성 북쪽 숲 속으로 오십시오.

김현이 기가 막혀 대답했지.
당신은 하늘이 준 인연인데, 어찌 내가 하늘이 맺어준 짝을 팔아 내 이득을 챙기겠소?
이득
그렇게 말씀하지 마십시오.
제가 일찍 죽는 것은 하늘의 명입니다. 제 소원이면서 도련님께는 경사가 될 것입니다. 또 저희 족속의 복이요, 사람들에게 큰 기쁨일 것입니다.
한 번 죽어 다섯 가지 이로움을 얻을 수 있는데 왜 마다 하십니까?
하나…둘… 셋……
다만 저를 위해 절을 짓고 불경을 낭송하여 좋은 업보를 얻게 해 주시면, 그 은혜 죽어서도 잊지 않겠습니다.
좋은 업보
둘은 서로 부둥켜안고 울며
우아아앙~
헤어졌단다.
휙
다음날 정말로 사나운 호랑이 한 마리가 성 안에 나타나서 사람들을 해치는데 어찌나 무서운지 아무도 잡을 엄두를 내지 못했지.
크아

그때 김현이 호랑이를 잡아 오겠다고 나서자
내가 잡아 오겠소!
두둥~
미친 게야…
오웃!
원성왕은 2급 벼슬을 주며 격려했어.
확팅~!
김현은 칼을 쥐고 전날 약속한 숲 속으로 갔지.
그곳에 먼저 와 있던 호랑이가
처녀로 변해
서방눠임~
펑
반갑게 맞아 주었단다.
방가, 방가.
낭군님, 어젯밤 우리가 깊이 나눈 정을 잊지 마십시오.
잊으면 가만 안둬…
불끈
오늘 제 발톱에 상처를 입은 사람들은 모두 흥륜사의 장을 바르고, 절의 나발 소리를 들으면 깨끗이 나을 것입니다.
된장
도련님은 부디 만수무강 하십시오.
만수 무강
말을 마치자마자 김현이 차고 있던 칼을 뽑아
낑~
?
스스로 목을 찔러 죽었대.
그 목 아니거든
목(木)

김현은 자신을 위해 생명을 바친 호랑이 처녀의 시체 앞에 엎드려 한참을 울었어.
우아아앙~
마음을 가라앉히고 난 뒤
어이구~ 무거~ 흑!흑!흑!
숲에서 나와 호랑이를 잡았다고 소리쳤겠지.
내가 범을 잡았소~!
아~싸~! 멋져부려!
호랑이한테 다친 사람들은
상처
가르쳐 준 대로 하니
뿌~
된장
상처가 모두 아물었단다.
말짱
김현은 벼슬길에 나간 뒤
벼슬길
서천 가에 호원사라는 절을 짓고
호원사
호랑이의 명복을 빌었다고 해.
부디 극락 왕생하시오~

이생과 전생의 부모를 모두 섬긴 김대성

신문왕 때 모량리에 경조라는 가난한 과부가 살았단다. 그녀에겐 아들 하나가 있었는데 머리가 크고 정수리가 평평해서 성처럼 보였기에 이름을 대성이라고 지었대.
대성아 어딨니?
대성아!

대성의 집은 너무 가난해서 어머니가 마을 부자인 복안의 집에 하녀로 들어가게 됐지.
그 집의 일을 해주는 대가로
작은 밭을 얻어서 겨우 먹고 살았대.

하루는 점개란 스님이 와서 보시*를 권하니
똑! 똑! 똑!
이리 오너라~ 웬만 하면 나와서 보시 좀 하지~이!
찍!
복안이 베 50필을 시주했거든.
베
50필
이를 받은 스님은 "하나를 보시하면 만 배를 얻게 되니, 당신은 편안하고 장수할 것입니다."하고 축원했지.

*보시 – 도움을 베푸는 일.

문간에 서 있다가 이 소리를 들은 대성은
오호~
어머니에게 달려가서 말했단다.
어무이, 어무이!
?
어머니, 우리가 이렇게 가난한 것은 전생에 좋은 일을 하지 않아서인 것 같아요.
지금 우리에게 있는 밭을 보시하면, 다음 생에는 복을 받을 수 있지 않을까요?

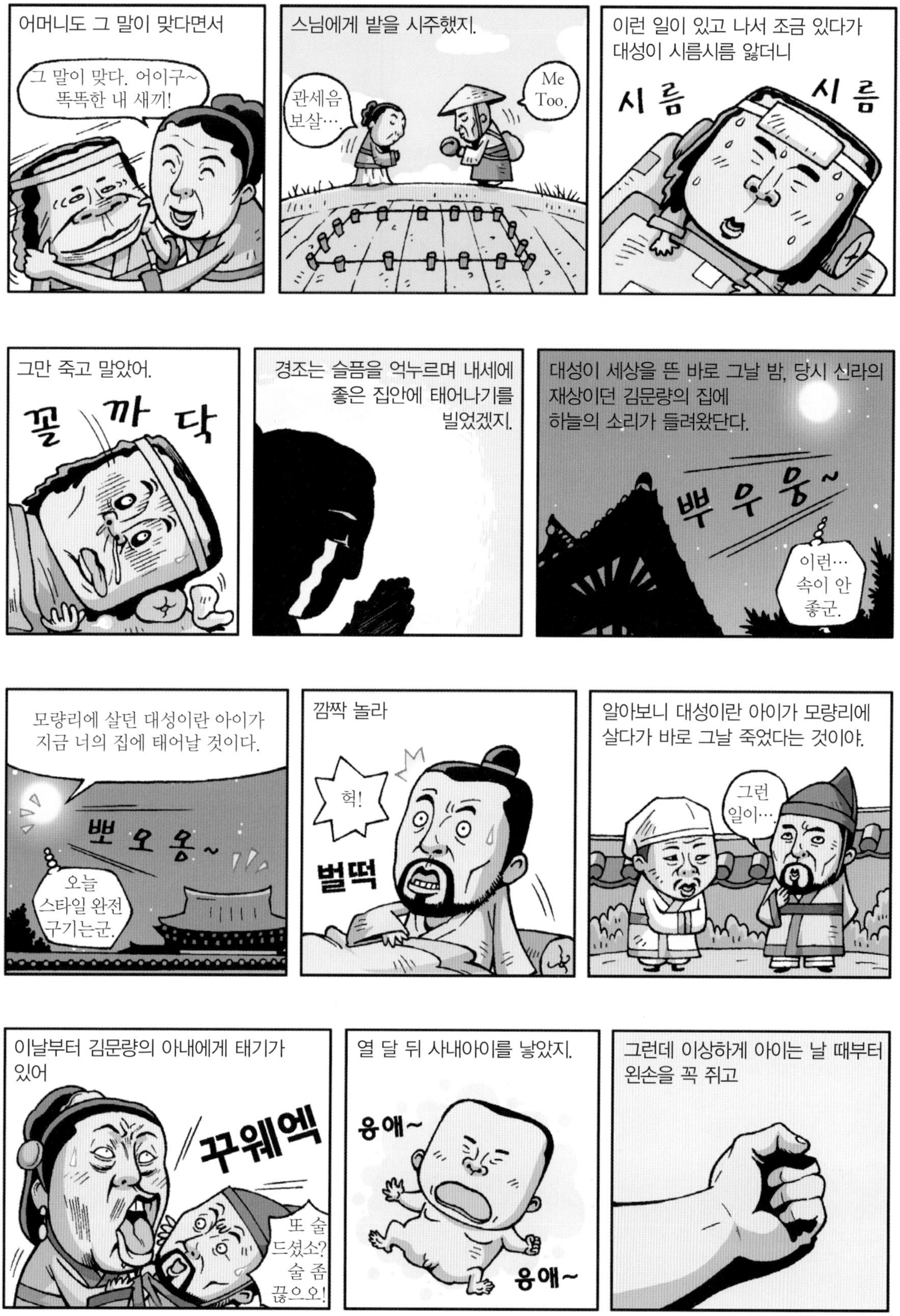

어머니도 그 말이 맞다면서
그 말이 맞다. 어이구~ 똑똑한 내 새끼!
스님에게 밭을 시주했지.
관세음 보살…
Me Too.
이런 일이 있고 나서 조금 있다가 대성이 시름시름 앓더니
시름 시름
그만 죽고 말았어.
꼴 까 닥
경조는 슬픔을 억누르며 내세에 좋은 집안에 태어나기를 빌었겠지.
대성이 세상을 뜬 바로 그날 밤, 당시 신라의 재상이던 김문량의 집에 하늘의 소리가 들려왔단다.
뿌우웅~
이런… 속이 안 좋군.
모량리에 살던 대성이란 아이가 지금 너의 집에 태어날 것이다.
뽀오옹~
오늘 스타일 완전 구기는군.
깜짝 놀라
헉!
벌떡
알아보니 대성이란 아이가 모량리에 살다가 바로 그날 죽었다는 것이야.
그런 일이…
이날부터 김문량의 아내에게 태기가 있어
꾸웨엑
또 술 드셨소? 술 좀 끊으오!
열 달 뒤 사내아이를 낳았지.
응애~
응애~
그런데 이상하게 아이는 날 때부터 왼손을 꼭 쥐고

아무리 펴려고 해도 펴지질 않는 거야.
이 양반 보세.
이레가 지나 아이가 스스로 손을 폈는데
스
윽
손에는 대성이란 두 글자가 새겨진 금쪽이 쥐어져 있었어.
두
大城
둥
문량은 하늘의 계시가 그대로 맞았다는 걸 알고
쿵!
난 하늘이 어젯밤에 한 일을 알고 있지. 키킥!
아기 이름을 대성이라고 지었지.
대성이 어부루루루~
공포 그 자체다.
그리고 모량리에 사는 경조를 자기 집으로 데려와 함께 살았다고 해.
저 여자 누구야? 바람폈지?!
대성은 자라면서 사냥을 무척 좋아했어.
겨우 잡았다.
탄피
하루는 토함산에서 곰 한 마리를 잡아서 기분 좋은 김에
산 아래 마을에서 술을 마시다 잠이 들었지.
코~
그런데 꿈에 그날 죽인 곰이 나타나 울부짖었어.
이봐 형씨.
찍!
나는 네게 해를 입히지 않았는데 어째서 나를 죽였느냐?
내가 환생하여 너를 반드시 잡아먹겠다.
대성은 싹싹 빌면서 제발 살려 달라고 했지.
드르렁~
사, 살려 줍셔, 예~
싹 싹

네가 잘못을 비니
한 번은 용서하겠다.
대신 나를 위해
절을 지어줄 수
있겠느냐?
대성이 그러마고 맹세하고
그러마~고!
약속~
꿈에서 깨었지.
헉!
대성은 이때부터 다시는 사냥을
하지 않았고
나 손
씻었어.
쓰레기통
약속한 대로 곰을 잡은 자리에
장수사란 절을 지었단다.
장수사
대성은 이 일을 겪고 나서 깨달은
바가 많아 불심이 더욱 깊어졌지.
대성은 이승의 부모를 위해 불국사를 세우고

전생의 부모를 위해 석굴암를 세웠어.
그리고 신림, 표훈 두 스님을 모셔다가 두 절에서 살게 했지.
관세음 보살….
불국사를 세울 때 일이야.
불국사
큰 돌을 다듬어서 탑의 지붕을 만들고 있는데
갑자기 돌이 세 조각으로 쪼개져 버렸어.
대성은 속상해 하다가
속상해. 속상해.
깜빡 잠이 들었는데
깜빡
쿠울~ 쿠울~

하늘에서 신이 내려와
탑 지붕을 완성해 놓고 가는 꿈을 꾸었지.
슈욱
하도 생생한 꿈이라
생생한 꿈이군 ….
신기해 나가 보니, 꿈에서 본 그대로 지붕이 완성돼 있는 거야.
두둥!
대성은 감격하여
와우! 나 완존 감격!
남쪽 고개로 달려가
남쪽고개
향나무를 사르며 하늘에 감사를 드렸지. 그때부터 이 고개를 향령이라 부르게 됐어.
고개 알바생
향령고개
일연 스님의 이야기는 우리나라에서 첫손가락에 꼽히는
이게 첫 손가락 이야?
이게 첫 손가락 이야?
불국사와
석굴암에

초점을 맞춘 게 아니라
초점
두 생의 부모에게 효성을
바친
孝
어버이 은혜
감사합니다
김대성을 주인공으로 삼고 있어.
비키셔!
내가
주인공이래.
불국사
석굴암
끼니를 잇기도 힘들 만큼 가난한
집에서 태어났던 대성은
어머니에게 보시를 권하고
베품
그 덕을 입었는지
덕
지체 높은 재상의 아들로
환생하게 되지.
김문량
Home
부족한 게 전혀 없이 부잣집 도련님으로
자란 대성은
우리집
돈 많아.
10000
재미로 잡은 곰이 꿈에 나타나 크게
꾸짖는 바람에
이씨!
형님, 한번만
봐줍셔, 네~
삶의 모습이 완전히 바뀌었어.
180도
삶
지금까지 조심하고 배려하는 것과는
거리가 멀게, 제멋대로 살아온 자신의
과거를
삶이
제멋대로
야~
삶
반성하고, 착한 공덕을
쌓아야겠다고 결심하잖아.
착한일

그래서 전생의 부모님을 위해서 석굴암을
석
굴
암

현생의 부모님을 위해서 불국사를 지었다는 얘기야.
불
국
사

하지만 이런 엄청난 규모의 절을 짓는 일은 김대성의 개인적인 바람으로 절대 이루어질 수 없는 거였어.
꿈☆은 이루어 진다
불국사
석굴암
짜작작작짝!

토함산은 신라 사람들이 신성시하는 산이었는데
경주
토함산
해발745m

나라에서 적극적으로 나서 지원하지 않았다면 불가능한 일이란다.
불국사&석굴암
정부 지원금

그렇지만 두 어머니를 생각하는 김대성의 효성과 착한 마음이
효성
착한마음

통일신라 시대의 찬란했던 불교 예술의 결정판, 불국사와 석굴암을 완성시킨 출발점이 될 수 있었지.

호랑이를 통해 본 민간 신앙과 불교와의 관계

호랑이는 우리 옛이야기 속에서 숱하게 등장할 만큼 우리 조상들과 친숙한 동물이었어. 지금이야 동물원에 가야 호랑이를 구경할 수 있고, 그것도 우리에 갇혀 느릿느릿 움직이거나 아예 지그시 눈을 감고 엎드려 있는 모습만 보니 호랑이가 갖고 있던 맹수다운 느낌은 찾아볼 수 없게 됐지.

하지만 깊은 산 골골마다 호랑이가 살고 있을 때는, 호랑이는 얘기만 들어도 두려운 동물이면서 신앙의 대상이기도 했어. 산 근처 마을에서는 호랑이한테 물려가서 죽는 일이 심심치 않게 일어나서, 어린애들은 "저기 호랑이 왔다!" 한 마디에도 울음을 뚝 그치곤 했지.

▲ 호랑이는 조선 후기 민화의 단골 주제이다.

민간 신앙에서 호랑이는 산을 지키는 산신山神으로, 또는 산신령을 호위하며 뜻을 전하는 사자使者로 인식되었어. 산 속에 있는 절에는 산신각이나 칠성각이란 현판이 붙은 작은 건물이 함께 있기도 해.

산신각은 산신령을 모신 곳이고 칠성각은 칠성신을 모신 곳이니 불교와 안 어울리는 것 같은데, 왜 절 안에 있는 걸까? 불교가 우리나라에 들어와 번성하던 시기에는 절이 지금처럼 깊은 산 속에 있지 않고 사람들이 늘 드나들기 쉬운 가까운 곳에 있었지. 신라의 황룡사나 분황사가 서라벌 한가운데 있었던 걸 생각해 봐.

그런데 고려가 망하고 난 뒤 들어선 조선왕조는 유교를 통치이념으로 삼아 불교를 억압했단다. 고려시대만 해도 존경받던 스님들은 더 이상 그런 지위를 누리지 못하고 천시되었어. 그러면서 절도 탄압을 피해 산으로 숨어 자리하게 되었지. 그 과정에서 산신령을 섬기는 백성들의 믿음을 절 안으로 끌어안은 결과 산신각이 불전과 함께 있게 된 거야.

▲ 산신과 호랑이.

산신각 안에는 대개 허연 수염을 길게 늘어뜨린 산신령이 지팡이를 짚고 서 있고, 그 옆에 호랑이 한 마리가 눈을 부릅뜨고 있는 그림이 걸려 있어. 우리 민화 속에서 호랑이는 때로 무섭게, 때로는 우스꽝스럽게 표현되었지.

일연 스님은 정말 여러 가지로 사람을 감동시킨 호랑이 처녀의 이야기를 통해 '한낱 짐승도 이렇듯 어진 마음씨를 가졌는데, 지금 사람으로 태어나 짐승만도 못한 자가 있는 것은 무엇 때문인가?' 라고 한탄하고 있어.

사람이 동물과 다른 점이 뭐겠니? 부끄러움을 알고, 의리를 지키고, 꿈을 갖고 하루하루 의미 있게 살고자 노력하는 것, 그런 게 아니겠니? 일연 스님이 이 얘기를 통해 하고 싶은 말은 딱 한 마디였을 것 같아.

'사람이~ 사람다워야~~'

지붕 없는 박물관, 경주

신라 천 년의 빛을 간직한 옛 서울 경주는 도시 전체가 '지붕 없는 박물관' 이라고 불릴 만큼 엄청난 문화유산들이 간직되어 있는 곳이야. UN 교육과학문화기구인 유네스코에서는 인류 전체를 위해 반드시 보호되어야 할 세계 곳곳의 문화재를 '유네스코 세계유산' 으로 지정하고 있어. 우리의 문화재 중에는 고창, 화순, 강화 고인돌 유적, 불국사 · 석굴암, 경주 역사유적지구, 해인사 장경판전, 종묘, 창덕궁, 수원화성, 제주 화산섬과 용암동굴, 조선 왕릉 이렇게 9가지가 세계유산으로 등록되어 있지. 이 사실만 봐도 경주에 얼마나 값진 문화유산이 많은지 알 수 있을 거야.

▲ 불국사 청운교, 백운교.

경주에는 신라 사람들이 성스러운 다섯 산 중의 하나로 섬겨온 토함산이 있단다. 토함산은 구름과 안개를 뱉었다가 머금는다는 신비스런 이름을 가진 만큼 그 속에 숨겨진 보물이 많지. 토함산의 첫 번째 보물은 바로 불국사야. 불국佛國. 부처님의 나라란 뜻이지. 751년에 짓기 시작하여 무려 24년에 걸쳐 완성된 이 절은 신라 사람들이 생각하는 극락세계를 이 땅에 그대로 옮겨놓은 곳이라고 생각하면 돼. 그래서 이 절에 있는 모든 것, 즉 돌계단에 새겨진 연꽃무늬나 층계 수, 전각의 이름까지 의미 없이 만들어진 것은 하나도 없단다.

불국사는 특이하게도 돌로 튼튼한 축대를 쌓고 그 위에 흙을 덮어 평평하게 만든 뒤에 지어진 절이야. 평지보다 높은 곳에 세워졌기 때문에 대웅전으로 들어서려면 백운교와 청운교라는 계단을 올라가야 해. 앞에서 보면 분명 계단이지만 옛날에는 이 밑으로 물이 흘렀기 때문에 흰 구름다리, 푸른 구름다리라는 아름다운 이름을 붙여 놓았지.

▲ 다보탑

대웅전 앞마당에는 그 유명한 석가탑과 다보탑이 양쪽에 균형 있게 서 있단다. 간결하면서도 시원한 균형미를 갖춘 석가탑에는 백제 장인 아사달과 그의 아내 아사녀의 슬픈 전설이 전해지지. 연못물에 완성된 탑 그림자가 비치면 남편을 다시 만날 수 있다는 말에 영지 연못가를 떠나지 않았던 아사녀. 기다림에 지친 아사녀가 스스로

▲ 석가탑

▲ 석굴암

몸을 던졌다는 가슴 아픈 이야기. 석가탑은 영지에 끝내 그림자를 비춰주지 않았다 하여 '무영탑無影塔' 이란 별명이 붙었단다. 또 석가탑의 몸 안에 있던 '무구정광대다라니경' 은 세계에서 가장 오래된 목판 인쇄물로 인정받아 국보로 지정되었어. 그 옆의 다보탑은 10원짜리 동전에서 보아 낯익지만, 실제 크기가 생각보다 엄청 큰 데 놀라게 되지. 저 탑을 정말 돌을 깎고 다듬어서 만들었을까, 믿기지 않을 만큼 정교하고 화려한 다보탑 앞에 서 있으면 보는 사람들의 입이 절로 벌어질 만해.

천 년도 훨씬 넘는 세월을 그 자리에 서 있었을 석가탑과 다보탑을 올려다보며 넋을 놓고 있다가 쉽사리 떨어지지 않는 발걸음을 토함산 위쪽으로 옮기면 통일 신라 불교 미술의 걸작, 석굴암을 만날 수 있단다. 석굴암 안에 모셔진 본존불상은 하얀 화강암을 깎아 만들었는데, 명상에 잠긴 눈과 자애로운 미소, 자연스런 옷의 주름 아래 드러난 살결이 마치 살아 있는 듯 생생하지. 이 부처님은 동해를 정면으로 바라보며 대왕암을 굽어 살피고, 왜적의 침입을 막아 주었대.

옛날엔 동해에 해가 떠오르면 부처님의 얼굴을 환히 비추며 이마에서 나오는 빛이 멀리 퍼져나갔다고 해. 석굴암의 본래 이름은 '석굴사'로 독립된 하나의 절이었는데, 일본 사람들이 지위를 낮춰 불국사에 딸린 암자로 만든 것이 지금에 이르고 있어.

▲ 석굴암 본존불의 이마엔 보석이 박혀 있었다고 하나 현재는 자리만 남아 있다.

일연 삼국유사

한지영 글 | 이진영 그림

01 《삼국유사》에서 가장 많은 비중을 차지하는 부분은 무엇일까요?
① 왕력 ② 기이 ③ 흥법 ④ 탑상 ⑤ 감통

02 일연 스님이 《삼국유사》를 완성한 절은 어디일까요?
① 진전사 ② 정림사 ③ 오어사
④ 운문사 ⑤ 인각사

03 박혁거세의 유해를 다섯 군데로 나누어 장사지낸 오릉(五陵)은 신라 영토의 중심에 있던 '이 산'과 네 군데 가장자리에 있던 팔공산, 계룡산, 지리산, 태백산, 이렇게 다섯 산을 상징합니다. 이 산의 이름은 무엇일까요?

---

04 연오랑 세오녀 이야기는 당시 신라와 이 나라 사이에 교류가 있었음을 알려 줍니다. 이 나라는 어디일까요?
① 가야 ② 백제 ③ 인도 ④ 일본 ⑤ 중국

05 진골 출신으로는 처음으로 신라의 왕이 되었으며, 김유신 장군과 함께 삼국을 통일한 주역이기도 합니다. 어머니는 진평왕의 딸 천명공주이고 김춘추라는 이름으로도 유명한 이 사람은 누구일까요?

① 미추왕　② 진흥왕　③ 태종 무열왕
④ 신문왕　⑤ 문무왕

06 신라 진성여왕 때 당나라 사신 일행으로 가던 거타지는 홀로 섬에 남겨지게 됩니다. 이때 뛰어난 활솜씨로 서해신을 구해 주지요. 노인은 은혜를 갚기 위해 자신의 딸을 이것으로 변하게 한 후 거타지의 품속에 넣어 줍니다. 이것은 무엇일까요?

① 구슬　② 곡식　③ 거울　④ 비단　⑤ 꽃가지

07 삼국 중 신라가 불교를 가장 늦게 받아들인 이유는 무엇일까요?

① 고유의 민간 신앙이 매우 뿌리 깊어서
② 중국, 인도와 교류가 없어서
③ 왕을 중심으로 불교를 반대하는 세력이 강해서
④ 전쟁을 계속 치르느라 새로운 종교를 포용하지 못해서
⑤ 자신들의 문화가 가장 앞선다는 자부심 때문에

08 우리 문화재 중 유네스코가 지정한 세계유산이 아닌 것은 무엇일까요?

① 불국사, 석굴암
② 경주 역사유적지구
③ 해인사 장경판전
④ 경복궁, 덕수궁
⑤ 수원화성

09 신라 원성왕 때 김현이 흥륜사 탑돌이를 하다 만나 인연을 맺게 된 처녀는 알고 보니 이 동물이었습니다. 옛사람들에게 두려움의 대상이면서 신앙의 대상이기도 했던 이 동물은 무엇일까요?

____

10 원효대사는 전국 방방곡곡을 돌아다니며 쉬운 노래와 춤으로 백성들에게 불교를 전파했습니다. 이때 지어 부른 노래가 '무애가'인데, 여기서 '무애'란 무슨 뜻일까요?

____

____

____

07 ① : 신라에 불교가 늦게 전파된 이유는 신라가 불교의 발상지 인도나, 주요 문물 수입국이었던 중국에서 지리적으로 멀었기 때문이기도 하지만, 무엇보다도 신라 고유의 신앙이 매우 강했기 때문에 불교를 받아들이는 데 거부감이 심했던 것이 주원인이었습니다. / 08 ④ : '유네스코 세계유산'으로 지정된 우리 궁궐은 창덕궁입니다.

09 호랑이 : 호원사라는 절이 어떻게 세워졌는가에 대한 이야기 속에 등장하는 호랑이 처녀. 호랑이는 우리 옛이야기 속에 숱하게 등장할 만큼 우리 조상들과 친숙한 동물이었습니다. 깊은 산골짜기마다 호랑이가 살고 있을 때는, 호랑이는 얘기만 들어도 두려운 동물이면서 신앙의 대상이기도 했습니다.

10 무엇에도 얽매이지 않는다. : 원효대사는 '무애(무엇에도 얽매이지 않는다)'라는 악기를 만들고, 자신이 지은 '무애가'를 부르고 다녔습니다. 끊임없이 노력하면 누구나 부처가 될 수 있다고 믿은 그는, 백성들과 거리낌 없이 어울리면서 불교의 진리를 쉽게 전파하는 데 온 힘을 쏟았습니다. 덕분에 가난하고 무지한 백성들이 모두 부처의 이름을 알게 되었습니다.

정답

01 ② : 총 5권으로 이루어진 《삼국유사》 중에서 '기이(紀異)'는 가장 많은 부분을 차지하며, '어떤 나라의 역사를 말할 때 빠놓을 수 없는 줄기가 되면서 특별한 이야기'를 의미합니다.
02 ⑤ : 일연은 고향으로 돌아온 지 얼마 안 되어 어머니가 돌아가시자, 인각사를 마지막 거처로 정하고 여기서 자신의 일생을 마무리하며 《삼국유사》를 완성합니다.
03 토함산 : 당시 신라의 서울이었던 경주에는 토함산이 있습니다.
04 ④ : 연오랑 세오녀 설화를 통해 신라와 지리적으로 매우 가까웠던 일본 사이에 교류가 있었음을 알 수 있습니다. / 05 ③ : 29대 태종대왕(태종 무열왕)은 삼국 통일을 일궈 냈으며, 춘추라는 이름으로 유명하고, 어머니 천명부인은 진평왕의 둘째 딸입니다. / 06 ⑤ : 거타지 덕분에 목숨을 건진 서해신은 아름다운 딸을 꽃가지로 변하게 한 뒤 거타지의 품속에 넣어 주었습니다.

《삼국유사》 VS 《삼국사기》

《삼국유사》에 대해 이야기할 때, 흔히 《삼국사기》를 같이 떠올리곤 합니다. 비슷한 이름에 우리의 역사를 기록한 책이라는 점에서 종종 비교되기 때문입니다. 하지만 두 책은 엄연히 다른 책! 어떻게 다른지 간단히 살펴볼까요?

① 지은이 : 《삼국유사》는 일연 스님이, 《삼국사기》는 고려의 문신 김부식이 왕의 명령을 받고 지었습니다. 이 때문에《삼국유사》는 불교적 세계관을 바탕으로 하고 있고, 《삼국사기》는 정사(正史)를 위주로 담고 있습니다.
② 시대적 배경 : 《삼국사기》가 쓰인 당시는 묘청의 난으로 민심이 분열되어 있는 상태였습니다. 이에 고려 인종은 김부식을 시켜 공식 역사서를 편찬하여 민심을 수습하고 국왕 중심의 중앙집권체제를 강화하려 하였습니다. 《삼국유사》가 쓰인 때는 고려 충렬왕 시기, 무신정변과 몽고의 침략이 있던 때였습니다. 일연 스님은 이러한 혼란한 사회에서 우리의 정신적 기준을 찾아야 함을 깨닫고 《삼국유사》를 썼습니다.
③ 내용 : 두 책의 내용상 가장 큰 차이점은 설화의 유무입니다. 《삼국사기》는 국가에서 편찬한 공식 역사서였기에 신화나 전설, 설화의 내용은 제외되었습니다. 반면 《삼국유사》는 일연 스님이 개인적으로 편찬한 것으로, 옛날부터 전해 내려온 풍속, 신앙, 설화, 신화, 불교적 서술이 모두 들어 있습니다. 특히 우리나라의 건국 신화인 단군 신화도 담겨 있습니다. 또 향가라고 부르는 삼국시대의 가요 14수도 기록되어 있지요.

이처럼 《삼국유사》와 《삼국사기》는 이름은 비슷하지만 전혀 다른 내용과 배경을 가지고 편찬되었습니다. 그러나 두 책 모두 삼국시대의 역사를 연구하는 데 중요한 사료가 되고 있습니다.